「十三五」国家重点出版物出版规划项目

国家出版基金项目
NATIONAL PUBLICATION FOUNDATION

中国中药资源大典

中国中药资源大典

资源大典

湖北卷

6

黄璐琦 / 总主编

艾中柱　刘合刚　甘啟良 / 主　编

北京科学技术出版社

图书在版编目（CIP）数据

中国中药资源大典. 湖北卷. 6 / 艾中柱, 刘合刚,
甘啟良主编. -- 北京 ：北京科学技术出版社, 2024. 6.
ISBN 978-7-5714-4051-0

Ⅰ. R281.4

中国国家版本馆CIP数据核字第20243ED882号

责任编辑：吕 慧 孙 硕 吴 丹 李兆弟 侍 伟

责任校对：贾 荣

图文制作：樊润琴

责任印制：李 茗

出 版 人：曾庆宇

出版发行：北京科学技术出版社

社 址：北京西直门南大街16号

邮政编码：100035

电 话：0086-10-66135495（总编室） 0086-10-66113227（发行部）

网 址：www.bkydw.cn

印 刷：北京博海升彩色印刷有限公司

开 本：889 mm × 1 194 mm 1/16

字 数：1 311千字

印 张：59.25

版 次：2024年6月第1版

印 次：2024年6月第1次印刷

审 图 号：GS京（2023）1758号

ISBN 978-7-5714-4051-0

定 价：490.00元

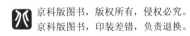

《中国中药资源大典·湖北卷》

编写委员会

指导单位	湖北省卫生健康委员会
	湖北省中医药管理局
总 主 编	黄璐琦
主 编	王 平 吴和珍 刘合刚
副主编	陈家春 李晓东 康四和 甘啟良 熊兴军 聂 晶 余 坤
	黄 晓 艾中柱 游秋云 周重建 万定荣 汪乐原
编 委	（按姓氏笔画排序）

力 华　万 智　万定荣　万舜民　马艳丽　马哲学　王 平　王 东

王 伟　王 旭　王 玮　王 诚　王 倩　王 涛　王 涵　王 斌

王 路　王 静　王玉兵　王正军　王臣林　王庆华　王红星　王志平

王迎丽　王建华　王艳丽　王绪新　王智勇　王毅斌　方 丹　方 琛

方 震　方优妮　尹 超　孔庆旭　邓 丰　邓 旻　邓 娟　邓 静

邓中富　邓爱平　甘 泉　甘啟良　艾中柱　艾伦强　石 晗　卢 琼

卢 锋　卢妍瑛　卢晓莉　帅 超　申雪阳　田万安　田守付　田经龙

史峰波　付卫军　包凤君　冯 煜　冯启光　冯建华　冯晓红　兰 洲

成刘志　成润芳　吕 沐　吕 露　朱 明　朱 霞　朱建军　向 栋

向 莉　向子成　向华林　刘 启　刘 迪　刘 晖　刘 敏　刘 渊

刘 博　刘 辉　刘 斌　刘 磊　刘义飞　刘义梅　刘丹萍　刘传福

刘合刚　刘兴艳　刘军昌　刘军锋　刘丽珍　刘国玲　刘建平　刘建涛

刘新平　闫明媚　江玲兴　许明军　许萌晖　阮 伟　阮爱萍　孙 媛

孙云华　孙立敏　孙仲谋　牟红兵　纪少波　严少明　严星宇　严雪梅

严德超　杜鸿志　李 平　李 立　李 芳　李 凯　李 洋　李 莉

李 浩　李 超　李 靖　李小红　李小玲　李丰华　李太彬　李文涛

李方涛　李世洋　李兴伟　李兴娇　李利荣　李宏焘　李建芝　李秋怡
李晓东　李海波　李乾富　李梓豪　李德凤　李德平　杨建　杨瑞
杨万宏　杨小宙　杨卫民　杨玉莹　杨光明　杨红兵　杨明荣　杨欣霜
杨学芳　杨振中　杨焰明　肖光　肖帆　肖浪　肖权衡　肖惟丹
吴丹　吴迪　吴勇　吴涛　吴亚立　吴自勇　吴志德　吴和珍
吴洪来　吴海新　何博　何文建　何江城　余坤　余艳　余亚心
邹远锦　邹志威　汪婧　汪静　汪文杰　汪乐原　张宇　张红
张芳　张明　张沐　张星　张俊　张格　张健　张银
张翔　张磊　张才士　张子良　张华良　张旭荣　张志君　张松保
张国利　张明高　张南方　张美娅　张晓勇　张梦林　张景景　张颖柔
陈乐　陈泉　陈俊　陈峰　陈途　陈锐　陈从量　陈秀梅
陈茂华　陈国健　陈泽璇　陈宗政　陈顺俭　陈家春　陈智国　陈霖林
范钊　范又良　范海洲　林良生　林祖武　明晶　季光琼　周艳
周密　周晶　周卫忠　周兴明　周丽华　周建国　周重建　周根群
周瑞忠　周新星　周啟兵　庞聪雅　郑宗敬　赵云　赵晖　赵翔
赵鹏　赵东瑞　赵君宇　赵昌礼　郝欲平　胡文　胡红　胡天云
胡文华　胡志刚　胡建华　胡敦全　胡嫦娥　柯源　柯美仓　柏仲华
柳卫东　柳成盟　钟艳　郜邦鹏　姜在铎　姜荣才　洪祥云　姚奇
秦思　袁杰　耿维东　聂晶　夏千明　夏斌斌　晏哲　钱特
徐雷　徐卫权　徐友滨　徐华丽　徐拂然　徐昌恕　徐泽鹤　徐德耀
高志平　郭丹丹　郭文华　唐鼎　涂育明　谈发明　黄莉　黄晓
黄楚　黄必胜　黄发慧　黄智洪　曹百惠　戚倩倩　龚玲　龚颜
龚绪毅　康四和　梁明华　寇章丽　彭宇　彭义平　彭建波　彭荣越
彭宣文　彭家庆　葛关平　董喜　董小阳　韩永界　韩劲松　森林
喻剑　喻涛　喻志华　喻雄华　程志　程月明　程淑琴　答国政
舒勇　舒佳惠　舒朝辉　童志军　曾凡奇　游秋云　蒯梦婷　雷普
雷大勇　雷志红　雷梦玉　詹建平　詹爱明　蔡志江　蔡宏涛　蔡洪容
蔡清萍　蔡朝晖　裴光明　廖敏　谭卫民　谭文勇　谭洪波　熊睿

熊小燕　熊兴军　熊志恒　熊林波　熊国飞　熊德琴　黎　曙　黎钟强
潘云霞　薛　辉　魏　敏　魏继雄

品种审定委员会 （按姓氏笔画排序）

王志平　刘合刚　杨红兵　吴和珍　汪乐原　黄　晓　森　林　潘宏林

审稿委员 （按姓氏笔画排序）

王　平　艾中柱　刘合刚　李建强　李晓东　肖　凌　吴和珍　余　坤
汪乐原　张　燕　陈林霖　陈科力　陈家春　苟君波　袁德培　聂　晶
徐　雷　黄　晓　黄必胜　康四和　詹亚华　廖朝林

3

《中国中药资源大典·湖北卷6》

编写委员会

主　编　艾中柱　刘合刚　甘啟良

副主编　张景景　刘义飞　刘　博　何文健

　　湖北省位于我国中部，地处亚热带季风气候区，位于第二级阶梯向第三级阶梯的过渡地带，温暖湿润的气候和复杂多样的地貌类型孕育了丰富的中药资源。

　　中药资源是中医药事业和中药产业发展的重要物质基础，是国家重要的战略性资源。湖北省作为第四次全国中药资源普查的试点省区之一，于 2011 年 12 月启动中药资源普查工作，历时 11 年，完成了 103 个县（自治县、市、区、林区）的中药资源普查工作，摸清了湖北省中药资源情况。《中国中药资源大典·湖北卷》由湖北省卫生健康委员会、湖北省中医药管理局组织编写，以普查获取的数据资料为基础，凝聚了全体普查"伙计"的共同心血与智慧，以较全面地展现了湖北省中药资源现状，具有重要的学术价值。

　　我曾多次与湖北省的"伙计们"一起跋山涉水开展中药资源调查，其间有许多新发现和新认识，如在蕲春县仙人台发现了失传已久的"九牛草"[*Artemisia stolonifera* (Maxim.) Komar.]。"伙计们"的专业精神令人感动，该书付梓之际，欣然为序。

中国工程院院士

中国中医科学院院长

第四次全国中药资源普查技术指导专家组组长

2024 年 3 月

前　言

　　湖北省地处我国中部，属于典型的亚热带季风气候区。全省地势大致为东、西、北三面环山，中间低平，略呈向南敞开的不完整盆地。湖北省西部的武陵山区、秦巴山区为我国第二级阶梯山地地区，海拔落差大，小气候明显；东南部属于我国第三级阶梯，日照充足，降水丰富，环境适宜。多样的地理环境与气候特征孕育了湖北省丰富的中药资源，湖北省历来被称为"华中药库"，为我国中药生产的重要基地。

　　2011年，在第四次全国中药资源普查试点工作启动之际，湖北省系统梳理本省在中药资源普查队伍、产业规模、政策支持等方面的优势，向全国中药资源普查办公室提交试点申请，获得批准，并于2011年12月18日正式启动普查工作。湖北省历时11年，分6批完成了全省103个县（自治县、市、区、林区）的野外普查工作。为进一步梳理普查成果，促进成果转化应用，湖北省于2019年7月29日启动《中国中药资源大典·湖北卷》的编写工作。

　　《中国中药资源大典·湖北卷》分为上、中、下三篇，共10册。上篇主要介绍湖北省的地理环境和气候特征、第四次中药资源普查实施情况、中药资源概况、中药资源开发利用情况、中药资源发展规划简介，以及湖北省新种、新记录种。中篇介绍湖北省道地、大宗药材，每种药材包括来源、原植物形态、野生资源、栽培资源、采收加工、药材性状、功能主治、用法用量、附注 9 项内容。下篇主要按照《中国植物志》的分类方法，以科、属为主线，分类介绍湖北省植物类中药资源，以便于读者了解湖北省植物类中药资源的种类、分布及应用现状等。

湖北省第四次中药资源普查共普查到植物类中药资源 4 834 种，其中具有药用历史的植物类中药资源 4 346 种。《中国中药资源大典·湖北卷》共收载植物类中药资源 3 298 种。普查过程中，发现新属 1 个、新种 17 个，重新采集模式标本 4 个，发现新分布记录科 2 个、新分布记录属 6 个。

《中国中药资源大典·湖北卷》目前收载的主要为植物类中药资源，动物类中药资源、矿物类中药资源和部分暂未收载的植物类中药资源将在补编中收载。

《中国中药资源大典·湖北卷》的编写工作由湖北省卫生健康委员会、湖北省中医药管理局组织，湖北省中药资源普查办公室、湖北中医药大学普查工作专班承担。本书是参与湖北省中药资源普查工作的全体同志智慧的结晶，在编写过程中得到了全国中药资源普查办公室和湖北省相关部门的大力支持，全省各普查单位、相关高校及科研院所的无私帮助，有关专家的悉心指导。在此，对所有领导、专家学者、普查队员等的辛勤付出表示诚挚的谢意和崇高的敬意！

本书可能存在不足之处，敬请读者不吝指正，以期后续完善和提高。

编 者

2024 年 2 月

凡　例

（1）本书共 10 册，分为上、中、下篇。上篇综述了湖北省的地理环境和气候特征、第四次中药资源普查实施情况、中药资源概况、中药资源开发利用情况、中药资源发展规划及新种、新记录种；中篇论述了 121 种湖北省道地、大宗药材；下篇共收录植物类中药资源 3 298 种。

（2）本书下篇主要介绍各中药资源，以中药资源名为条目名，下设药材名、形态特征、生境分布、资源情况、采收加工、功能主治及附注等，其中资源情况、采收加工、附注为非必要项，资料不详者项目从略。各项目编写原则简述如下。

1）条目名。该项记述中药资源物种及其科属的中文名、拉丁学名。其中菌类、苔藓类的名称主要参考《中华本草》，蕨类、裸子植物、被子植物的名称主要参考《中国植物志》。

2）药材名。该项记述中药资源的药材名。凡《中华人民共和国药典》等法定标准收载者，原则上采用法定药材名；法定标准未收载者，主要参考《中华本草》《全国中草药名鉴》《中国中药资源志要》。

3）形态特征。该项简要描述中药资源的形态特征，突出鉴别特征。主要参考《中国植物志》，并结合普查实际所获取的信息进行描述。

4）生境分布。该项记述中药资源在湖北省的生存环境与分布区域。生存环境主要源于普查实际获取的生境信息，并参考相关志书的描述。分布区域主要介绍中药资源的分布情况，源于植物标本采集地。

5）资源情况。该项记述中药资源的蕴藏量情况，用丰富、较丰富、一般、较少、稀少来表示；并用"野生"或"栽培"记述药材的主要来源。

6）采收加工。该项记述药材的采收时间与加工方法。

7）功能主治。该项主要记述药材的功能和主治。

8）附注。该项记载中药资源最新的分类学地位与接受名的变动情况；记载《中华人民共和国药典》与地方标准收载的物种学名；描述物种其他医药相关用途，以及本草、地方志书中的相关记载情况等。

（3）附录。以名录形式收载中篇、下篇没有收载的湖北药用植物资源。

目录

Contents

被子植物

豆科 Leguminosae 合萌属 Aeschynomene

合萌
Aeschynomene indica L.

| 药 材 名 |

合萌、梗通草。

| 形态特征 |

一年生草本或亚灌木状。茎直立，高 0.3 ～ 1 m，多分枝，圆柱形，无毛，具小凸点而稍粗糙，小枝绿色。叶具 20 ～ 30 对小叶或更多；托叶膜质，卵形至披针形，长约 1 cm，基部下延成耳状，通常有缺刻或呈啮蚀状；叶柄长约 3 mm；小叶近无柄，薄纸质，线状长圆形，长 5 ～ 10（～ 15）mm，宽 2 ～ 2.5（～ 3.5）mm，上面密布腺点，下面稍带白粉，先端钝圆或微凹，具细刺尖头，基部歪斜，全缘；小托叶极小。总状花序比叶短，腋生，长 1.5 ～ 2 cm；总花梗长 8 ～ 12 mm；花梗长约 1 cm；小苞片卵状披针形，宿存；花萼膜质，具纵脉纹，长约 4 mm，无毛；花冠淡黄色，具紫色的纵脉纹，易脱落，旗瓣大，近圆形，基部具极短的瓣柄，翼瓣篦状，龙骨瓣比旗瓣稍短，比翼瓣稍长或与翼瓣近等长；雄蕊二体；子房扁平，线形。荚果线状长圆形，直或弯曲，长 3 ～ 4 cm，宽约 3 mm，腹缝直，背缝多少呈波状；荚节 4 ～ 8（～ 10），平滑或中央有小疣凸，不开裂，成熟时逐节脱落；种子黑棕色，肾形，长 3 ~ 3.5 mm，宽 2.5 ~ 3 mm。花期 7 ~ 8 月，果期 8 ~ 10 月。

| 生境分布 | 生于低海拔地区的田边路旁潮湿地。湖北有分布。

| 采收加工 | 合萌：9 ~ 10 月采收，齐地割取地上部分，鲜用或晒干。

梗通草：9 ~ 10 月拔起全株，剥去茎皮，取木部，晒干。

| 功能主治 | 合萌：清热利湿，祛风明目，通乳。用于热淋，血淋，水肿，泄泻，痢疾，疔肿，疮疥，目赤肿痛，眼生云翳，夜盲，关节肿痛，产妇乳少。

梗通草：清热，利尿，通乳，明目。用于热淋，小便不利，水肿，乳汁不通，夜盲。

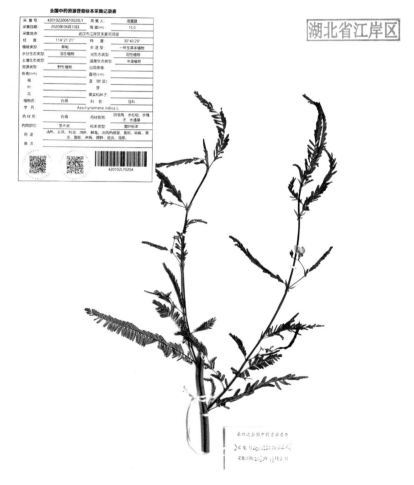

豆科 Leguminosae 合欢属 *Albizia*

天香藤
Albizia corniculata (Lour.) Druce

| 药 材 名 | 天香藤。

| 形态特征 | 攀缘灌木或藤本，长超过 20 m。幼枝稍被柔毛，在叶柄下常有一下弯的粗短刺。托叶小，脱落；二回羽状复叶，羽片 2 ～ 6 对；总叶柄近基部有压扁的腺体 1；小叶 4 ～ 10 对，长圆形或倒卵形，长12 ～ 25 mm，宽 7 ～ 15 mm，先端极钝或有时微缺，或具硬细尖，基部偏斜，上面无毛，下面疏被微柔毛；中脉居中。头状花序有花6 ～ 12，再排成顶生或腋生的圆锥花序；总花梗柔弱，疏被短柔毛，长 5 ～ 10 mm；花无梗；花萼长不及 1 mm，与花冠同被微柔毛；花冠白色，管长约 4 mm，裂片长 2 mm；花丝长 1 cm。荚果带状，长 10 ～ 20 cm，宽 3 ～ 4 cm，扁平，无毛；种子 7 ～ 11，长圆形，

天香藤

褐色。花期 4 ~ 7 月，果期 8 ~ 11 月。

| **生境分布** | 生于旷野或山地疏林中，常攀附于树上。湖北有分布。

| **功能主治** | 行气散瘀，止血。用于跌打损伤，创伤出血等。

豆科 Leguminosae 合欢属 Albizia

合欢 *Albizia julibrissin* Durazz.

| **药 材 名** | 合欢皮、合欢花。

| **形态特征** | 落叶乔木，高可达 16 m。二回羽状复叶，有羽片 4 ~ 12 对；小叶 10 ~ 30 对，长圆形至线形，两侧偏斜，长 6 ~ 12 mm，宽 1 ~ 4 mm，先端急尖，基部圆形；托叶线状披针形，早落。头状花序，花多数，伞房状排列，腋生或顶生；花淡红色，连雄蕊长 2.5 ~ 4 cm，有短花梗；花冠有短柔毛。荚果线形，扁平，长 9 ~ 15 cm，宽 1.2 ~ 2.5 cm，幼时有毛。花期 7 月，果期 8 ~ 10 月。

| **生境分布** | 分布于湖北咸丰、利川、房县、巴东、五峰、神农架、兴山、崇阳、江夏、英山、罗田。

|采收加工| 　**合欢皮**：夏、秋季间剥皮，切段，晒干或烘干。

　　　　　　合欢花：夏季花初开时采收，除去枝叶，晒干。

|功能主治| 　**合欢皮**：安神解郁，活血消痈。用于心神不安，忧郁，不眠，内外痈疡，跌打损伤。

　　　　　　合欢花：疏郁，安神，理气，明目，活络。用于忧郁失眠，心神不安，健忘，胸闷纳呆，风火眼疾，视物不清，腰疼，跌打损伤。

豆科 Leguminosae 合欢属 Albizia

山槐

Albizia kalkora (Roxb.) Prain

| 药 材 名 | 山合欢。

| 形态特征 | 乔木，高 4 ~ 15 m。二回羽状复叶；羽片 2 ~ 3 对；小叶 5 ~ 14 对，线状长圆形，长 1.5 ~ 4.5 cm，宽 1 ~ 1.8 cm，先端钝圆，有小短尖，基部近圆形，偏斜，中脉显著偏向叶片上侧，两面密生短柔毛。头状花序 2 ~ 3 生于上部叶腋或排成伞房状；花白色，有花梗，连雄蕊长约 3.5 cm；花萼、花冠密生短柔毛。荚果扁平，线形，深棕色，长 7 ~ 17 cm，宽 1.5 ~ 3 cm，疏生短柔毛；种子 4 ~ 12。花期 5 ~ 6 月，果期 8 月。

| 生境分布 | 生于海拔 100 m 以下的山坡灌丛中或路旁。分布于湖北咸丰、宣恩、

恩施、利川、建始、巴东、五峰、兴山、神农架、赤壁、崇阳、通山、江夏、英山、罗田，以及咸宁。

| **资源情况** | 野生资源丰富。

| **采收加工** | **皮**：夏、秋季间剥皮，切段，晒干或烘干。

| **功能主治** | 安神解郁，活血消痈。用于心神不安，忧郁，不眠，内外痈疡，跌打损伤。

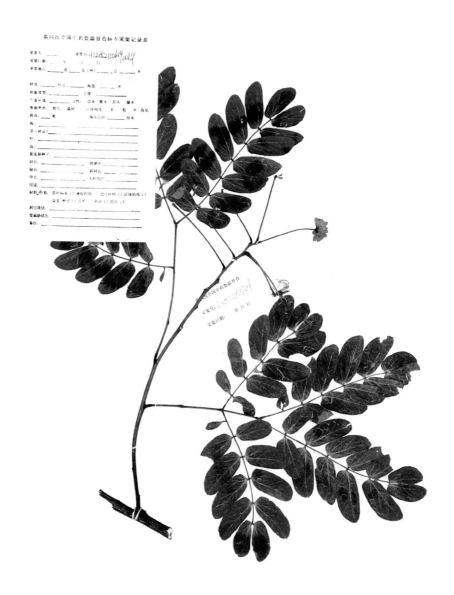

豆科 Leguminosae 紫穗槐属 Amorpha

紫穗槐
Amorpha fruticosa L.

| 药 材 名 | 紫穗槐。

| 形态特征 | 落叶灌木，丛生，高 1 ~ 4 m。小枝灰褐色，被疏毛，后变无毛，嫩枝密被短柔毛。叶互生，奇数羽状复叶，长 10 ~ 15 cm，有小叶 11 ~ 25，基部有线形托叶；叶柄长 1 ~ 2 cm；小叶卵形或椭圆形，长 1 ~ 4 cm，宽 0.6 ~ 2 cm，先端圆形，锐尖或微凹，有一短而弯曲的尖刺，基部宽楔形或圆形，上面无毛或被疏毛，下面有白色短柔毛，具黑色腺点。穗状花序常 1 至数个顶生和于枝端腋生，长 7 ~ 15 cm，密被短柔毛；花有短梗；苞片长 3 ~ 4 mm；花萼长 2 ~ 3 mm，被疏毛或几无毛，萼齿三角形，较萼筒短；旗瓣心形，紫色，无翼瓣和龙骨瓣；雄蕊 10，下部合生成鞘，上部分裂，包于

旗瓣之中，伸出花冠外。荚果下垂，长 6 ～ 10 mm，宽 2 ～ 3 mm，微弯曲，先端具小尖，棕褐色，表面有凸起的疣状腺点。花果期 5 ～ 10 月。

| **生境分布** | 湖北有栽培。

| **采收加工** | **全株**：春、夏季采收，鲜用或晒干。

| **功能主治** | 清热解毒，祛湿消肿。用于痈疮，烧伤，烫伤，湿疹。

豆科 Leguminosae 两型豆属 Amphicarpaea

两型豆

Amphicarpaea edgeworthii Benth.

| 药 材 名 | 两型豆。

| 形态特征 | 一年生缠绕草本。茎纤细，长 0.3 ~ 1.3 m，被淡褐色柔毛。叶具羽状 3 小叶；托叶小，披针形或卵状披针形，长 3 ~ 4 mm，具明显线纹；叶柄长 2 ~ 5.5 cm；小叶薄纸质或近膜质，顶生小叶菱状卵形或扁卵形，长 2.5 ~ 5.5 cm，宽 2 ~ 5 cm，稀更大或更宽，先端钝或有时短尖，常具细尖头，基部圆形、宽楔形或近平截，上面绿色，下面淡绿色，两面常被贴伏的柔毛，基出脉 3，纤细，小叶柄短；小托叶极小，常早落，侧生小叶稍小，常偏斜。花二型；生在茎上部的为正常花，排成腋生的短总状花序，有花 2 ~ 7，各部被淡褐色长柔毛；苞片近膜质，卵形至椭圆形，长 3 ~ 5 mm，具多条线纹，

腋内通常具花 1；花梗纤细，长 1 ~ 2 mm；花萼管状，5 裂，裂片不等；花冠淡紫色或白色，长 1 ~ 1.7 cm，各瓣近等长，旗瓣倒卵形，具瓣柄，两侧具内弯的耳，翼瓣长圆形，亦具瓣柄和耳，龙骨瓣与翼瓣近似，先端钝，具长瓣柄；雄蕊二体，子房被毛。生于茎下部的为闭锁花，无花瓣，柱头弯至与花药接触，子房伸入地下结实。荚果二型。生于茎上部的正常花结的荚果为长圆形或倒卵状长圆形，长 2 ~ 3.5 cm，宽约 6 mm，扁平，微弯，被淡褐色柔毛，背、腹缝线上的毛较密；种子 2 ~ 3，肾状圆形，黑褐色，种脐小。由闭锁花伸入地下结的荚果呈椭圆形或近球形，不开裂，内含 1 种子。花果期 8 ~ 11 月。

| **生境分布** | 生于海拔 300 ~ 1 800 m 的山坡路旁及旷野草地上。湖北有分布。

| **功能主治** | **种子**：补肝肾，止虚汗。

豆科 Leguminosae 两型豆属 Amphicarpaea

三籽两型豆
Amphicarpaea trisperma (Miquel) Baker

| **药材名** | 阴阳豆。

| **形态特征** | 多年生缠绕草本。枝密生淡黄色柔毛。小叶3，菱状卵形或扁卵形，长2～6 cm，宽1.5～3.5 cm，先端急尖，基部圆形，两面有白色长柔毛。花二型；下部有单生无瓣而能育的花，但通常3～5花排成腋生总状花序；苞片卵形，有纵脉，被柔毛，小苞片披针形；花萼筒状，萼齿5，有淡黄色长柔毛；花冠白色或淡紫色，长1～1.5 cm；雄蕊10；子房有毛。荚果长圆形，扁平，长2～3 cm，有毛，尤以腹缝线为密；种子3，红棕色，有黑色斑。花期8～9月，果期9～10月。

| 生境分布 | 生于海拔 140 m 以下的山坡灌木林下或田埂草地上。分布于湖北来凤、咸丰、五峰、巴东、神农架、黄梅、罗田。 |

| 采收加工 | **全草：** 夏季采收。
种子： 秋季采收荚果，采剥种子，晒干。 |

| 功能主治 | 健脾消食，除湿止泻。用于脾胃虚弱，食欲不振，水肿，腹泻等。 |

豆科 Leguminosae 土圜儿属 Apios

土圜儿

Apios fortunei Maxim

| 药 材 名 | 土圜儿。

| 形态特征 | 缠绕草本，有球状块根。茎有稀疏白色短柔毛。羽状复叶；小叶 3 ~ 7，卵形至宽披针形，长 3 ~ 7 cm，宽 1.5 ~ 4 cm，先端急尖，有短尖头，基部圆形；小叶柄有时有毛；托叶及小托叶早落。总状花序腋生，长 6 ~ 26 cm；苞片及小苞片线形，有白色短毛；花萼呈二唇形，无毛；花绿白色，旗瓣圆形，长 10 mm，翼瓣长圆形，长 7 mm，龙骨瓣长，狭长圆形，卷曲成半圆形；雄蕊 2 组；子房有白色疏短毛，花柱长而卷曲成半圆圈。荚果线形，长约 8 cm，有短柔毛。花期 7 月。

| 生境分布 | 生于海拔 300 ~ 1 000 m 的山坡灌丛中，缠绕在树上。分布于湖北

五峰、通山。

| **采收加工** | **块根**：冬季倒苗前采挖，挖出后晒干或炕干，撞去泥土即可，亦可鲜用。

| **功能主治** | 清热解毒，止咳祛痰。用于感冒咳嗽，咽喉肿痛，百日咳，乳痈，瘰疬，无名肿毒，毒蛇咬伤，带状疱疹。

落花生 *Arachis hypogaea* L.

| 药 材 名 | 落花生、花生衣。

| 形态特征 | 一年生草本。根部有丰富的根瘤；茎直立或匍匐，长 30 ～ 80 cm，茎和分枝均有棱，被黄色长柔毛，后变无毛。叶通常具小叶 2 对；托叶长 2 ～ 4 cm，具纵脉纹，被毛；叶柄基部抱茎，长 5 ～ 10 cm，被毛；小叶纸质，卵状长圆形至倒卵形，长 2 ～ 4 cm，宽 0.5 ～ 2 cm，先端钝圆形，有时微凹，具小刺尖头，基部近圆形，全缘，两面被毛，边缘具睫毛；侧脉每边约 10；叶脉边缘互相联结成网状；小叶柄长 2 ～ 5 mm，被黄棕色长毛；花长约 8 mm；苞片 2，披针形；小苞片披针形，长约 5 mm，具纵脉纹，被柔毛；萼管细，长 4 ～ 6 cm；花冠黄色或金黄色，旗瓣直径 1.7 cm，开展，先端凹入；翼

瓣与龙骨瓣分离，翼瓣长圆形或斜卵形，细长，龙骨瓣长卵状圆形，内弯，先端渐狭成喙状，较翼瓣短；花柱延伸于萼管咽部之外，柱头顶生，小，疏被柔毛。荚果长 2 ~ 5 cm，宽 1 ~ 1.3 cm，膨胀，荚厚；种子横径 0.5 ~ 1 cm。花果期 6 ~ 8 月。

| 生境分布 | 栽培种。湖北有栽培。

| 采收加工 | 落花生：秋季采挖果实，剥去果壳，取种子，晒干。

花生衣：在加工油料或制作食品时收集红色种皮，晒干。

| 功能主治 | 落花生：健脾养胃，润肺化痰。用于脾虚不运，反胃不舒，乳妇奶少，脚气，肺燥咳嗽，大便燥结。

花生衣：止血，散瘀，消肿。用于血友病，原发性及继发性血小板减少性紫癜，肝病出血，术后出血，恶性肿瘤出血，胃、肠、肺、子宫出血。

豆科 Leguminosae 黄芪属 Astragalus

紫云英 *Astragalus sinicus* L.

| 药 材 名 | 紫云英。

| 形态特征 | 一年生或二年生草本，高20～30 cm。茎细弱，无毛，绿色或紫红色，匍匐生根。小叶7～15，对生，倒卵形或椭圆形，长1～2 cm，宽5～15 mm，先端钝圆，中央凹入，基部楔形或钝圆，全缘，上面绿色，无毛，下面苍白色，被白色长硬毛；托叶叶状，卵形；叶柄长3～4 cm。总状花序近伞形，总梗长达15 cm；花萼钟状，萼齿三角形，有长毛；花冠紫色或白色；子房无毛，有短柄。荚果线状长圆形，微弯，长1～2 cm，黑色，无毛。花期5月，果期6月。

| 生境分布 | 生于溪边或森林中潮湿处、山坡、山径旁。分布于湖北宣恩、鹤峰、恩施、建始、巴东、兴山、神农架、江夏。

| 资源情况 | 野生资源丰富，栽培资源丰富。

| 采收加工 | **全草**：春、夏季采收，洗净，鲜用或晒干。

| 功能主治 | 清热解毒，祛风明目，凉血止血。用于咽喉痛，风痰咳嗽，目赤肿痛，带状疱疹，疔疮，疥癣，痔疮，牙龈出血，外伤出血，月经不调，带下，血小板减少性紫癜。

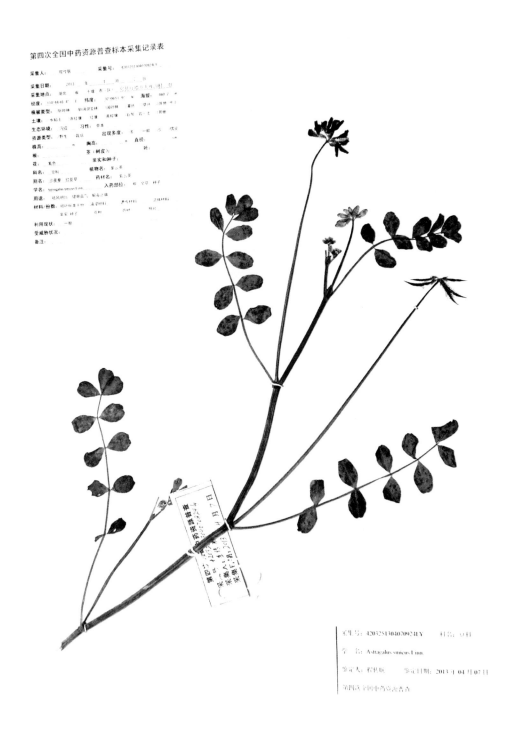

豆科 Leguminosae 羊蹄甲属 Bauhinia

龙须藤

Bauhinia championii (Benth.) Benth.

| **药 材 名** | 九龙藤。

| **形态特征** | 藤本,有卷须。嫩枝和花序薄被紧贴的小柔毛。叶纸质,卵形或心
形,长 3 ~ 10 cm,宽 2.5 ~ 6.5(~ 9)cm,先端锐渐尖、圆钝、
微凹或 2 裂,裂片长度不一,基部截形、微凹或心形,上面无毛,
下面被紧贴的短柔毛,渐变为无毛或近无毛,干时粉白褐色;基
出脉 5 ~ 7;叶柄长 1 ~ 2.5 cm,纤细,略被毛。总状花序狭长,
腋生,有时与叶对生或数个聚生于枝顶而成复总状花序,长 7 ~
20 cm,被灰褐色小柔毛;苞片与小苞片小,锥尖;花蕾椭圆形,
长 2.5 ~ 3 mm,具凸头,与萼及花梗同被灰褐色短柔毛;花直径约
8 mm;花梗纤细,长 10 ~ 15 mm;花托漏斗形,长约 2 mm;萼片

披针形，长约 3 mm；花瓣白色，具瓣柄，瓣片匙形，长约 4 mm，外面中部疏被丝毛；能育雄蕊 3，花丝长约 6 mm，无毛；退化雄蕊 2；子房具短柄，仅沿两缝线被毛，花柱短，柱头小。荚果倒卵状长圆形或带状，扁平，长 7 ~ 12 cm，宽 2.5 ~ 3 cm，无毛，果瓣革质；种子 2 ~ 5，圆形，扁平，直径约 12 mm。花期 6 ~ 10 月，果期 7 ~ 12 月。

| 生境分布 | 生于海拔 1 000 m 以下的沟边山谷、河边疏林下或灌丛中。分布于湖北宜昌。

| 采收加工 | **根、茎：** 全年均可采收，砍取茎秆或挖出根部，除去泥土、杂质，切片，鲜用或晒干。

| 功能主治 | 祛风除湿，行气活血。用于风湿痹痛，跌打损伤，偏瘫，胃痛，疳积，痢疾。

豆科 Leguminosae 小凤花属 Caesalpinia

云实
Caesalpinia sepiaria Roxb.

| 药 材 名 | 云实。

| 形态特征 | 攀缘灌木，密生倒钩状刺。二回羽状复叶，羽片 6 ~ 16；小叶 12 ~ 24，长椭圆形，长 10 ~ 25 mm，宽 6 ~ 12 mm，先端圆，微缺，基部圆，稍偏斜。总状花序顶生，长 15 ~ 30 cm；花梗细，长达 3 cm；萼长 9 ~ 12 mm，萼筒短，萼片膜质；花瓣黄色，花丝下半部密生绵毛。荚果长椭圆形，扁平，长 6 ~ 12 cm，宽 2.3 ~ 3 cm，先端圆，有喙，沿腹缝有宽 3 ~ 4 mm 的狭翅；种子 6 ~ 9。花期 4 ~ 5 月，果期 6 月。

| 生境分布 | 生于山谷、沟边、路旁。分布于湖北来凤、咸丰、宣恩、鹤峰、利川、建始、巴东、神农架、兴山、赤壁、崇阳、江夏、罗田，以及宜昌。

| **资源情况** | 野生资源丰富。

| **采收加工** | **种子：**秋季果实成熟时采收，剥取种子，晒干。

| **功能主治** | 解毒除湿，止咳化痰，杀虫。用于痢疾，疟疾，慢性支气管炎，疳积，虫积。

菝子梢

Campylotropis macrocarpa (Bunge) Rehd.

| 药 材 名 | 壮筋草。

| 形态特征 | 灌木，高达 2.5 m。幼枝密生白色短柔毛。小叶 3，顶生小叶长圆形或椭圆形，长 3 ~ 6.5 cm，宽 1.5 ~ 4 cm，先端圆或微凹，有短尖，基部圆形，上面无毛，脉网明显，下面有淡黄色柔毛，侧生小叶较小。总状花序腋生；花梗细长，长达 1 cm，有关节，被绢毛；花萼宽钟状，萼齿 4，有疏柔毛；花冠紫色。荚果斜椭圆形，膜质，长约 1.2 cm，被毛，具网脉。花期 7 ~ 9 月，果期 10 月。

| 生境分布 | 生于山坡或草地上。分布于湖北巴东、房县、丹江口。

| **采收加工** | **全草或根**：夏季采收全草，秋季采挖根，洗净，切片或切段，晒干。 |

| **功能主治** | 疏风解表，活血通络。用于风寒感冒，痧证，肾炎性水肿，肢体麻木，半身不遂。 |

豆科 Leguminosae 刀豆属 Canavalia

刀豆

Canavalia gladiata (Jacq.) DC.

| 药 材 名 |

刀豆。

| 形态特征 |

缠绕草本，长达数米，无毛或稍被毛。羽状复叶具3小叶，小叶卵形，长8～15 cm，宽（4～）8～12 cm，先端渐尖或具急尖的尖头，基部宽楔形，两面薄被微柔毛或近无毛，侧生小叶偏斜；叶柄常较小叶片为短；小叶柄长约7 mm，被毛。总状花序具长总花梗，有数花生于总轴中部以上；花梗极短，生于花序轴隆起的节上；小苞片卵形，长约1 mm，早落；花萼长15～16 mm，稍被毛，上唇长约为萼管长的1/3，具2阔而圆的裂齿，下唇3裂，齿小，长2～3 mm，急尖；花冠白色或粉红色，长3～3.5 cm，旗瓣宽椭圆形，先端凹入，基部具不明显的耳及阔瓣柄，翼瓣和龙骨瓣均弯曲，具向下的耳；子房线形，被毛。荚果带状，略弯曲，长20～35 cm，宽4～6 cm，离缝线约5 mm处有棱；种子椭圆形或长椭圆形，长约3.5 cm，宽约2 cm，厚约1.5 cm，种皮红色或褐色，种脐长约为种子周长的3/4。花期7～9月，果期10月。

| **生境分布** | 栽培种。湖北有栽培。

| **资源情况** | 栽培资源丰富。

| **采收加工** | 播种当年 10 月下旬开始收获。选择晴天，摘取成熟的荚果，干燥，剥取种子，晒干或炕干。

| **功能主治** | 温中下气，益肾补元。用于虚寒呃逆，肾虚腰痛。

豆科 Leguminosae 锦鸡儿属 Caragana

树锦鸡儿 *Caragana arborescens* (Amm.) Lam

| 药 材 名 | 树锦鸡儿。

| 形态特征 | 小乔木或大灌木，高 2 ~ 6 m；老枝深灰色，平滑，稍有光泽，小枝有棱，幼时被柔毛，绿色或黄褐色。羽状复叶有 4 ~ 8 对小叶；托叶针刺状，长 5 ~ 10 mm，长枝者脱落，极少宿存；叶轴细瘦，长 3 ~ 7 cm，幼时被柔毛；小叶长圆状倒卵形、狭倒卵形或椭圆形，长 1 ~ 2（~ 2.5）cm，宽 5 ~ 10（~ 13）mm，先端圆钝，具刺尖，基部宽楔形，幼时被柔毛，或仅下面被柔毛。花梗 2 ~ 5 簇生，每梗具 1 花，长 2 ~ 5 cm，关节在上部，苞片小，刚毛状；花萼钟状，长 6 ~ 8 mm，宽 7 ~ 8 mm，萼齿短宽；花冠黄色，长 16 ~ 20 mm，旗瓣菱状宽卵形，宽与长近相等，先端圆钝，具短瓣柄，

翼瓣长圆形，较旗瓣稍长，瓣柄长为瓣片的 3/4，耳距状，长不及瓣柄的 1/3，龙骨瓣较旗瓣稍短，瓣柄较瓣片略短，耳钝或略呈三角形；子房无毛或被短柔毛。荚果圆筒形，长 3.5 ~ 6 cm，直径 3 ~ 6.5 mm，先端渐尖，无毛。花期 5 ~ 6 月，果期 8 ~ 9 月。

| 生境分布 | 生于海拔 1 600 ~ 1 900 m 的山顶灌丛、岩缝和山坡、林缘。湖北有分布。

| 采收加工 | **全草**：秋季采收，洗净，切丝，晒干。

| 功能主治 | 滋养，通乳，利尿，祛风湿。用于月经不调，宫颈癌，乳腺癌，脚气，带下，乳汁不通，麻木浮肿。

豆科 Leguminosae 锦鸡儿属 *Caragana*

锦鸡儿
Caragana sinica (Buchoz) Rehd

| 药 材 名 | 阳雀花。

| 形态特征 | 灌木，高 1 ~ 2 m。树皮深褐色；小枝有棱，无毛。托叶三角形，硬化成针刺，长 5 ~ 7 mm；叶轴脱落或硬化成针刺，针刺长 7 ~ 15（~ 25）mm；小叶 2 对，羽状，有时假掌状，上部 1 对常较下部的为大，厚革质或硬纸质，倒卵形或长圆状倒卵形，长 1 ~ 3.5 cm，宽 5 ~ 15 mm，先端圆形或微缺，具刺尖或无刺尖，基部楔形或宽楔形，上面深绿色，下面淡绿色。花单生，花梗长约 1 cm，中部有关节；花萼钟状，长 12 ~ 14 mm，宽 6 ~ 9 mm，基部偏斜；花冠黄色，常带红色，长 2.8 ~ 3 cm，旗瓣狭倒卵形，具短瓣柄，翼瓣稍长于旗瓣，瓣柄与瓣片近等长，耳短小，龙骨瓣宽钝；子房

无毛。荚果圆筒状，长 3 ~ 3.5 cm，宽约 5 mm。花期 4 ~ 5 月，果期 7 月。

| 生境分布 | 生于山坡向阳处和灌丛。湖北有分布。

| 功能主治 | **根**：滋补强壮，活血调经，祛风利湿。用于高血压，头昏头晕，耳鸣眼花，体弱乏力，月经不调，带下，乳汁不足，风湿关节痛，跌打损伤等。

花：祛风活血，止咳化痰。用于头晕耳鸣，肺虚咳嗽，小儿消化不良等。

豆科 Leguminosae 决明属 Cassia

短叶决明
Cassia leschenaultiana DC.

| 药 材 名 | 短叶决明。

| 形态特征 | 一年生或多年生亚灌木状草本，高 30 ~ 80 cm，有时可达 1 m。茎直立，分枝，嫩枝密生黄色柔毛。叶长 3 ~ 8 cm，在叶柄的上端有 1 圆盘状腺体；小叶 14 ~ 25 对，线状镰形，长 8 ~ 13（~ 15）mm，宽 2 ~ 3 mm，两侧不对称，中脉靠近叶的上缘；托叶线状锥形，长 7 ~ 9 mm，宿存。花序腋生，有 1 花或数花；总花梗先端的小苞片长约 5 mm；萼片 5，长约 1 cm，带状披针形，外面疏被黄色柔毛；花冠橙黄色，花瓣稍长于萼片或与萼片等长；雄蕊 10，有时 1 ~ 3 雄蕊退化；子房密被白色柔毛。荚果扁平，长 2.5 ~ 5 cm，宽约 5 mm，有 8 ~ 16 种子。花期 6 ~ 8 月，果期 9 ~ 11 月。

| **生境分布** | 生于山地路旁的灌丛或草丛中。分布于湖北恩施等。 |

| **采收加工** | 种子：中秋时节，荚果变黄时，将植株割下，晒干，打下种子，去净杂质。 |

| **功能主治** | 种子：健胃，利尿，消水肿。 |

豆科 Leguminosae 决明属 Cassia

含羞草决明 Cassia mimosoides L.

| **药 材 名** | 山扁豆。

| **形态特征** | 亚灌木状草本，高 30 ~ 45 cm。茎多分枝，分枝瘦长，斜开或四散，多少被有短柔毛。双数羽状复叶，互生，长 7.5 ~ 10 cm；托叶线形，长尖；小叶 25 ~ 60 对，镰状线形，长 3 ~ 5 mm，少有 8 mm，先端短尖。花梗腋生；单一或数朵排成短总状花序；萼片 5，披针形，先端急尖；花瓣 5，黄色，少有长于萼片者；雄蕊 10，5 长 5 短，相间而生；雌蕊 1，子房线形而扁，花柱内弯，柱头截形。荚果条形，扁平，长 2.5 ~ 5 cm；宽约 5 mm，疏被毛；种子 16 ~ 25，深褐色，平滑，有光泽。花期 8 ~ 9 月，果期 9 ~ 10 月。

| **生境分布** | 生于山坡地、空旷地的灌丛或草丛中。湖北有分布。

| 采收加工 | 全草：夏、秋季采收，晒干或焙干，以叶多者为佳。 |

| 功能主治 | 清热解毒，利尿，通便。用于肾炎性水肿，口渴，咳嗽痰多，习惯性便秘，毒蛇咬伤。 |

豆科 Leguminosae 决明属 Cassia

豆茶决明 *Cassia nomame* (Sieb.) Kitagawa

| 药 材 名 | 山野扁豆。

| 形态特征 | 一年生草本，高 30 ~ 60 cm，被毛。双数羽状复叶，互生，长 5 ~ 10 cm，小叶 8 ~ 35 对；小叶片线状矩圆形，长 5 ~ 9 mm，两端稍呈斜形，先端短尖；托叶 1 对，披针形，先端钻形，宿存。花黄色，腋生，1 ~ 2；花梗短，长 5 ~ 10 mm；苞片 1 对，线状披针形；萼片 5 深裂，裂片披针形或广披针形，表面被细毛；花瓣 5，倒卵形，长 4 ~ 7 mm；雄蕊 4；雌蕊 1。荚果扁平，长圆状线形，长 3 ~ 5 cm，密被灰黄色毛，具种子 6 ~ 12；种子扁平，菱方形，浅黄棕色，长约 3 mm。花期 7 ~ 8 月，果期 8 ~ 9 月。

| **生境分布** | 生于林缘草地、路边。湖北有分布。

| **功能主治** | 健脾利湿，止咳化痰。用于慢性肾小球肾炎，咳嗽痰多，慢性便秘。

豆科 Leguminosae 决明属 Cassia

钝叶决明
Cassia obtusifolia L.

| 药 材 名 | 钝叶决明。

| 形态特征 | 一年生半灌木状草本。高 0.5 ~ 2 m。上部分枝多。叶互生，羽状
复叶；叶柄长 2 ~ 5 cm；小叶 3 对，叶片倒卵形或倒卵状长圆形，
长 2 ~ 6 cm，宽 1.5 ~ 3.5 cm，先端圆形，基部楔形，稍偏斜，下
面及边缘有柔毛，最下 1 对小叶间有 1 条形腺体，或下面 2 对小
叶间各有 1 腺体。花成对腋生，最上部的聚生；总花梗极短；小
花梗长 1 ~ 2 cm；萼片 5，倒卵形；花冠黄色，花瓣 5，倒卵形，
长 12 ~ 15 mm，基部有爪；雄蕊 10，发育雄蕊 7，3 较大的花药先
端急狭成瓶颈状；子房细长，花柱弯曲。荚果细长，近四棱形，长

15 ～ 20 cm，宽 3 ～ 4 mm，果柄长 2 ～ 4 cm；种子多数，菱柱形或菱形略扁，淡褐色，光亮，两侧各有 1 线形斜凹纹。花期 6 ～ 8 月，果期 8 ～ 10 月。

| 生境分布 | 生于山坡、旷野及河滩沙地上。湖北各地均有分布。

| 采收加工 | **成熟种子**：秋季采收成熟果实，晒干，打下种子，除去杂质。

| 功能主治 | 清热明目，润肠通便。用于目赤涩痛，畏光多泪，头痛眩晕，目暗不明，大便秘结。

豆科 Leguminosae 决明属 Cassia

望江南 *Cassia occidentalis* L.

| 药 材 名 | 望江南、望江南子。

| 形态特征 | 一年生灌木或半灌木状草本，高 1 ~ 2 m。茎直立，圆柱形，下部木质化，上部多分枝。双数羽状复叶，互生；叶柄长 3 ~ 5 cm，柄上近基部有腺体 1；托叶卵状披针形；小叶 3 ~ 5 对，最下 1 对最小；小叶片卵形或卵状披针形，长 2 ~ 6 cm，宽 1 ~ 2 cm，先端尖或渐尖，基部近圆形，稍斜，全缘，边缘有细柔毛，小叶柄极短，上面密被细柔毛。伞房状总状花序腋生或顶生，花梗疏被细柔毛；苞片卵形，早落；花萼 5；花瓣 5，黄色，倒卵形或椭圆形，先端圆形或微凹，基部有短爪；雄蕊 10，上面 3 为退化雄蕊；子房线形而扁，被白色长毛，花柱丝状，内弯，柱头截形。荚果扁平，线形，有横

隔膜，淡棕色，被稀毛；种子卵形而 1 端稍尖，扁平，近中央微凹。花期 8 ~ 9 月，果期 10 月。

| 生境分布 | 生于河边滩地、旷野或丘陵的灌木林或疏林中。湖北有分布。

| 采收加工 | 望江南：8 月采收茎叶，晒干。

望江南子：10 月果实成熟变黄色时，割取全株，晒干后脱粒，取出种子再晒干。

| 功能主治 | 望江南：肃肺，清肝，通便，解毒。用于咳嗽气喘，头痛目赤，小便血淋，大便秘结，痈肿疮毒，蛇虫咬伤。

望江南子：清肝，健胃，通便，解毒。用于目赤肿痛，头晕头胀，消化不良，胃痛，痢疾，便秘，痈肿疔毒。

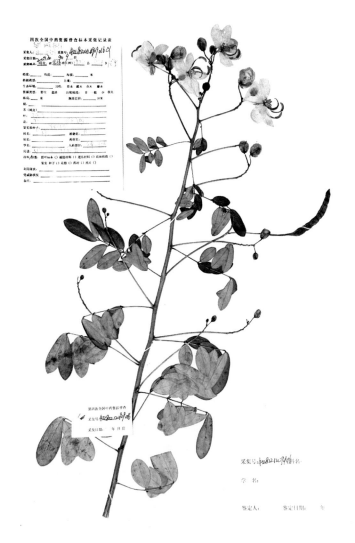

豆科 Leguminosae 决明属 Cassia

决明

Cassia tora Linn.

| 药 材 名 | 决明子。

| 形态特征 | 一年生草本，高约1 m。茎直立，上部多分枝，全体被短柔毛。叶互生；双数羽状复叶；叶柄上面有沟，叶轴上2小叶间有腺体；托叶线状，早落；小叶3对，倒卵形，长2～3 cm，宽1.5～3 cm，先端圆形，有微突尖，基部广楔形或近圆形，一边倾斜，全缘，上面近无毛，下面被柔毛。花腋生，成对；总花梗长约1 cm，被柔毛；萼片5，卵圆形，外面被柔毛；花瓣5，倒卵形或椭圆形，具短爪，黄色；雄蕊10，上面3退化，下面7发育完全；子房细长，弯曲，被毛，具柄，花柱极短，柱头头状。荚果，线形，略扁，弓形弯曲，长15～24 cm，直径4～6 mm，被疏柔毛；种子多数，菱形，灰

绿色，有光亮。花期 6 ~ 8 月，果期 9 ~ 10 月。

| 生境分布 | 生于丘陵、路边、荒山、山坡疏林下。湖北有分布。

| 采收加工 | **种子：** 秋季果实成熟后采收全草，摘下果荚，晒干，打出种子，扬净荚壳及杂质，再晒干。

| 功能主治 | 清肝，明目，利水，通便。用于风热赤眼，青盲，雀目，高血压，肝炎，肝硬化腹水，习惯性便秘。

豆科 *Leguminosae* 紫荆属 *Cercis*

紫荆
Cercis chinensis Bunge

| 药 材 名 | 紫荆木、紫荆皮。

| 形态特征 | 落叶乔木或大灌木，栽培的常呈灌木状，高可达 15 m。树皮幼时暗灰色而光滑，老时粗糙而作片裂。幼枝有细毛。单叶互生；叶柄长达 3 cm；叶片近圆形，长 6 ～ 14 cm，宽 5 ～ 14 cm，先端急尖或骤尖，基部深心形，上面无毛，下面叶脉有细毛，全缘。花先于叶开放，4 ～ 10 簇生于老枝上；小苞片 2，阔卵形，长约 2.5 mm；花梗细，长 6 ～ 15 mm；花萼钟状，5 齿裂；花玫瑰红色，长 1.5 ～ 1.8 cm，花冠蝶形，大小不等；雄蕊 10，分离，花丝细长；雌蕊 1，子房无毛，具柄，花柱上部弯曲，柱头短小，呈压扁状。荚果狭长方形，扁平，长 5 ～ 14 cm，宽 1 ～ 1.5 cm，沿腹缝线有狭翅，暗褐色；种子 2 ～ 8，

扁，近圆形，长约 4 mm。花期 4 ～ 5 月，果期 5 ～ 7 月。

| **生境分布** | 多栽培于庭园、屋旁、寺街边，少数生于密林或石灰岩地区。湖北有分布。

| **功能主治** | 活血通经，消肿解毒。用于风寒湿痹，妇女经闭，血气疼痛，喉痹，淋证，痈肿，癣疥，跌打损伤，蛇虫咬伤。

湖北紫荆 *Cercis glabra* Pamp

| 药 材 名 | 湖北紫荆。

| 形态特征 | 乔木，高 6 ~ 16 m，胸径达 30 cm；树皮和小枝灰黑色。叶较大，厚纸质或近革质，心形或三角状圆形，长 5 ~ 12 cm，宽 4.5 ~ 11.5 cm，先端钝或急尖，基部浅心形至深心形，幼叶常呈紫红色，成长后绿色，上面光亮，下面无毛或基部脉腋间常有簇生柔毛；基脉（5 ~）7；叶柄长 2 ~ 4.5 cm。总状花序短，总轴长 0.5 ~ 1 cm，有数至十余花；花淡紫红色或粉红色，先于叶或与叶同时开放，稍大，长 1.3 ~ 1.5 cm，花梗细长，长 1 ~ 2.3 cm。荚果狭长圆形，紫红色，长 9 ~ 14 cm，少数短于 9 cm，宽 1.2 ~ 1.5 cm，翅宽约 2 mm，先端渐尖，基部圆钝，二缝线不等长，背缝线稍长，向外弯拱，

少数基部渐尖而缝线等长；果颈长 2 ～ 3 mm；种子 1 ～ 8，近圆形，扁，长 6 ～ 7 mm，宽 5 ～ 6 mm。花期 3 ～ 4 月，果期 9 ～ 11 月。

| 生境分布 | 生于海拔 600 ～ 1 900 m 的山地疏林、密林中以及山谷、路边或岩石上。分布于湖北西部至西北部。

| 功能主治 | **树皮**：活血通经，消肿止痛，解毒。

叶：用于背痈初起。

花：通小肠，清热凉血，祛风解毒。

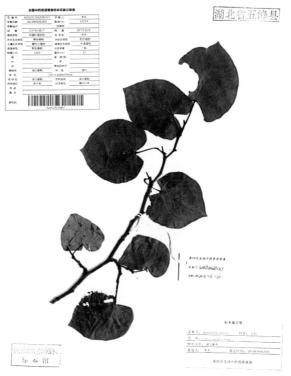

豆科 Leguminosae 紫荆属 Cercis

垂丝紫荆 *Cercis racemosa* Oliv.

| 药 材 名 | 垂丝紫荆。

| 形 态 特 征 | 乔木，高 8 ~ 15 m。叶阔卵圆形，长 6 ~ 12.5 cm，宽 6.5 ~ 10.5 cm，先端急尖而呈一长约 1 cm 的短尖头，基部截形或浅心形，上面无毛，下面被短柔毛，尤以主脉上被毛较多，主脉 5，在下面凸起，网脉两面明显；叶柄较粗壮，长 2 ~ 3.5 cm，无毛。总状花序单生，下垂，长 2 ~ 10 cm，花先于叶开或与叶同时开放，总花梗和总轴被毛，花多数，长约 1.2 cm，具纤细，长约 1 cm 的花梗；花萼长约 5 mm，花瓣玫瑰红色，旗瓣具深红色斑点；雄蕊内藏，花丝基部被毛。荚果长圆形，稍弯拱，长 5 ~ 10 cm，宽 1.2 ~ 1.8 cm，翅宽 2 ~ 2.5 mm，扁平，先端急尖并有一长约 5 mm 的细喙，基部渐狭，

背、腹缝线近等长；果颈长约 4 mm；果柄细，长约 1.5 cm；种子 2～9，扁平。花期 5 月，果期 10 月。

| **生境分布** | 生于海拔 1 000～1 800 m 的山地密林中、路旁或村落附近。分布于湖北西部。

| **功能主治** | 活血通经，消肿解毒。用于筋骨痛，肢体痿软，瘫痪，痰火，血寒经闭。

豆科 Leguminosae 猪屎豆属 Crotalaria

响铃豆
Crotalaria albida Heyne ex Roth

| **药 材 名** | 响铃豆。

| **形态特征** | 灌木状草本，高 15 ~ 100 cm。茎单一或分枝，枝条细弱，略被短毛。单叶互生，叶倒披针形，大小不一，上面光滑，绿色，下面略被柔毛，青灰色，几无叶柄；托叶极微细，如刚毛状，肉眼不易察见。总状花序顶生或同时腋生，有花 6 ~ 20；苞片与小苞片甚细小，线形或丝状；小苞片着生于花萼基部；花萼长 6 ~ 8 mm，深裂，萼齿矩形或线形，先端狭尖，略被丝状短柔毛；花冠蝶形，淡黄色；旗瓣先端浑圆，至基部渐狭，边沿略被毛，翼瓣倒卵形，龙骨瓣曲折，均具短爪；雄蕊 10，合生成单体，花药异形；花柱长，柱头细小，斜生。荚果无毛，圆柱形，伸出于花萼之外；种子 6 ~ 12。花果期 5 ~ 11 月。

| **生境分布** | 生于海拔 200 ~ 2 800 m 的荒地路旁及山坡疏林下。湖北有分布。 |

采收加工 全草或根：夏、秋季采收，洗净，切碎，晒干。

功能主治 清热解毒，止咳平喘，截疟。用于尿道炎，膀胱炎，肝炎，胃肠炎，痢疾，支气管炎，肺炎，哮喘，疟疾；外用于痈肿疮毒，乳腺炎。

豆科 Leguminosae 猪屎豆属 Crotalaria

假地蓝

Crotalaria ferruginea Grah. ex Benth.

| 药 材 名 | 响铃草。

| 形态特征 | 多年生草本。根长 60 cm 以上。茎、枝直立或略上升，通常分枝甚多；茎、枝、叶各部分均有稍长而扩展的毛，毛略粗糙，稍呈丝状。单叶互生，矩形、长卵形或长椭圆形，长 2 ~ 5 cm，宽 1 ~ 3 cm，两面均有毛而下面脉上最密，先端钝或微尖，基部窄或略呈楔形，侧脉不明显；几无叶柄；托叶披针形，长 4 ~ 6 mm，反折。总状花序，顶生或同时腋生；有花 2 ~ 6；萼筒很短，萼片披针形，不相等；花冠与萼片等长或长过萼片，蝶形，黄色，旗瓣有爪，圆形，翼瓣倒卵状长圆形，较旗瓣为短，龙骨瓣与翼瓣等大，向内弯曲；雄蕊10，单体，药 2 室；子房线形，花柱长，柱头稍斜。荚果膨胀成膀

胱状，长 2.5 ~ 3 cm；种子 20 ~ 30，肾形。花期 6 ~ 10 月。

| **生境分布** | 生于山坡、荒地。湖北有分布。

| **采收加工** | **全草**：夏、秋季采收，鲜用或扎成把，晒干。

| **功能主治** | 敛肺气，补脾肾，利小便，消肿毒。用于久咳痰血，耳鸣，耳聋，梦遗，慢性肾小球肾炎，膀胱炎，肾结石，扁桃体炎，淋巴结炎，疔毒，恶疮。

豆科 Leguminosae 猪屎豆属 Crotalaria

农吉利
Crotalaria sessiliflora L.

| 药 材 名 | 农吉利。

| 形态特征 | 直立草本，茎高 30 ~ 100 cm，基部常木质，单株或茎上分枝，被紧贴粗糙的长柔毛。托叶线形，长 2 ~ 3 mm，宿存或早落；单叶，叶片形状常变异较大，通常为线形或线状披针形，两端渐尖，长 3 ~ 8 cm，宽 0.5 ~ 1 cm，上面近无毛，下面密被丝质短柔毛；叶柄近无。总状花序顶生、腋生或密生枝顶形似头状，亦有单花生于叶腋，1 至多花；苞片线状披针形，长 4 ~ 6 mm，小苞片与苞片同形，成对生于萼筒部基部；花梗短，长约 2 mm；花萼二唇形，长 10 ~ 15 mm，密被棕褐色长柔毛，萼齿阔披针形，先端渐尖；花冠蓝色或紫蓝色，包被萼内，旗瓣长圆形，长 7 ~ 10 mm，宽 4 ~ 7 mm，

先端钝或凹，基部具胼胝体 2，翼瓣长圆形或披针状长圆形，约与旗瓣等长，龙骨瓣中部以上变狭，形成长喙；子房无柄。荚果短圆柱形，长约 10 mm，苞被萼内，下垂紧贴于枝，秃净无毛；种子 10 ~ 15。花果期 5 月至翌年 2 月。

| 生境分布 | 生于海拔 70 ~ 1 500 m 的荒地路旁及山谷草地。湖北有分布。

| 采收加工 | 全草：7 ~ 10 月采收，鲜用或切段，晒干。

| 功能主治 | 清热，利湿，解毒，消积。用于痢疾，热淋，喘咳，风湿痹痛，疔疮疖肿，毒蛇咬伤，疳积，恶性肿瘤等。

大金刚藤

Dalbergia dyeriana Prain ex Harms

| 药 材 名 | 大金刚藤。

| 形态特征 | 大藤本。小枝纤细，无毛。羽状复叶长 7 ~ 13 cm；小叶（3 ~ ）4 ~ 7 对，薄革质，倒卵状长圆形或长圆形，长 2.5 ~ 4（~ 5）cm，宽 1 ~ 2（~ 2.5）cm，基部楔形，有时阔楔形，先端圆或钝，有时稍凹缺，上面无毛，有光泽，下面疏被紧贴柔毛，细脉纤细而密，两面明显隆起；小叶柄长 2 ~ 2.5 mm。圆锥花序腋生，长 3 ~ 5 cm，直径约 3 cm；总花梗、分枝与花梗均略被短柔毛，花梗长 1.5 ~ 3 mm；基生小苞片与副萼状小苞片长圆形或披针形，脱落；花萼钟状，略被短柔毛，渐变无毛，萼齿三角形，先端钝，上面 2 萼齿较阔，下方 1 萼齿最长，先端近急尖；花冠黄白色，各瓣均具稍长的瓣柄，

旗瓣长圆形，先端微缺，翼瓣倒卵状长圆形，无耳，龙骨瓣狭长圆形，内侧有短耳；雄蕊 9，单体，花丝上部 1/4 离生；子房具短柄，被短柔毛或近无毛，有胚珠 1 ~ 3，花柱短，无毛，柱头小，尖状。荚果长圆形或带状，扁平，长 5 ~ 6（~ 9）cm，宽 1.2 ~ 2 cm，先端圆、钝或急尖，有细尖头，基部楔形，具果颈，果瓣薄革质，干时淡褐色，对向种子部分有细而清晰网纹，有种子 1（~ 2）；种子长圆状肾形，长约 1 cm，宽约 5 mm。花期 5 月。

| 生境分布 | 生于海拔 700 ~ 1 500 m 的山坡灌丛或山谷密林中。湖北有分布。

| 功能主治 | **根**：理气散寒，活络止痛。用于胸腹气滞疼痛，嗳气呃逆，跌打损伤。

藤黄檀
Dalbergia hancei Benth.

| 药 材 名 | 藤檀。

| 形态特征 | 藤本。枝纤细，幼枝略被柔毛，小枝有时变钩状或旋扭。羽状复叶长 5 ~ 8 cm；托叶膜质，披针形，早落；小叶 10 ~ 26，较小，狭长圆形或倒卵状长圆形，长 10 ~ 20 mm，宽 5 ~ 10 mm，先端钝或圆，微缺，基部圆或阔楔形，嫩时两面被伏贴疏柔毛，成长时上面无毛。总状花序远较复叶短，幼时包藏于呈舟状或覆瓦状排列、早落的苞片内，数个总状花序常再集成腋生短圆锥花序；花梗长 1 ~ 2 mm，与花萼和小苞片同被褐色短茸毛；基生小苞片卵形，副萼状小苞片披针形，均早落；花萼阔钟状，长约 3 mm，萼齿短，阔三角形，除最下 1 萼齿先端急尖外，其余的均钝或圆，具缘毛；

花冠绿白色，芳香，长约 6 mm，各瓣均具长柄，旗瓣椭圆形，基部两侧稍呈截形，具耳，中间渐狭下延成 1 瓣柄，翼瓣与龙骨瓣长圆形；雄蕊 9，单体，有时 10，其中 1 对着旗瓣；子房线形，除腹缝略具缘毛外，其余无毛，具短的子房柄，花柱稍长，柱头小。荚果扁平，长圆形或带状，无毛，长 3 ~ 7 cm，宽 8 ~ 14 mm，基部收缩为 1 细果颈，通常有 1 种子，稀 2 ~ 4；种子肾形，极扁平，长约 8 mm，宽约 5 mm。花期 4 ~ 5 月。

| 生境分布 | 生于山坡灌丛中或山谷溪旁。湖北有分布。

| 采收加工 | 藤茎：夏、秋季采收，切碎，晒干。

根：夏、秋季采挖，切片，晒干。

| 功能主治 | 藤茎：理气止痛。用于胃痛，腹痛，胸胁痛。

根：舒筋活络，强壮筋骨。用于腰腿痛，关节痛，跌打损伤，骨折。

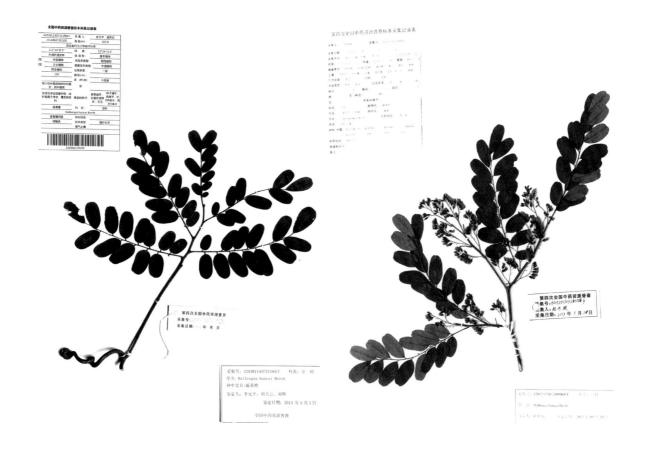

豆科 Leguminosae 黄檀属 Dalbergia

黄檀
Dalbergia hupeana Hance

药 材 名

黄檀。

形态特征

乔木，高 10 ~ 20 m；树皮暗灰色，呈薄片状剥落。幼枝淡绿色，无毛。羽状复叶长 15 ~ 25 cm；小叶 3 ~ 5 对，近革质，椭圆形至长圆状椭圆形，长 3.5 ~ 6 cm，宽 2.5 ~ 4 cm，先端钝或稍凹入，基部圆形或阔楔形，两面无毛，细脉隆起，上面有光泽。圆锥花序顶生或生于最上部的叶腋间，连总花梗长 15 ~ 20 cm，直径 10 ~ 20 cm，疏被锈色短柔毛；花密集，长 6 ~ 7 mm；花梗长约 5 mm，与花萼同疏被锈色柔毛；基生小苞片和副萼状小苞片卵形，被柔毛，脱落；花萼钟状，长 2 ~ 3 mm，萼齿 5，上方 2 萼齿阔圆形，近合生，侧方的萼齿卵形，最下 1 萼齿披针形，长为其余 4 萼齿的 1 至多倍；花冠白色或淡紫色，长倍于花萼，各瓣均具柄，旗瓣圆形，先端微缺，翼瓣倒卵形，龙骨瓣半月形，与翼瓣内侧均具耳；雄蕊 10，二体；子房具短柄，除基部与子房柄外，无毛，胚珠 2 ~ 3，花柱纤细，柱头小，头状。荚果长圆形或阔舌状，长 4 ~ 7 cm，宽 13 ~ 15 mm，先端急尖，基部渐狭成果颈，果瓣薄革质，对向种子部分有网纹，有 1 ～ 2 （ ～ 3 ）种子；种子肾形，长 7 ～ 14 mm，宽 5 ～ 9 mm。花期 5 ～ 7 月。

| **生境分布** | 生于海拔 600 ～ 1 400 m 的山地林中、灌丛中、山沟溪旁及有小树林的坡地。湖北有分布。

| **功能主治** | 清热解毒，止血消肿。用于疮疥疔毒，毒蛇咬伤，细菌性痢疾，跌打损伤。

豆科 Leguminosae 黄檀属 Dalbergia

象鼻藤 *Dalbergia mimosoides* Franch.

| **药 材 名** | 麦刺藤叶。

| **形态特征** | 灌木，高 4 ~ 6 m，或为藤本，多分枝。幼枝密被褐色短粗毛。羽

状复叶长 6 ~ 8（~ 10）cm；叶轴、叶柄和小叶柄初时密被柔毛，后渐稀疏；托叶膜质，卵形，早落；小叶 10 ~ 17 对，线状长圆形，长 6 ~ 12（~ 18）mm，宽（3 ~）5 ~ 6 mm，先端截形、钝或凹缺，基部圆或阔楔形，嫩时两面略被褐色柔毛，尤以下面中脉上较密，老时无毛或近无毛，花枝上的幼嫩小叶边缘略呈波状，成长时边缘略加厚，下面细脉干时近黑色。圆锥花序腋生，比复叶短，长 1.5 ~ 5 cm，分枝聚伞花序状；总花梗、花序轴、分枝与花梗均被柔毛；花小，稍密集，长约 5 mm；小苞片卵形，被柔毛，脱落；花萼钟状，略被毛，萼齿除下方 1 萼齿较长，为披针形之外，其余的卵形，均具缘毛；花冠白色或淡黄色，花瓣具短柄，旗瓣长圆状倒卵形，先端微凹缺，翼瓣倒卵状长圆形，龙骨瓣椭圆形；雄蕊 9，偶有 10，单体，花丝长短相间；子房具柄，沿腹缝线疏被柔毛，其余无毛，花柱短，柱头小，有胚珠 2 ~ 3。荚果无毛，长圆形至带状，扁平，长 3 ~ 6 cm，宽 1 ~ 2 cm，先端急尖，基部钝或楔形，具稍长的果颈，果瓣革质，对向种子部分有网纹，有种子 1（~ 2）；种子肾形，扁平，长约 10 mm，宽约 6 mm。花期 4 ~ 5 月。

| **生境分布** | 生于海拔 800 ~ 2 000 m 的山沟疏林或山坡灌丛中。湖北有分布。

| **采收加工** | 叶：夏、秋季采收，鲜用或晒干。

| **功能主治** | 清热解毒。用于疗疮，痈疽，蜂窝织炎，毒蛇咬伤。

豆科 Leguminosae 假木豆属 *Dendrolobium*

单节假木豆

Dendrolobium lanceolatum (Dunn) Schindl.

| 药 材 名 | 单节假木豆。

| 形态特征 | 灌木，高 1 ~ 3 m。嫩枝微具棱角，被黄褐色长柔毛，老时渐变圆柱状而无毛。叶为三出羽状复叶；托叶披针形，长 5 ~ 12 mm；叶柄长 0.5 ~ 2 cm，具沟槽；小叶硬纸质，长圆形或长圆状披针形，长 2 ~ 5 cm，宽 0.9 ~ 1.9 cm，侧生小叶较小，两端均钝或急尖，上面无毛，下面被贴伏短柔毛，脉上毛较密，侧脉每边 4 ~ 7，不达叶缘，在下面隆起；小托叶针形，长 2 ~ 3 mm；小叶柄长 2 ~ 3 mm，被柔毛。花序腋生，近伞形，长 10 ~ 15 mm，约有 10 花，结果时花轴延长成短的总状果序，花轴被黄褐色柔毛；苞片披针形；花梗长约 2 mm，被柔毛；花萼长 4 mm，外面被贴伏柔毛，上

部 1 裂片宽卵形，长 1.5 ~ 2 mm，下部 1 裂片较长，狭披针形，长 3 ~ 4.2 mm；花白色或淡黄色，旗瓣椭圆形，长 6 ~ 9 mm，宽 5 ~ 6 mm，具瓣柄，翼瓣狭长圆形，长 5 ~ 6 mm，宽 1.5 ~ 2 mm，龙骨瓣近镰状，长 7 ~ 9 mm，宽约 2.5 mm；雄蕊长 7 ~ 8 mm；雌蕊长 7 ~ 8 mm，花柱长约 7 mm，子房被疏柔毛。荚果有 1 荚节，宽椭圆形或近圆形，长 8 ~ 10 mm，宽 6 ~ 7 mm，扁平而中部凸起，无毛，有明显的网脉。种子 1，宽椭圆形，长约 3 mm，宽约 2 mm。花期 5 ~ 8 月，果期 9 ~ 11 月。

| **生境分布** | 生于海拔 100 ~ 800 m 的溪边草地、山坡灌丛或疏林中。分布于湖北利川等。

| **功能主治** | 清热凉血，强筋壮骨，健脾利湿。用于喉痛，腹泻，跌打损伤，骨折，内伤吐血。

豆科 Leguminosae　山蚂蟥属 Desmodium

小槐花

Desmodium caudatum (Thunb.) DC.

| **药 材 名** | 小槐花。

| **形态特征** | 直立灌木或亚灌木，高 1 ~ 2 m。树皮灰褐色，分枝多，上部分
枝略被柔毛。叶为羽状三出复叶，小叶 3；托叶披针状线形，长
5 ~ 10 mm，基部宽约 1 mm，具条纹，宿存；叶柄长 1.5 ~ 4 cm，
扁平，较厚，上面具深沟，多少被柔毛，两侧具极窄的翅；小叶
近革质或纸质，顶生小叶披针形或长圆形，长 5 ~ 9 cm，宽 1.5 ~
2.5 cm，侧生小叶较小，先端渐尖，急尖或短渐尖，基部楔形，全
缘，上面绿色，有光泽，疏被极短柔毛，老时渐变无毛，下面疏被
贴伏短柔毛，中脉上毛较密，侧脉每边 10 ~ 12，不达叶缘；小
托叶丝状，长 2 ~ 5 mm；小叶柄长达 14 mm。总状花序顶生或腋

生，长 5 ~ 30 cm，花序轴密被柔毛并混生小钩状毛，每节生 2 花；苞片钻形，长约 3 mm；花梗长 3 ~ 4 mm，密被贴伏柔毛；花萼窄钟形，长 3.5 ~ 4 mm，被贴伏柔毛和钩状毛，裂片披针形，上部裂片先端 2 微裂；花冠绿白色或黄白色，长约 5 mm，具明显脉纹，旗瓣椭圆形，瓣柄极短，翼瓣狭长圆形，具瓣柄，龙骨瓣长圆形，具瓣柄；雄蕊二体；雌蕊长约 7 mm，子房在缝线上密被贴伏柔毛。荚果线形，扁平，长 5 ~ 7 cm，稍弯曲，被伸展的钩状毛，腹、背缝线浅缢缩，有荚节 4 ~ 8，荚节长椭圆形，长 9 ~ 12 mm，宽约 3 mm。花期 7 ~ 9 月，果期 9 ~ 11 月。

| 生境分布 | 生于海拔 150 ~ 1 000 m 的山坡、路旁草地、沟边、林缘或林下。湖北有分布。

| 采收加工 | **全株或根**：夏、秋季采集，洗净，晒干；或全年均可采收，鲜用。

| 功能主治 | 清热解毒，祛风利湿。用于感冒发热，胃肠炎，痢疾，疳积，风湿关节痛；外用于毒蛇咬伤，痈疖疔疮，乳腺炎。

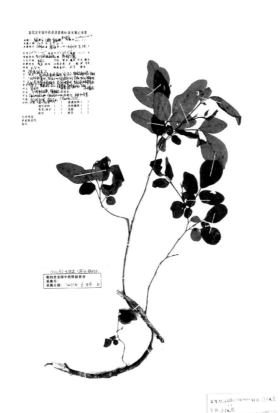

豆科 Leguminosae 山蚂蝗属 Desmodium

圆锥山蚂蝗 *Desmodium elegans* DC.

| 药 材 名 |　圆锥山蚂蝗。

| 形态特征 |　多分枝灌木，高 1 ~ 2 m。小枝被短柔毛渐变至无毛。叶为羽状三出复叶；小叶 3；托叶早落，狭卵形，长 4 ~ 10 mm，宽 1 ~ 2 mm，外面疏生柔毛，边缘有睫毛；叶柄长 2 ~ 4 cm，被柔毛，渐变至无毛；小叶纸质，形状、大小变化较大，卵状椭圆形、宽卵形、菱形或圆菱形，长 2 ~ 7 cm，宽 1.5 ~ 5 cm，侧生小叶略小，先端圆或钝，或急尖至渐尖，基部宽楔形，常不对称或斜钝，上面被贴伏短柔毛或几无毛，下面被密或疏的短柔毛至近无毛，全缘或浅波状，侧脉 4 ~ 6，直达叶缘；小托叶线形，长 1 ~ 3 mm，密被小柔毛；小叶柄长 2 ~ 3 mm，被柔毛。花序顶生或腋生，顶生者多为圆锥

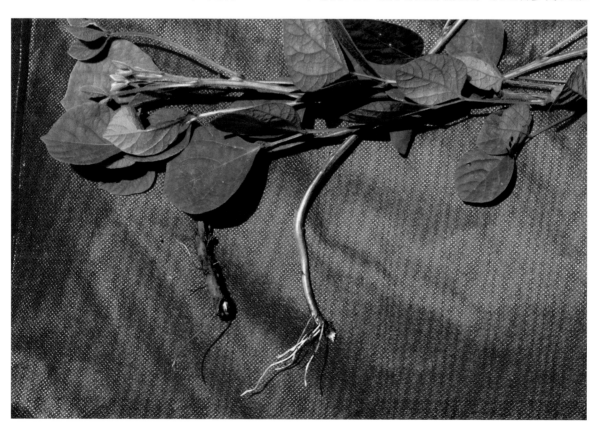

花序，腋生者为总状花序，长 5 ~ 20 cm 或更长；总花梗密被或疏生小柔毛；通常 2 ~ 3 花生于每一节上；花梗长 4 ~ 10 mm，被柔毛或近无毛；苞片线状披针形，早落，被柔毛；花萼钟形，长 3 ~ 4 mm，被柔毛或近无毛，4 裂，裂片三角形，较萼筒短，长 1 ~ 1.2 mm，上部裂片全缘或先端微 2 裂；花冠紫色或紫红色，长 9 ~ 17 mm，旗瓣宽椭圆形或倒卵形，先端微凹，圆形，基部楔形，翼瓣、龙骨瓣均具瓣柄，翼瓣具耳；雄蕊长 7 ~ 13 mm；雌蕊长 9 ~ 15 mm，子房被贴伏短柔毛。荚果扁平，线形，长 3 ~ 5 cm，宽 4 ~ 5 mm，疏被贴伏短柔毛，腹缝线近直线，背缝线圆齿状，有荚节 4 ~ 6。花果期 6 ~ 10 月。

| 生境分布 | 生于海拔 1 000 ~ 3 100 m 的松林、栎林林缘、林下、山坡路旁或水沟边。湖北有分布。

| 功能主治 | **全株**：开胃健脾，清热利湿。用于疳积，肝炎，胸腹胀痛，风湿关节痛。

根：清热利湿，活血祛瘀。用于感冒，痢疾，肝脾大，跌打瘀肿。

叶：接骨。外用于骨折。

豆科 Leguminosae 山蚂蝗属 Desmodium

假地豆
Desmodium heterocarpon (L.) DC.

| 药 材 名 | 假地豆。

| 形态特征 | 小灌木或亚灌木。茎直立或平卧，高 30 ~ 150 cm，基部多分枝，多少被糙伏毛，后变无毛。叶为羽状三出复叶，小叶 3；托叶宿存，狭三角形，长 5 ~ 15 mm，先端长尖，基部宽，叶柄长 1 ~ 2 cm，略被柔毛；小叶纸质，顶生小叶椭圆形、长椭圆形或宽倒卵形，长 2.5 ~ 6 cm，宽 1.3 ~ 3 cm，侧生小叶通常较小，先端圆或钝，微凹，具短尖，基部钝，上面无毛，无光泽，下面被贴伏白色短柔毛，全缘，侧脉每边 5 ~ 10，不达叶缘；小托叶丝状，长约 5 mm；小叶柄长 1 ~ 2 mm，密被糙伏毛。总状花序顶生或腋生，长 2.5 ~ 7 cm，总花梗密被淡黄色开展的钩状毛；花极密，每 2 花生于花序的节上；

苞片卵状披针形，被缘毛，在花未开放时呈覆瓦状排列；花梗长 3 ~ 4 mm，近无毛或疏被毛；花萼长 1.5 ~ 2 mm，钟形，4 裂，疏被柔毛，裂片三角形，较萼筒稍短，上部裂片先端微 2 裂；花冠紫红色、紫色或白色，长约 5 mm，旗瓣倒卵状长圆形，先端圆至微缺，基部具短瓣柄，翼瓣倒卵形，具耳和瓣柄，龙骨瓣极弯曲，先端钝；雄蕊二体，长约 5 mm；雌蕊长约 6 mm，子房无毛或被毛，花柱无毛。荚果密集，狭长圆形，长 12 ~ 20 mm，宽 2.5 ~ 3 mm，腹缝线浅波状，腹缝线、背缝线被钩状毛，有荚节 4 ~ 7，荚节近方形。花期 7 ~ 10 月，果期10 ~ 11 月。

| 生境分布 | 生于山坡草地、水旁、灌丛或林中。分布于湖北利川、红安、当阳等。

| 功能主治 | 利水通淋，散瘀消肿。用于尿路结石，跌打瘀肿，外伤出血。

豆科 Leguminosae 山蚂蟥属 *Desmodium*

小叶三点金 *Desmodium microphyllum* (Thunb.) DC.

| 药 材 名 | 小叶三点金、辫子草根。

| 形态特征 | 多年生草本。茎纤细，多分枝，直立或平卧，通常红褐色，近无毛；根粗，木质。叶为羽状三出复叶，有时仅为单小叶；托叶披针形，长 3 ~ 4 mm，具条纹，疏生柔毛，有缘毛；叶柄长 2 ~ 3 mm，疏生柔毛；如为单小叶，则叶柄较长，长 3 ~ 10 mm；小叶薄纸质，较大的为倒卵状长椭圆形或长椭圆形，长 10 ~ 12 mm，宽 4 ~ 6 mm，较小的为倒卵形或椭圆形，长只有 2 ~ 6 mm，宽 1.5 ~ 4 mm，先端圆形，少有微凹入，基部宽楔形或圆形，全缘，侧脉每边 4 ~ 5，不明显，不达叶缘，上面无毛，下面被极稀疏柔毛或无毛；小托叶小，长 0.2 ~ 0.4 mm；顶生小叶柄长 3 ~ 10 mm，疏被柔毛。总状花序

顶生或腋生，被黄褐色开展柔毛；有花 6 ～ 10，花小，长约 5 mm；苞片卵形，被黄褐色柔毛；花梗长 5 ～ 8 mm，纤细，略被短柔毛；花萼长 4 mm，5 深裂，密被黄褐色长柔毛，裂片线状披针形，较萼筒长 3 ～ 4 倍；花冠粉红色，与花萼近等长，旗瓣倒卵形或倒卵状圆形，中部以下渐狭，具短瓣柄，翼瓣倒卵形，具耳和瓣柄，龙骨瓣长椭圆形，较翼瓣长，弯曲；雄蕊二体，长约 5 mm；子房线形，被毛。荚果长 12 mm，宽约 3 mm，腹背 2 缝线浅齿状，通常有荚节 3 ～ 4，有时 2 或 5，荚节近圆形，扁平，被小钩状毛和缘毛或近无毛，有网脉。花期 5 ～ 9 月，果期 9 ～ 11 月。

| 生境分布 | 生于荒地草丛、山坡草地、路旁及灌丛中。湖北有分布。

| 采收加工 | **全草或根：**夏、秋季采集，鲜用或晒干。

| 功能主治 | 清热利湿，止血，通络。用于黄疸，痢疾，小便淋痛，风湿痛，咯血，崩漏，带下，痔疮，跌打损伤。

豆科 Leguminosae 山蚂蝗属 Desmodium

饿蚂蝗

Desmodium multiflorum DC.

| **药 材 名** | 饿蚂蝗。

| **形态特征** | 直立灌木，高 1 ~ 2 m。多分枝，幼枝具棱角，密被淡黄色至白色柔毛，老时渐变无毛。叶为羽状三出复叶，小叶 3；托叶狭卵形至卵形，长 4 ~ 11 mm，宽 1.5 ~ 2.5 mm；叶柄长 1.5 ~ 4 cm，密被绒毛；小叶近革质，椭圆形或倒卵形，顶生小叶长 5 ~ 10 cm，宽 3 ~ 6 cm，侧生小叶较小，先端钝或急尖，具硬细尖，基部楔形或钝，稀圆形，上面几无毛，干时常呈黑色，下面多少灰白色，被贴伏或伸展丝状毛，中脉尤密，侧脉每边 6 ~ 8，直达叶缘，明显；小托叶狭三角形，长 1 ~ 3 mm，宽 0.3 ~ 0.8 mm；小叶柄长约 2 mm，被绒毛。花序顶生或腋生，顶生者多为圆锥花序，腋生者为总状花

序，长可达 18 cm；总花梗密被向上的丝状毛和小钩状毛；常 2 花生于各节上；苞片披针形，长约 1 cm，被毛；花梗长约 5 mm，结果时稍增长，被直毛和钩状毛；花萼长约 4.5 mm，密被钩状毛，裂片三角形，与萼筒等长；花冠紫色，旗瓣椭圆形、宽椭圆形至倒卵形，长 8 ～ 11 mm，翼瓣狭椭圆形，微弯曲，长 8 ～ 14 mm，具瓣柄，龙骨瓣长 7 ～ 10 mm，具长瓣柄；雄蕊单体，长 6 ～ 7 mm；雌蕊长约 9 mm，子房线形，被贴伏柔毛。荚果长 15 ～ 24 mm，腹缝线近直线或微波状，背缝线圆齿状，有荚节 4 ～ 7，荚节倒卵形，长 3 ～ 4 mm，宽约 3 mm，密被褐色贴伏丝状毛。花期 7 ～ 9 月，果期 8 ～ 10 月。

| 生境分布 | 生于海拔 600 ～ 2 300 m 的山坡草地或林缘。湖北有分布。

| 采收加工 | 夏、秋季采收，切段，晒干或鲜用。

| 功能主治 | 活血止痛，解毒消肿。用于脘腹疼痛，疳积，妇女干血痨，腰扭伤，创伤，尿道炎，腮腺炎，毒蛇咬伤。

长波叶山蚂蝗 *Desmodium sequax* Wall.

| 药 材 名 |　长波叶山蚂蝗。

| 形态特征 |　直立灌木，高 1 ~ 2 m，多分枝。幼枝和叶柄被锈色柔毛，有时混有小钩状毛。叶为羽状三出复叶，小叶 3；托叶线形，长 4 ~ 5 mm，宽约 1 mm，外面密被柔毛，有缘毛；叶柄长 2 ~ 3.5 cm；小叶纸质，卵状椭圆形或圆菱形，顶生小叶长 4 ~ 10 cm，宽 4 ~ 6 cm，侧生小叶略小，先端急尖，基部楔形至钝，边缘自中部以上呈波状，上面密被贴伏小柔毛或渐无毛，下面被贴伏柔毛并混有小钩状毛，侧脉通常每边 4 ~ 7，网脉隆起；小托叶丝状，长 1 ~ 4 mm；小叶柄长约 2 mm，被锈黄色柔毛和混有小钩状毛。总状花序顶生和腋生，顶生者通常分枝成圆锥花序，长达 12 cm；总花梗密被开展或

向上硬毛和小绒毛；花通常 2 生于每节上；苞片早落，狭卵形，长 3 ～ 4 mm，宽约 1 mm，被毛；花梗长 3 ～ 5 mm，结果时稍增长，密被开展柔毛；花萼长约 3 mm，萼裂片三角形，与萼筒等长；花冠紫色，长约 8 mm，旗瓣椭圆形至宽椭圆形，先端微凹，翼瓣狭椭圆形，具瓣柄和耳，龙骨瓣具长瓣柄，微具耳；雄蕊单体，长 7.5 ～ 8.5 mm；雌蕊长 7 ～ 10 mm，子房线形，疏被短柔毛。荚果腹、背缝线缢缩成念珠状，长 3 ～ 4.5 cm，宽 3 mm，有荚节 6 ～ 10，荚节近方形，密被开展褐色小钩状毛。花期 7 ～ 9 月，果期 9 ～ 11 月。

| **生境分布** | 生于海拔 1 000 ～ 2 800 m 的山地草坡或林缘。湖北有分布。

| **功能主治** | **全草：**清热泻火，活血祛瘀，敛疮。用于风热目赤，胞衣不下，经闭，烧伤。
根：润肺止咳，驱虫。用于肺结核咳嗽，盗汗，产后瘀滞腹痛，蛔虫病，蛲虫病。
果实：止血消炎。用于内伤出血。

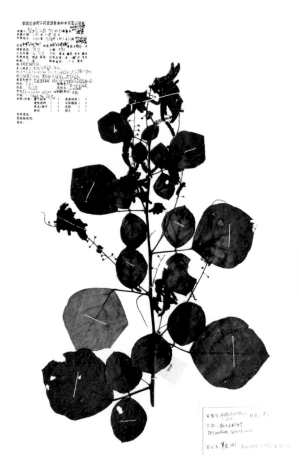

豆科 Leguminosae 山黑豆属 Dumasia

小鸡藤 *Dumasia forrestii* Diels

| 药 材 名 | 小鸡藤。

| 形态特征 | 缠绕草本。全株无毛或近无毛，茎纤细，有明显棱角，干后禾秆色。叶具羽状3小叶；托叶线状披针形，长4～7 mm，有纵线纹；叶柄长2～11 cm；小叶近纸质，等大或近等大，卵形、宽卵形或近圆形，长2～5 cm，宽2～4.8 cm，先端圆形或平截，常微凹和具小凸尖，两面无毛或偶被疏短伏毛；侧脉每边4～6，纤细，在上面明显凸起。总状花序腋生，长3～12 cm，无毛或疏被毛；总花梗长2～6 cm；花密集，淡黄色，长1.5～1.8 cm；苞片与小苞片各2，形状大小与托叶相仿，长5～8 mm，宽1～2 mm，有数纵脉纹，宿存；花梗短，长1～3 mm；花萼管状，膜质，淡绿色，长5～8 mm，管口斜截

形，旗瓣倒卵形或椭圆形，基部具瓣柄和 2 耳，翼瓣镰状长椭圆形，龙骨瓣与翼瓣相仿，均具长瓣柄，无耳；雄蕊二体；子房具柄，基部具鞘状花盘，花柱长，弯曲，上部扩大，无毛，柱头头状。荚果线状长圆形，长 3 ～ 4 cm，宽约 6 mm，微弯，先端渐尖，基部渐狭成果颈，无毛；种子通常 1 ～ 2。花期 8 ～ 9 月，果期 10 月以后。

| 生境分布 | 生于海拔 1 800 ～ 3 100 m 的山坡灌丛中。湖北有分布。

| 功能主治 | 舒筋活络，止痛。用于坐骨神经痛，筋骨疼痛。

山黑豆

Dumasia truncata Sieb. et Zucc.

| **药 材 名** | 山野豌豆。

| **形态特征** | 多年生草本。茎攀缘状，四棱形，高 0.5 ~ 1 m，植物各部多少被有

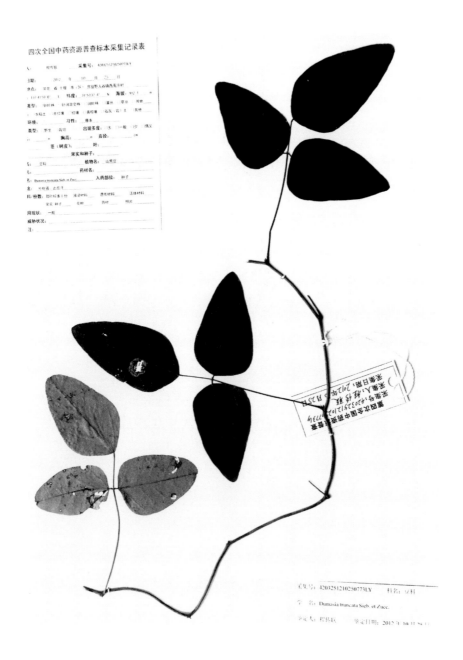

疏柔毛。托叶半箭头形或半边的戟形，中间具 1 较大牙齿，稀具数个不整齐牙齿；双数羽状复叶，小叶 4 ~ 6 对，叶轴末端具分歧的卷须；小叶椭圆形或长圆状椭圆形，长 15 ~ 35 mm，宽 6 ~ 12 mm，先端钝圆，或微缺，有细尖，基部圆形，全缘，膜质至革质，上面通常毛较少，下面明显为灰白色。总状花序腋生；花梗与萼近等长；花红紫色、蓝色或蓝紫色；萼短筒形至钟形，有毛，上部萼片三角形，比下部萼片显著短，下部萼片披针形或三角状锥形；旗瓣倒卵形，先端微缺，或圆形，翼瓣比龙骨瓣稍长，与旗瓣近等长，龙骨瓣先端稍狭，近三角形。荚果长圆状菱形，种子近球形。花期 7 ~ 9 月，果期 8 ~ 9 月。

| 生境分布 | 生于海拔 80 ~ 3 100 m 的草甸、山坡、灌丛或杂木林中。湖北有分布。

| 采收加工 | **嫩茎叶：**7 ~ 9 月间采收植株上部的嫩茎叶，晒干。

| 功能主治 | 祛风湿，活血，舒筋，止痛。用于风湿痛，闪挫伤，无名肿毒，阴囊湿疹。

黄毛野扁豆 *Dunbaria fusca* (Wall.) Kurz

| 药 材 名 | 黄毛野扁豆。

| 形态特征 | 一年生缠绕藤本。茎长达 3 m，明显具纵棱，密被灰色短柔毛，尤以棱上为密。叶为羽状 3 小叶；叶柄长 3 ~ 6.5 cm，稀更长或更短，具棱和密被灰色短柔毛；小叶纸质近等大，顶生小叶卵形、卵状披针形或披针形，长 5 ~ 9.5 cm，宽 2.5 ~ 4 cm，先端急尖，短渐尖至渐尖，基部圆形或近楔形，上面无毛或薄被短柔毛，下面密被灰色至灰褐色短柔毛并具深红色腺点；基出脉 3，侧脉每边 3 ~ 4，平或微凸，侧生小叶略小，基部略偏斜。总状花序腋生，长 4 ~ 15 cm，略粗壮，无毛或略被短柔毛，通常有数花至十余花，花长约 1.5 cm；花梗长 2 ~ 4 mm；花萼钟状，长 4 ~ 7 mm，4 齿裂，裂片三角形

或近三角形，短于萼管，最下面 1 裂片较长，线状披针形，花梗与花萼均疏被淡褐色或黄褐色、基部膨大、易脱落的长硬毛和棕红色腺点；花冠紫红色，长约 1.3 cm，旗瓣横椭圆形，基部具瓣柄，两侧具尖耳，翼瓣长圆形，具瓣柄和一侧具细耳，龙骨瓣向内弯曲近成直角；子房无柄，密被金黄色长硬毛。荚果线状长圆形，长 4 ~ 6 cm，宽 4 ~ 7 mm，黑褐色，被淡褐色或黄褐色基部略膨大的长硬毛；种子多颗。花期 7 ~ 9 月，果期 10 ~ 12 月。

| 生境分布 | 生于海拔 200 ~ 1 200 m 的山谷、山坡或旷野草地上。湖北有分布。

| 功能主治 | 根、叶：健胃，利尿。用于黄疸，疳积。

豆科 Leguminosae 野扁豆属 Dunbaria

野扁豆 *Dunbaria villosa* (Thunb.) Makino

| 药 材 名 | 野扁豆。

| 形态特征 | 多年生缠绕草本。全株有锈色腺点。茎细弱，密生短柔毛。托叶披针形，两面被短柔毛；小托叶钻形，被短柔毛，早落。三出复叶，顶生小叶较大，近菱形，侧生小叶斜菱形，长 1.5 ~ 3 cm，宽 2 ~ 3.5 cm，先端渐尖或突尖，基部圆形，上面被短柔毛，下面除脉上被毛外其余几无毛。总状花序腋生，长可达 6 cm；有花 2 ~ 7，花长约 2 cm；花萼钟状，萼齿 4，有短柔毛和锈色腺点；花冠黄色；子房密生长柔毛和锈色腺点，基部有杯状腺体；雄蕊 10，二体。荚果条形，扁，长约 4 cm，宽约 0.7 cm，有种子 6 ~ 7。花期 6 ~ 8 月，果期 9 月。

| 生境分布 | 生于山坡草丛中或灌木林中。湖北有分布。

| 采收加工 | **全草或种子**：春季采收全草，洗净，晒干；秋季采收种子，晒干。

| 功能主治 | 清热解毒，消肿止带。用于咽喉肿痛，乳痈，牙痛，肿毒，毒蛇咬伤，带下。

豆科 Leguminosae 刺桐属 Erythrina

龙牙花
Erythrina corallodendron L.

| **药 材 名** | 龙牙花。

| **形态特征** | 落叶灌木或小乔木植物，高 3 ~ 5 m。茎和枝条散生皮刺。羽状复叶具 3 小叶；小叶菱状卵形，长 4 ~ 10 cm，宽 2.5 ~ 7 cm，先端渐尖而钝或尾状，基部宽楔形，两面无毛，有时叶柄上和下面中脉上有刺。总状花序腋生，长可达 30 cm 以上；花深红色，具短梗，与花序轴成直角或稍下弯，长 4 ~ 6 cm，狭而近闭合；花萼钟状，萼齿不明显，仅下面 1 萼齿稍突出；旗瓣长椭圆形，长约 4.2 cm，先端微缺，略具瓣柄至近无柄，翼瓣短，长 1.4 cm，龙骨瓣长 2.2 cm，均无瓣柄；雄蕊二体，不整齐，略短于旗瓣；子房有长子房柄，被白色短柔毛，花柱无毛。荚果长约 10 cm，具梗，先端有喙，在种

子间收缩；种子多颗，深红色，有 1 黑色斑。花期 6 ~ 11 月。

| **生境分布** | 主要栽培于庭院、公园中。湖北有栽培。

| **功能主治** | 疏肝理气，麻醉，止痛，镇静。用于胸胁胀痛，乳房胀痛，痛经，经闭。

豆科 Leguminosae 刺桐属 Erythrina

刺桐
Erythrina variegata L.

| 药 材 名 |

刺桐。

| 形态特征 |

落叶大乔木，高可达 20 m。树皮灰褐色，枝有明显叶痕及短圆锥形的黑色直刺，髓部疏松，颓废部分成空腔。羽状复叶具 3 小叶，常密集枝端；托叶披针形，早落；叶柄长 10 ~ 15 cm，通常无刺；小叶膜质，宽卵形或菱状卵形，长、宽均 15 ~ 30 cm，先端渐尖而钝，基部宽楔形或截形；基脉 3，侧脉 5 对；小叶柄基部有 1 对腺体状的托叶。总状花序顶生，长 10 ~ 16 cm，上有密集、成对着生的花；总花梗木质，粗壮，长 7 ~ 10 cm，花梗长约 1 cm，具短绒毛；花萼佛焰苞状，长 2 ~ 3 cm，口部偏斜，1边开裂；花冠红色，长 6 ~ 7 mm，旗瓣椭圆形，长 5 ~ 6 cm，宽约 2.5 cm，先端圆，瓣柄短，翼瓣与龙骨瓣近等长，龙骨瓣 2 离生；雄蕊 10，单体；子房被微柔毛，花柱无毛。荚果肿胀黑色，肥厚，种子间略缢缩，长 15 ~ 30 cm，宽 2 ~ 3 cm，稍弯曲，先端不育；种子 1 ~ 8，肾形，长约 1.5 cm，宽约 1 cm，暗红色。花期 3 月，果期 8 月。

| 生境分布 | 野生或栽培种，常作为行道树。湖北有分布。

| 采收加工 | 叶：秋季采收，晒干。

| 功能主治 | 消积驱蛔。用于疳积，蛔虫病。

豆科 Leguminosae 皂荚属 Gleditsia

皂荚
Gleditsia sinensis Lam.

| 药 材 名 | 皂荚。

| 形态特征 | 落叶乔木，高达 15 m。棘刺粗壮，红褐色，常分枝。双数羽状复叶；小叶 4 ~ 7 对，小叶片卵形、卵状披针形或长椭圆状卵形，长 3 ~ 8 cm，宽 1 ~ 3.5 cm，先端钝，有时稍凸，基部斜圆形或斜楔形，边缘有细锯齿。花杂性，成腋生及顶生总状花序，花部均有细柔毛；花萼钟形，裂片 4，卵状披针形；花瓣 4，淡黄白色，卵形或长椭圆形；雄蕊 8，4 长 4 短；子房条形，扁平。荚果直而扁平，有光泽，紫黑色，被白色粉霜，长 12 ~ 30 cm，直径 2 ~ 4 cm；种子多数，扁平，长椭圆形，长约 10 mm，红褐色，有光泽。花期 5 月。果期 10 月。

| **生境分布** | 生于村边、路旁、向阳温暖的地方。湖北有分布。

| **采收加工** | **果实**：秋季果实成熟时采摘，拣去杂质，洗净，晒干，用时捣碎。

| **功能主治** | 祛痰止咳，开窍通闭，杀虫散结。用于痰咳喘满，中风口噤，痰涎壅盛，神昏不语，癫痫，喉痹，二便不通，痈肿疥癣。

豆科 Leguminosae 大豆属 Glycine

大豆
Glycine max (L.) Merr.

| 药 材 名 |　黄大豆。

| 形态特征 |　一年生草本，高30～90 cm。茎粗壮，直立或上部近缠绕状，上部多少具棱，密被褐色长硬毛。叶通常具3小叶；托叶宽卵形，渐尖，长3～7 mm，具脉纹，被黄色柔毛；叶柄长2～20 cm，幼嫩时散生疏柔毛或具棱并被长硬毛；小叶纸质，宽卵形、近圆形或椭圆状披针形，顶生1小叶较大，长5～12 cm，宽2.5～8 cm，先端渐尖或近圆形，稀有钝形，具小尖凸，基部宽楔形或圆形，侧生小叶较小，斜卵形，通常两面散生糙毛或下面无毛；侧脉每边5；小托叶披针形，长1～2 mm；小叶柄长1.5～4 mm，被黄褐色长硬毛。总状花序短的少花，长的多花；总花梗长10～35 mm或超过

35 mm，通常有 5 ~ 8 无柄、紧挤的花，植株下部的花有时单生或成对生于叶腋间；苞片披针形，长 2 ~ 3 mm，被糙伏毛；小苞片披针形，长 2 ~ 3 mm，被伏贴的刚毛；花萼长 4 ~ 6 mm，密被长硬毛或糙伏毛，常深裂成二唇形，裂片 5，披针形，上部 2 裂片常合生至中部以上，下部 3 裂片分离，均密被白色长柔毛；花紫色、淡紫色或白色，长 4.5 ~ 8（~ 10）mm，旗瓣倒卵状近圆形，先端微凹并通常向外反，基部具瓣柄，翼瓣蓖状，基部狭，具瓣柄和耳，龙骨瓣斜倒卵形，具短瓣柄；雄蕊二体；子房基部有不发达的腺体，被毛。荚果肥大，长圆形，稍弯，下垂，黄绿色，长 4 ~ 7.5 cm，宽 8 ~ 15 mm，密被褐黄色长毛；种子 2 ~ 5，椭圆形、近球形、卵圆形至长圆形，长约 1 cm，宽 5 ~ 8 mm，种皮光滑，淡绿色、黄色、褐色和黑色等多样，因品种而异，种脐明显，椭圆形。花期 6 ~ 7 月，果期 7 ~ 9 月。

| 生境分布 | 湖北有栽培。

| 功能主治 | 健脾宽中，润燥消水。用于疳积，泻痢，腹胀，鼠疫，妊娠中毒，疮痈肿毒，外伤出血。

豆科 Leguminosae 大豆属 Glycine

野大豆

Glycine soja Sieb. et Zucc.

| 药 材 名 | 野大豆。

| 形态特征 | 一年生缠绕草本，长 1 ~ 4 m。茎、小枝纤细，全体疏被褐色长硬毛。叶具 3 小叶，长可达 14 cm；托叶卵状披针形，急尖，被黄色柔毛。顶生小叶卵圆形或卵状披针形，长 3.5 ~ 6 cm，宽 1.5 ~ 2.5 cm，先端锐尖至钝圆，基部近圆形，全缘，两面均被绢状的糙伏毛，侧生小叶斜卵状披针形。总状花序通常短，稀长可达 13 cm；花小，长约 5 mm；花梗密生黄色长硬毛；苞片披针形；花萼钟状，密生长毛，裂片 5，三角状披针形，先端锐尖；花冠淡红紫色或白色，旗瓣近圆形，先端微凹，基部具短瓣柄，翼瓣斜倒卵形，有明显的耳，龙骨瓣比旗瓣及翼瓣短小，密被长毛；花柱短而向一侧弯曲。

荚果长圆形，稍弯，两侧稍扁，长 17 ～ 23 mm，宽 4 ～ 5 mm，密被长硬毛，
种子间稍缢缩，干时易裂；种子 2 ～ 3，椭圆形，稍扁，长 2.5 ～ 4 mm，宽 1.8 ～
2.5 mm，褐色至黑色。花期 7 ～ 8 月，果期 8 ～ 10 月。

| 生境分布 | 生于海拔 150 ～ 2 650 m 的潮湿田边、园边、沟旁、河岸、湖边、沼泽、草甸、
沿海和岛屿向阳的矮灌丛或芦苇丛中，稀见于沿河岸疏林下。湖北有分布。

| 功能主治 | **全草**：健脾益肾，止汗。用于自汗，盗汗，风痹多汗。
种子：平肝，明目，强壮筋骨。用于头晕，目昏，肾虚腰痛，筋骨疼痛，小儿
消化不良。

豆科 Leguminosae 米口袋属 *Gueldenstaedtia*

川鄂米口袋 *Gueldenstaedtia henryi* Ulbr.

| 药 材 名 | 川鄂米口袋。

| 形态特征 | 多年生草本，分茎长达 5 cm，木质化，有分枝，有时有不定根，叶于分枝先端丛生。叶长 2 ~ 9 cm，被疏柔毛或近无毛；托叶狭三角形，基部分离；小叶 11 ~ 15，长圆形至倒卵形，长 3 ~ 10 mm，宽 2 ~ 5 mm，先端圆形常微缺，具明显细尖，上面无毛，下面被微柔毛；小叶柄很短至几无柄。伞形花序，总花梗长约 10 cm，超过叶长，被极稀疏柔毛或无毛；花序具 4 ~ 5 花；苞片狭披针形，长 3.5 mm；花梗长 3 mm；小苞片线形，长 2.5 mm；花萼钟状，长 6 mm，被贴伏疏柔毛，上 2 萼齿明显较长而宽，狭三角形，长 4 mm，宽 1.5 mm，下 3 萼齿披针形，长 2.5 mm；旗瓣宽卵形，长

14 mm，宽 8 mm，先端渐尖，微缺，基部渐狭成瓣柄，翼瓣椭圆状半月形，长 11.5 mm，宽 3.5 mm，瓣柄短，仅长 1.8 mm，楔形，龙骨瓣长 5.5 mm，宽 2.5 mm，瓣柄长 2 mm；子房长圆形，被长柔毛。荚果长 1.5 cm，被疏柔毛；种子肾形，具凹点。

| **生境分布** | 生于山坡草地上。分布于湖北西部。

| **功能主治** | 续伤接骨。用于跌扑闪挫，金疮伤，筋断，骨折。

豆科 Leguminosae 米口袋属 *Gueldenstaedtia*

少花米口袋 *Gueldenstaedtia verna* (Georgi) Boriss.

| **药 材 名** | 少花米口袋。

| **形态特征** | 多年生草本。主根直下，分茎极缩短，托叶卵形或狭三角形，先端

渐尖，基部合生并贴生于叶柄，外面被稀疏白色长疏毛，内面无毛。叶通常长 10 ~ 13 cm，小叶 9 ~ 13，卵形至椭圆形，通常长 2 ~ 13 mm，宽 1.5 ~ 7 mm，果时可长达 15 mm，宽 9 mm，呈长卵形或长椭圆形，先端圆形、截形或凹下成弧形，具细尖，两面被稀疏白色长柔毛，有时上面近无毛。伞形花序具 8 花；总花梗极长，长 10 ~ 23 cm，约长于叶 1/3 到 1 倍；苞片狭三角形，小苞片线形；花梗 2 ~ 3 mm；萼钟状，长 7 mm，绿色，被白色疏柔毛，具 5 不等萼齿，上面萼齿较宽大，狭三角形，长 3.5 mm，宽 2 mm，下 3 萼齿较短；狭于上 2 萼齿的 1/2，最下 1 萼齿最短，花冠紫色，旗瓣广卵形到近圆形，长 12 mm，宽 8.5 mm，先端微缺，基部渐狭成瓣柄，翼瓣长倒卵形，具斜截头，长 11 mm，最宽处 3.5 mm，具耳，线形，瓣柄长 2 mm，龙骨瓣斜倒卵形，长 5.5 mm，具耳，线形，瓣柄长 2.5 mm；子房圆棒状，密被长柔毛，花柱向上卷曲，先端膨大成柱头。荚果圆柱形，长 17 mm，直径 4 mm，被白色疏柔毛；种子肾形，具凹点。花期 3 月，果期 5 月。

| **生境分布** | 生于海拔 1 300 m 以下的草原、沙地、山坡、路旁、田边等。湖北有分布。

| **功能主治** | 清热，解毒，消肿。

豆科 Leguminosae 肥皂荚属 Gymnocladus

肥皂荚
Gymnocladus chinensis Baill.

| **药 材 名** | 肥皂荚。

| **形态特征** | 落叶乔木,无刺,高达 5 ~ 12 m。树皮灰褐色,具明显的白色皮孔。当年生小枝被锈色或白色短柔毛,后变光滑无毛。二回偶数羽状复叶长 20 ~ 25 cm,无托叶;叶轴具槽,被短柔毛;羽片对生、近对生或互生,5 ~ 10 对;小叶互生,8 ~ 12 对,几无柄,具钻形的小托叶;小叶片长圆形,长 2.5 ~ 5 cm,宽 1 ~ 1.5 cm,两端圆钝,先端有时微凹,基部稍斜,两面被绢质柔毛。总状花序顶生,被短柔毛;花杂性,白色或带紫色,有长梗,下垂;苞片小或消失;花托深凹,长 5 ~ 6 mm,被短柔毛;萼片钻形,较花托稍短;花瓣长圆形,先端钝,较萼片稍长,被硬毛;花丝被柔毛;子房无毛,不

具柄，有 4 胚珠，花柱粗短，柱头头状。荚果长圆形，长 7 ～ 10 cm，宽 3 ～ 4 cm，扁平或膨胀，无毛，先端有短喙，有种子 2 ～ 4；种子近球形而稍扁，直径约 2 cm，黑色，平滑无毛。果期 8 月。

| **生境分布** | 生于海拔 150 ～ 1 500 m 的山坡、山腰、杂木林中、竹林中以及岩边、村旁、宅旁和路边等。分布于湖北鹤峰、利川、巴东、建始、五峰、黄陂、武昌。

| **采收加工** | **果实、种子**：10 月采收，阴干。

| **功能主治** | 涤痰除垢，解毒杀虫。用于咳嗽痰壅，风湿肿痛，痢疾，肠风，便毒，疥癣。

豆科 Leguminosae 长柄山蚂蝗属 *Hylodesmum*

羽叶长柄山蚂蝗

Hylodesmum oldhamii (Oliv.) H. Ohashi et R. R. Mill

| **药 材 名** | 羽叶长柄山蚂蝗。

| **形态特征** | 多年生草本，茎直立，高50～150 cm。根茎木质，较粗壮；茎微有棱，几无毛。叶为羽状复叶，小叶7，偶为3～5；托叶钻形，长7～8 mm，基部宽约1 mm；叶柄长约6 cm，被短柔毛；小叶纸质，披针形、长圆形或卵状椭圆形，长6～15 cm，宽3～5 cm，顶生小叶较大，下部小叶较小，先端渐尖，基部楔形或钝，两面疏被短柔毛，全缘，侧脉每边约6；小托叶丝状，长1～2.5 mm，早落；顶生小叶的小叶柄长约1.5 cm。总状花序顶生或腋生，单一或有短分枝，长达40 cm，花序轴被黄色短柔毛；花疏散；苞片狭三角形，长5～8 mm，宽约1 mm；开花时花梗长4～6 mm，结果时长6～11 mm，密被

开展的钩状毛；小苞片缺；花萼长 2.5 ~ 3 mm，萼筒长 1.5 ~ 1.7 mm，裂片长 1 ~ 1.3 mm，上部裂片先端明显 2 裂；花冠紫红色，长约 7 mm，旗瓣宽椭圆形，先端微凹，具短瓣柄，翼瓣、龙骨瓣狭椭圆形，具短瓣柄；雄蕊单体；子房线形，被毛，具子房柄，花柱弯曲。荚果扁平，长约 3.4 cm，自背缝线深凹入至腹缝，通常有荚节 2，稀 1 ~ 3，荚节斜三角形，长 10 ~ 15 mm，宽 5 ~ 7 mm，有钩状毛；果柄长 6 ~ 11 mm；果颈长 10 ~ 15 mm；种子长 9 mm，宽 5 mm。花期 8 ~ 9 月，果期 9 ~ 10 月。

| 生境分布 | 生于海拔 100 ~ 1 650 m 的山坡杂木林下、山沟溪流旁林下、灌丛及多石砾地。湖北有分布。

| 资源情况 | 野生资源较丰富。药材主要来源于野生。

| 采收加工 | **全草或根**：春季采收全草，秋季采挖根，切段，晒干。

| 功能主治 | 疏风清热，解毒。用于温病发热，风湿骨痛，咳嗽，咯血，疮毒痈肿。

豆科 Leguminosae 长柄山蚂蝗属 Hylodesmum

长柄山蚂蝗
Hylodesmum podocarpum (Candolle) H. Ohashi et R. R. Mill

| **药 材 名** | 长柄山蚂蝗。

| **形态特征** | 直立草本，高 50 ~ 100 cm。根茎稍木质；茎具条纹，疏被伸展短柔毛。叶为羽状三出复叶，小叶 3；托叶钻形，长约 7 mm，基部宽 0.5 ~ 1 mm，外面与边缘被毛；叶柄长 2 ~ 12 cm，着生于茎上部的叶柄较短，着生于茎下部的叶柄较长，疏被伸展短柔毛；小叶纸质，顶生小叶宽倒卵形，长 4 ~ 7 cm，宽 3.5 ~ 6 cm，先端凸尖，基部楔形或宽楔形，全缘，两面疏被短柔毛或几无毛，侧脉每边约 4，直达叶缘，侧生小叶斜卵形，较小，偏斜，小托叶丝状，长 1 ~ 4 mm；小叶柄长 1 ~ 2 cm，被伸展短柔毛。总状花序或圆锥花序，顶生或腋生，长 20 ~ 30 cm，结果时延长至 40 cm；总花梗被柔毛

和钩状毛；通常每节生 2 花，花梗长 2 ～ 4 mm，结果时增长至 5 ～ 6 mm；苞片早落，窄卵形，长 3 ～ 5 mm，宽约 1 mm，被柔毛；花萼钟形，长约 2 mm，裂片极短，较萼筒短，被小钩状毛；花冠紫红色，长约 4 mm，旗瓣宽倒卵形，翼瓣窄椭圆形，龙骨瓣与翼瓣相似，均无瓣柄；雄蕊单体；雌蕊长约 3 mm，子房具子房柄。荚果长约 1.6 cm，通常有荚节 2，背缝线弯曲，节间深凹入达腹缝线；荚节略呈宽半倒卵形，长 5 ～ 10 mm，宽 3 ～ 4 mm，先端截形，基部楔形，被钩状毛和小直毛，稍有网纹。果柄长约 6 mm；果颈长 3 ～ 5 mm。花果期 8 ～ 9 月。

| 生境分布 | 生于山坡路旁、草坡、次生阔叶林下或高山草甸处。湖北有分布。

| 资源情况 | 野生资源较丰富。药材主要来源于野生。

| 功能主治 | **全草：**用于退烧和疟疾。

根：发表散寒，止血，破瘀消肿，健脾化湿。用于感冒，咳嗽，脾胃虚弱。

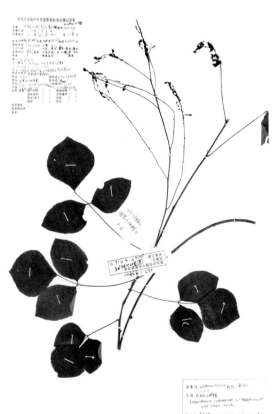

豆科 Leguminosae 长柄山蚂蟥属 *Hylodesmum*

宽卵叶长柄山蚂蟥

Hylodesmum podocarpum (Candolle) H. Ohashi et R. R. Mill subsp. *fallax* (Schindl.) H. Ohashi et R. R. Mill

| 药 材 名 |

宽卵叶长柄山蚂蟥。

| 形态特征 |

小灌木，高约1 m。茎纤细，有柔毛。叶柄长6 ～ 13 cm，有毛；托叶狭三角形，先端尖；叶4 ～ 7丛生于茎中下部；三出复叶，顶生小叶宽卵形或卵形，长4.5 ～ 12 cm，宽3 ～ 7.5 cm，先端渐尖，基部圆形或宽楔形，两面有短柔毛，侧生小叶小，略斜。圆锥花序腋生，长达90 cm，有疏长柔毛；苞片披针形；花梗长约3 mm，结果时增长；花萼宽钟状，萼齿宽三角形，有疏毛；花冠粉红色，长约5 mm；雄蕊10，单体。荚果长达2 cm，荚节1 ～ 2，半三角状倒卵形，有密生的钩状毛。花期7 ～ 8月，果期9 ～ 11月。

| 生境分布 |

生于山坡路旁、灌丛中、疏林中。湖北有分布。

| 资源情况 |

野生资源较丰富。药材主要来源于野生。

| 采收加工 |　全株：9～10月采收，切段，晒干。

| 功能主治 |　清热解表，利湿退黄。用于风热感冒，黄疸性肝炎。

豆科 Leguminosae 长柄山蚂蝗属 Hylodesmum

尖叶长柄山蚂蝗

Hylodesmum podocarpum (Candolle) H. Ohashi et R. R. Mill subsp. *oxyphyllum* (Candolle) H. Ohashi et R. R. Mill

| 药 材 名 | 尖叶长柄山蚂蝗。

| 形态特征 | 直立草本。根茎稍木质。叶为羽状三出复叶，小叶纸质，顶生小叶菱形，先端渐尖，尖头钝，基部楔形。花为总状花序或圆锥花序，顶生或腋生，通常每节生 2 花；花萼钟形；花冠紫红色，旗瓣宽倒卵形，翼瓣窄椭圆形，龙骨瓣与翼瓣相似；单体雄蕊。荚果通常具荚节 2。

| 生境分布 | 生于山坡草地、路旁、沟旁、林缘或阔叶林中。湖北有分布。

| 资源情况 | 野生资源较丰富。药材主要来源于野生。

| 功能主治 |　　解表散寒，祛风解毒。用于风湿骨痛，咳嗽吐血。

豆科 Leguminosae 木蓝属 *Indigofera*

河北木蓝 *Indigofera bungeana* Walp.

| **药 材 名** | 河北木蓝。

| **形态特征** | 直立灌木，高 40 ～ 100 cm。茎褐色，圆柱形，有皮孔，枝银灰色，被灰白色"丁"字毛。羽状复叶长 2.5 ～ 5 cm；叶柄长达 1 cm，叶轴上面有槽，与叶柄均被灰色平贴"丁"字毛；托叶三角形，长约 1 mm，早落；小叶 2 ～ 4 对，对生，椭圆形，稍倒阔卵形，长 5 ～ 1.5 mm，宽 3 ～ 10 mm，先端钝圆，基部圆形，上面绿色，疏被"丁"字毛，下面苍绿色，"丁"字毛较粗；小叶柄长 0.5 mm；小托叶与小叶柄近等长或不明显。总状花序腋生，长 4 ～ 6 （～ 8）cm；总花梗较叶柄短；苞片线形，长约 1.5 mm；花梗长约 1 mm；花萼长约 2 mm，外面被白色"丁"字毛，萼齿近相等，三

角状披针形，与萼筒近等长；花冠紫色或紫红色，旗瓣阔倒卵形，长达 5 mm，外面被"丁"字毛，翼瓣与龙骨瓣等长，龙骨瓣有距；花药圆球形，先端具小凸尖；子房线形，被疏毛。荚果褐色，线状圆柱形，长不超过 2.5 cm，被白色"丁"字毛，种子间有横隔，内面果皮有紫红色斑点；种子椭圆形。花期 5 ~ 6 月，果期 8 ~ 10 月。

| **生境分布** | 生于海拔 600 ~ 1 000 m 的山坡、草地或河滩地。分布于湖北宜都。

| **功能主治** | 清热止血，消肿生肌。外用于创伤。

苏木蓝
Indigofera carlesii Craib

| **药 材 名** | 苏木蓝。

| **形态特征** | 灌木，高达 1.5 m。茎直立，幼枝具棱，后呈圆柱形，幼时疏生白色"丁"字毛。羽状复叶长 7 ~ 20 cm；叶柄长 1.5 ~ 3.5 cm；叶轴上面有浅槽，被紧贴白色"丁"字毛，后多少变无毛；托叶线状披针形，长 0.7 ~ 1 cm，早落；小叶 2 ~ 4 对，对生，稀互生，坚纸质，椭圆形或卵状椭圆形，稀阔卵形，长 2 ~ 5 cm，宽 1 ~ 3 cm，先端钝圆，有针状小尖头，基部圆钝或阔楔形，上面绿色，下面灰绿色，两面密被白色短"丁"字毛，中脉在上面凹入，在下面隆起，侧脉 6 ~ 10 对，在下面较在上面明显；小叶柄长 2 ~ 4 mm；小托叶钻形，与小叶柄等长或略长，均被白色毛。总状花序长 10 ~ 20 cm；

总花梗长约 1.5 cm；花序轴有棱，被疏短"丁"字毛；苞片卵形，长 2 ~ 4 mm，
早落；花梗长 2 ~ 4 mm。花萼杯状，长 4 ~ 4.5 mm，外面被白色"丁"字毛；
萼齿披针形，下萼齿与萼筒等长；花冠粉红色或玫瑰红色，旗瓣近椭圆形，长
1.3 ~ 1.5 cm，宽 7 ~ 9 mm，先端圆形，外面被毛，翼瓣长 1.3 cm，边缘有睫毛，
龙骨瓣与翼瓣等长，有缘毛，距长约 1.5 mm；花药卵形，两端有髯毛；子房无
毛。荚果褐色，线状圆柱形，长 4 ~ 6 cm，先端渐尖，近无毛，果瓣开裂后旋卷，
内面果皮具紫色斑点，果柄平展。花期 4 ~ 6 月，果期 8 ~ 10 月。

| 生境分布 | 生于海拔 500 ~ 1 000 m 的山坡路旁及丘陵灌丛中。湖北有分布。湖北有栽培。

| 资源情况 | 野生资源一般，栽培资源一般。药材来源于栽培。

| 采收加工 | **根**：秋季采收，切段，晒干。

| 功能主治 | 清肺敛汗，止血。用于咳嗽，自汗，外伤出血。

豆科 Leguminosae 木蓝属 Indigofera

庭藤 *Indigofera decora* Lindl.

| **药材名** | 铜罗伞。

| **形态特征** | 灌木，高 0.4 ～ 2 m。茎呈圆柱形或具棱，几无毛。羽状复叶，长 8 ～ 25 cm；叶轴具棱；叶柄长 1 ～ 1.5 cm，无毛或疏被毛；托叶早落；小叶 3 ～ 7（～ 11）对，对生或近对生，卵状披针形、卵状长圆形或长圆状披针形，长 2.5 ～ 6.5（～ 7.5）cm，宽 1 ～ 3.5 cm，先端渐尖或急尖，基部楔形或宽楔形，仅下面被白色丁字毛。总状花序长 13 ～ 21 cm；花序梗长 2 ～ 4 cm，无毛；花梗长 3 ～ 6 mm，无毛；萼筒长 1.5 ～ 2 mm，萼齿三角形，长约 1 mm，短于萼筒；花冠淡紫色或粉红色，稀白色，旗瓣椭圆形，长 1.2 ～ 1.8 cm，被棕褐色短毛，翼瓣稍短，具缘毛，龙骨瓣与翼瓣近等长，有短距；

花药卵球形，两端有髯毛；子房无毛，胚珠超过 10。荚果棕褐色，圆柱形，长 2.5 ～ 6.5（～ 8）cm，几无毛，具 7 ～ 8 种子。种子椭圆形，长 4 ～ 4.5 mm。花期 4 ～ 6 月，果期 6 ～ 10 月。

| 生境分布 | 生于海拔 200 ～ 1 800 m 的溪边、沟谷旁及杂木林和灌丛中。分布于湖北丹江口、谷城、当阳、保康、大悟、枣阳、南漳、远安、英山、竹溪。

| 采收加工 | 全年均可采收，晒干或鲜用。

| 功能主治 | 续筋接骨，散瘀止痛。用于跌打损伤，痛经，血瘀经闭，风湿痹痛。

豆科 Leguminosae 木蓝属 Indigofera

华东木蓝

Indigofera fortunei Craib

药材名

华东木蓝。

形态特征

灌木，高达1 m。茎直立，灰褐色或灰色，分枝有棱，无毛。羽状复叶长10~15（~20）cm；叶柄长1.5~4 cm，叶轴上面具浅槽，叶轴和小柄均无毛；托叶线状披针形，长3.5~4（~8）mm，早落；小叶3~7对，对生，间有互生，卵形、阔卵形、卵状椭圆形或卵状披针形，长1.5~2.5（~4.5）cm，宽0.8~2.8 cm，先端钝圆或急尖，微凹，有长约2 mm的小尖头，基部圆形或阔楔形，幼时在下面中脉及边缘疏被"丁"字毛，后脱落变无毛，中脉在上面凹入，在下面隆起，细脉明显；小叶柄长约1 mm；小托叶钻形，与小叶柄等长或较长。总状花序长8~18 cm；总花梗长达3 cm，常短于叶柄，无毛；苞片卵形，长约1 mm，早落；花梗长达3 mm；花萼斜杯状，长2.5 mm，外面疏生"丁"字毛，萼齿三角形，长约0.5 mm，最下萼齿稍长；花冠紫红色或粉红色，旗瓣倒阔卵形，长（8.5~）10~11.5 mm，宽6~8.5 mm，先端微凹，外面密生短柔毛，翼瓣长9~11 mm，宽

2.5 mm，瓣柄长约 1 mm，边缘有睫毛，龙骨瓣长可达 11.5 mm，宽 4 ~ 4.5 mm，近边缘及上部有毛，距短；花药阔卵形，先端有小凸尖，两端有髯毛；子房无毛，有胚珠 10 或更多。荚果褐色，线状圆柱形，长 3 ~ 4（~ 5）cm，无毛，开裂后果瓣旋卷，内面果皮具斑点。花期 4 ~ 5 月，果期 5 ~ 9 月。

| 生境分布 | 生于海拔 200 ~ 800 m 的山坡疏林或灌丛中。分布于湖北丹江口、保康、蕲春、麻城。

| 采收加工 | 根、叶：春、秋季采收，洗净，切碎，晒干。

| 功能主治 | 清热解毒，消肿止痛。用于流行性乙型脑炎，咽喉肿痛，肺炎，蛇咬伤。

豆科 Leguminosae 木蓝属 *Indigofera*

马棘

Indigofera pseudotinctoria Matsum.

| **药 材 名** | 马棘。

| **形态特征** | 多年生小灌木，高 1 ~ 3 m。多分枝，枝细长，幼枝灰褐色，明显有棱，被"丁"字毛。羽状复叶长 3 ~ 6 cm；叶柄长 1 ~ 2 cm，被平贴"丁"字毛，叶轴上面扁平；托叶小，狭三角形，长约 1 mm，早落；小叶 3 ~ 5 对，对生，椭圆形、倒卵形或倒卵状椭圆形，长 1 ~ 3 cm，宽 0.5 ~ 1.1 cm，先端圆或微凹，有小尖头，基部阔楔形或近圆形，两面有白色"丁"字毛，有时上面毛脱落；小叶柄长约 1 mm，小托叶微小，钻形或不明显。总状花序，花开后较复叶为长，长 3 ~ 11 cm；花密集；总花梗短于叶柄；花梗长约 1 mm；花萼钟状，外面有白色和棕色平贴"丁"字毛；萼筒长 1 ~ 2 mm；

萼齿不等长，与萼筒近等长或略长；花冠淡红色或紫红色，旗瓣倒阔卵形，长 4.5 ~ 6.5 mm，先端螺壳状，基部有瓣柄，外面有"丁"字毛，翼瓣基部有耳状附属物，龙骨瓣近等长，距长约 1 mm，基部具耳；花药圆球形；子房有毛。荚果线状圆柱形，长 2.5 ~ 4 cm，直径约 3 mm，先端渐尖，幼时密生短"丁"字毛，种子间有横隔，仅在横隔上有紫红色斑点，果柄下弯；种子椭圆形。花期 5 ~ 8 月，果期 9 ~ 10 月。

| **生境分布** | 生于海拔 100 ~ 1 300 m 的山坡林缘及灌丛中。湖北有分布。

| **资源情况** | 野生资源一般，栽培资源一般。药材主要来源于栽培。

| **采收加工** | **根、地上部分：**秋季采挖根或采收全株，洗净，切片，晒干或去外皮，切片，晒干或鲜用。

| **功能主治** | 清热解表，散瘀消积。用于风热感冒，肺热咳嗽，烫火伤，疔疮，蛇毒咬伤，瘰疬，跌打损伤，食积腹胀。

豆科 Leguminosae 木蓝属 *Indigofera*

木蓝
Indigofera tinctoria L.

| 药材名 |　木蓝。

| 形态特征 |　直立亚灌木，高 0.5 ~ 1 m，分枝少。幼枝有棱，扭曲，被白色"丁"字毛。羽状复叶长 2.5 ~ 11 cm；叶柄长 1.3 ~ 2.5 cm；叶轴上面扁平，有浅槽，被"丁"字毛；托叶钻形，长约 2 mm；小叶 4 ~ 6 对，对生，倒卵状长圆形或倒卵形，长 1.5 ~ 3 cm，宽 0.5 ~ 1.5 cm，先端圆钝或微凹，基部阔楔形或圆形，两面被"丁"字毛或上面近无毛，中脉在上面凹入，侧脉不明显；小叶柄长约 2 mm；小托叶钻形。总状花序长 2.5 ~ 5 cm，花疏生，近无总花梗；苞片钻形，长 1 ~ 1.5 mm；花梗长 4 ~ 5 mm；花萼钟状，长约 1.5 mm；萼齿三角形，与萼筒近等长，外面有"丁"字毛；花冠伸出萼外，红色，

旗瓣阔倒卵形，长 4 ~ 5 mm，外面被毛，瓣柄短，翼瓣长约 4 mm，龙骨瓣与旗瓣等长；花药心形，子房无毛。荚果线形，长 2 ~ 3 cm，种子间有缢缩，外形似串珠状，有毛或无毛，有种子 5 ~ 10，内面果皮具紫色斑点，果柄下弯；种子近方形，长约 1.5 mm。花期几全年，果期 10 月。

| **生境分布** | 生于山坡草丛中。湖北有分布。

| **资源情况** | 野生资源一般，栽培资源一般。药材来源于栽培。

| **采收加工** | **全株或叶**：夏、秋季采收，鲜用或晒干。

| **功能主治** | 清热解毒，凉血止血。用于流行性乙型脑炎，腮腺炎，急性咽喉炎，淋巴结炎，目赤，口疮，痈肿疮疖，丹毒，疥癣，蛇虫咬伤，吐血。

豆科 Leguminosae 鸡眼草属 *Kummerowia*

长萼鸡眼草
Kummerowia stipulacen (Maxim.) Makino

| 药 材 名 | 鸡眼草。

| 形态特征 | 一年生草本，高 7 ~ 15 cm。茎平伏，上升或直立，多分枝，茎和
枝上被疏生向上的白毛，有时仅节处有毛。叶为三出羽状复叶；托
叶卵形，长 3 ~ 8 mm，比叶柄长或有时近相等，边缘通常无毛；叶
柄短；小叶纸质，倒卵形、宽倒卵形或倒卵状楔形，长 5 ~ 18 mm，
宽 3 ~ 12 mm，先端微凹或近截形，基部楔形，全缘；下面中脉及
边缘有毛，侧脉多而密。花常 1 ~ 2 腋生；小苞片 4，较萼筒稍短、
稍长或近等长，生于萼下，其中 1 小苞片很小，生于花梗关节之下，
常具 1 ~ 3 脉；花梗有毛；花萼膜质，阔钟形，5 裂，裂片宽卵形，
有缘毛；花冠上部暗紫色，长 5.5 ~ 7 mm，旗瓣椭圆形，先端微凹，

下部渐狭成瓣柄，较龙骨瓣短，翼瓣狭披针形，与旗瓣近等长，龙骨瓣钝，上面有暗紫色斑点；雄蕊 10，二体。荚果椭圆形或卵形，稍侧偏，长约 3 mm，常较萼长 1.5 ～ 3 倍。花期 7 ～ 8 月，果期 8 ～ 10 月。

| 生境分布 |　生于海拔 100 ～ 1 200 m 的路旁、草地、山坡、固定或半固定的沙丘等处。分布于湖北黄梅、兴山、郧阳。

| 采收加工 |　**全草：** 夏、秋季植株茂盛时采收，晒干。

| 功能主治 |　清热解毒，活血，利湿止泻。用于胃肠炎，痢疾，肝炎，夜盲症，尿路感染，跌打损伤，疔疮疖肿。

豆科 Leguminosae 鸡眼草属 *Kummerowia*

鸡眼草
Kummerowia striata (Thunb.) Schindl.

| 药 材 名 | 鸡眼草。

| 形态特征 | 一年生或多年生草本，高 10 ~ 30 cm，多分枝。小枝上有向下倒挂的白色细毛。三出羽状复叶，互生；有短柄；小叶细长，长椭圆形或倒卵状长椭圆形，长 2 ~ 8 cm，宽 3 ~ 7 mm，先端圆形，其中脉延伸呈小刺尖，基部楔形；沿中脉及边缘有白色鬃毛；托叶较大，长卵形，急尖，初时淡绿色，干时为淡褐色。花蝶形，具 1 ~ 2，腋生；小苞片，卵状披针形；花萼深紫色，钟状，长 2.5 ~ 3 mm，5 裂，裂片阔卵形；花冠浅玫瑰色，较萼长 2 ~ 3 倍，旗瓣近圆形，先端微凹，具爪，基部有小耳，翼瓣长圆形，基部有耳，龙骨瓣半卵形，有短爪和耳，旗瓣和翼瓣近等长，翼瓣和龙骨瓣的末端有深红色斑

点；雄蕊二体。荚果卵状圆形，顶部稍急尖，有小喙，萼宿存；种子 1，黑色，具不规则的褐色斑点。花期 7 ~ 9 月，果期 9 ~ 10 月。

| 生境分布 | 生于海拔 500 m 以下的路边、田边、溪旁、沙地或缓的山坡草地。湖北有分布。

| 资源情况 | 野生资源较丰富，栽培资源一般。药材来源于栽培。

| 采收加工 | **全草**：7 ~ 8 月采收，晒干或鲜用。

| 功能主治 | 清热解毒，健脾利湿，活血止血。用于感冒发热，暑湿吐泻，黄疸，疔疮，痢疾，疳疾，血淋，咯血，衄血，跌打损伤，赤白带下。

豆科 Leguminosae 扁豆属 Lablab

扁豆

Lablab purpureus (Linn.) Sweet

药材名

扁豆。

形态特征

多年生缠绕藤本。全株几无毛，茎长可达6 m，常呈淡紫色。羽状复叶具3小叶；托叶基着，披针形；小托叶线形，长3～4 mm；小叶宽三角状卵形，长6～10 cm，宽约与长相等，侧生小叶两边不等大，偏斜，先端急尖或渐尖，基部近截平。总状花序直立，长15～25 cm，花序轴粗壮，总花梗长8～14 cm；小苞片2，近圆形，长3 mm，脱落；2至多花簇生于每1节上；花萼钟状，长约6mm，上方2裂齿几完全合生，下方的3裂齿近相等；花冠白色或紫色，旗瓣圆形，基部两侧具2长而直立的小附属体，附属体下有2耳，翼瓣宽倒卵形，具平截的耳，龙骨瓣弯曲成直角，基部渐狭成瓣柄；子房线形，无毛，花柱比子房长，弯曲不逾90°，一侧扁平，近顶部内缘被毛。荚果长圆状镰形，长5～7 cm，近先端最阔，宽1.4～1.8 cm，扁平，直或稍向背弯曲，先端有弯曲的尖喙，基部渐狭；种子3～5，扁平，长椭圆形，在白花品种中为白色，在紫花品种中为紫黑色，种脐线形，长约占种子周围的 2/5。花期 4 ~ 12 月。扁豆花有红、白两种，豆荚有绿白色、浅绿色、粉红色或紫红色等。

| **生境分布** | 湖北有栽培。

| **采收加工** | **种子**：立冬前后摘取成熟荚果，晒干，打出种子，再晒至全干。

| **功能主治** | 健脾和中，消暑化湿。用于暑湿吐泻，脾虚呕逆，食少久泻，水停消渴，赤白带下，疳积。

胡枝子

Lespedeza bicolor Turcz.

| 药 材 名 | 胡枝子。

| 形态特征 | 直立灌木，高 1 ~ 3 m；多分枝，小枝黄色或暗褐色，有条棱，被疏短毛；芽卵形，长 2 ~ 3 mm，具数枚黄褐色鳞片。羽状复叶具 3 小叶；托叶 2，线状披针形，长 3 ~ 4.5 mm；叶柄长 2 ~ 7（~ 9）cm；小叶质薄，卵形、倒卵形或卵状长圆形，长 1.5 ~ 6 cm，宽 1 ~ 3.5 cm，先端钝圆或微凹，稀具短刺尖头，基部近圆形或宽楔形，全缘，上面绿色，无毛，下面色淡，被疏柔毛，老时渐无毛。总状花序腋生，比叶长，常构成大型、较疏松的圆锥花序；总花梗长 4 ~ 10 cm；小苞片 2，卵形，长不到 1 cm，先端钝圆或稍尖，黄褐色，被短柔毛；花梗短，长约 2 mm，密被毛；花萼长约

5 mm，5 浅裂，裂片通常短于萼筒，上方 2 裂片合生成 2 齿，裂片卵形或三角状卵形，先端尖，外面被白毛；花冠红紫色，极稀白色，长约 10 mm，旗瓣倒卵形，先端微凹，翼瓣较短，近长圆形，基部具耳和瓣柄，龙骨瓣与旗瓣近等长，先端钝，基部具较长的瓣柄；子房被毛。荚果斜倒卵形，稍扁，长约 10 mm，宽约 5 mm，表面具网纹，密被短柔毛。花期 7 ~ 9 月，果期 9 ~ 10 月。

| **生境分布** | 生于山地灌木林下。分布于湖北大悟、公安、黄梅、兴山、蕲春、麻城、巴东。

| **资源情况** | 野生资源较丰富，栽培资源一般。药材主要来源于野生。

| **采收加工** | **枝叶：**夏、秋季采收，鲜用或切段，晒干。

| **功能主治** | 清热润肺，利尿通淋，止血。用于肺热咳嗽，感冒发热，百日咳，淋证，吐血，衄血，尿血，便血。

豆科 Leguminosae 胡枝子属 Lespedeza

绿叶胡枝子

Lespedeza buergeri Miq.

| 药 材 名 | 胡枝子。

| 形态特征 | 多年生直立灌木，高 1 ~ 3 m。枝灰褐色或淡褐色，被疏毛。线状披针形，长 2 mm，小叶卵状椭圆形，长 3 ~ 7 cm，宽 1.5 ~ 2.5 cm，先端急尖，基部稍尖或钝圆，上面鲜绿色，光滑无毛，下面灰绿色，密被贴生的毛。总状花序腋生，在枝上部的花序构成圆锥花序，苞片 2，长卵形，长约 2 mm，褐色，密被柔毛；花萼钟状，长 4 mm，5 裂至中部，裂片卵状披针形或卵形，密被长柔毛；花冠淡黄绿色，长约 10 mm，旗瓣近圆形，基部两侧有耳，具短柄，翼瓣椭圆状长圆形，基部有耳和瓣柄，瓣片先端有时稍带紫色，龙骨瓣倒卵状长圆形，比旗瓣稍长，基部有明显的耳和长瓣柄；雄蕊

二体；子房有毛，花柱丝状，稍超出雄蕊，柱头头状。荚果长圆状卵形，长约 15 mm，表面具网纹和长柔毛。花期 6 ~ 7 月，果期 8 ~ 9 月。

| 生境分布 | 生于海拔 1 500 m 以下的山坡、林下、山沟和路旁。湖北有分布。

| 资源情况 | 野生资源较丰富，栽培资源一般。药材主要来源于栽培。

| 采收加工 | **根**：夏、秋季采挖，洗净，去掉粗皮，鲜用或晒干。

| 功能主治 | 清热解表，化痰，利湿，活血止痛。用于感冒发热，咳嗽，肺痛，小儿哮喘，淋证，黄疸，胃痛，胸痛，瘀血腹痛，风湿痹痛，崩漏，疔疮痈疽，丹毒。

豆科 Leguminosae 胡枝子属 Lespedeza

中华胡枝子
Lespedeza chinensis G. Don

| 药 材 名 | 中华胡枝子。

| 形态特征 | 小灌木，高达 1 m。全株被白色伏毛，茎下部毛渐脱落，茎直立或铺散；分枝斜开，被柔毛。托叶钻状，长 3 ~ 5 mm；叶柄长约 1 cm；羽状复叶具 3 小叶，小叶倒卵状长圆形、长圆形、卵形或倒卵形，长 1.5 ~ 4 cm，宽 1 ~ 1.5 cm，先端截形、近截形、微凹或钝头，具小刺尖，边缘稍反卷，上面无毛或疏生短柔毛，下面密被白色伏毛。总状花序腋生，不超出叶，少花；总花梗极短；花梗长 1 ~ 2 mm；苞片及小苞片披针形，小苞片 2，长 2 mm，被伏毛；花萼长为花冠的 1/2，5 深裂，裂片狭披针形，长约 3 mm，被伏毛，具缘毛；花冠白色或黄色，旗瓣椭圆形，长约 7 mm，宽约 3 mm，基部具瓣柄

及 2 耳状物，翼瓣狭长圆形，长约 6 mm，具长瓣柄，龙骨瓣长约 8 mm，闭锁花簇生于茎下部叶腋。荚果卵圆形，长约 4 mm，宽 2.5 ～ 3 mm，先端具喙，基部稍偏斜，表面有网纹，密被白色伏毛。花期 8 ～ 9 月，果期 10 ～ 11 月。

| 生境分布 |　生于海拔 2 500 m 以下的灌丛中、林缘、路旁、山坡、林下草丛等处。分布于湖北武昌、保康、秭归、宜都、南漳、恩施、利川、来凤。

| 采收加工 |　**全株或根：**夏、秋季采收，根洗净，切片，晒干，茎叶鲜用或切段，晒干。

| 功能主治 |　清热解毒，宣肺平喘，截疟，祛风除湿。用于小儿高热，中暑发痧，哮喘，痢疾，乳痈，痢疾肿毒，疟疾，热淋，脚气，风湿痹痛。

豆科 Leguminosae 胡枝子属 Lespedeza

截叶铁扫帚 *Lespedeza cuneata* (Dum.Cours.) G. Don.

| **药 材 名** | 夜关门。

| **形态特征** | 小灌木，高达 1 m。茎直立或斜升，被毛，上部分枝，分枝斜上举。叶密集，柄短，小叶楔形或线状楔形，长 1 ~ 3 cm，宽 2 ~ 5 mm。先端截形成近截形，具小刺尖，基部楔形，上面近无毛，下面密被伏毛。总状花序腋生，具 2 ~ 4 花，总花梗极短，小苞片卵形或狭卵形，长 1 ~ 1.5 mm，先端渐尖，背面被白色伏毛，具缘毛，花萼狭钟形，密被伏毛，5 深裂，裂片披针形，花冠淡黄色或白色，旗瓣基部有紫色斑，有时龙骨瓣先端带紫色，翼瓣与旗瓣近等长，龙骨瓣稍长，闭锁花簇生于叶腋。荚果宽卵形或近球形，被伏毛，长 2.5 ~ 3.5 mm，宽约 2.5 mm。花期 7 ~ 8 月，果期 9 ~ 10 月。

| **生境分布** | 生于海拔 2 500 m 以下的山坡旁。湖北有分布。

| **资源情况** | 野生资源一般，栽培资源一般。药材主要来源于栽培。

| **采收加工** | **全草或根：**播种当年 9 ～ 10 月结果盛期收获 1 次（留种的可稍迟）。齐地割起，去除杂质，晒干或洗净，鲜用。

| **功能主治** | 益肝明目，利尿，解热。

兴安胡枝子

Lespedeza daurica (Laxm.) Schindl.

| 药 材 名 | 枝儿条。

| 形态特征 | 小灌木，高达 1 m。茎通常稍斜升，单一或数茎簇生；老枝黄褐色或赤褐色，被短柔毛或无毛，幼枝绿褐色，有细棱，被白色短柔毛。羽状复叶具 3 小叶；托叶线形，长 2 ~ 4 mm；叶柄长 1 ~ 2 cm；小叶长圆形或狭长圆形，长 2 ~ 5 cm，宽 5 ~ 16 mm，先端圆形或微凹，有小刺尖，基部圆形，上面无毛，下面被贴伏的短柔毛；顶生小叶较大。总状花序腋生，较叶短或与叶等长；总花梗密生短柔毛；小苞片披针状线形，有毛；花萼 5 深裂，外面被白毛，萼裂片披针形，先端长渐尖，成刺芒状，与花冠近等长；花冠白色或黄白色，旗瓣长圆形，长约 1 cm，中央稍带紫色，具瓣柄，翼瓣长圆形，

先端钝，较短，龙骨瓣比翼瓣长，先端圆形；闭锁花生于叶腋，结实。荚果小，倒卵形或长倒卵形，长 3 ～ 4 mm，宽 2 ～ 3 mm，先端有刺尖，基部稍狭，两面凸起，有毛，包于宿存花萼内。花期 7 ～ 8 月，果期 9 ～ 10 月。

| 生境分布 | 生于干的山坡、草地、路旁及沙质地上。分布于湖北枣阳、南漳。

| 采收加工 | **全草或根**：夏、秋季采挖，切段，晒干。

| 功能主治 | 解表散寒。用于感冒发热，咳嗽。

豆科 Leguminosae 胡枝子属 *Lespedeza*

大叶胡枝子

Lespedeza davidii Franch.

| 药 材 名 | 大叶胡枝子。

| 形态特征 | 直立灌木，高 1 ~ 3 m。枝条较粗壮，稍曲折，有明显的条棱，密被长柔毛。托叶 2，卵状披针形，长 5 mm；叶柄长 1 ~ 4 cm，密被短硬毛；小叶宽卵圆形或宽倒卵形，长 3.5 ~ 7 (~ 13) cm，宽 2.5 ~ 5 (~ 8) cm，先端圆或微凹，基部圆形或宽楔形，全缘，两面密被黄白色绢毛。总状花序腋生或于枝顶形成圆锥花序，花稍密集，比叶长；总花梗长 4 ~ 7 cm，密被长柔毛；小苞片卵状披针形，长 2 mm，外面被柔毛；花萼阔钟形，5 深裂，长 6 mm，裂片披针形，被长柔毛；花红紫色，旗瓣倒卵状长圆形，长 10 ~ 11 mm，宽约 5 mm，先端圆或微凹，基部具耳和短柄，翼瓣狭长圆形，比旗瓣

和龙骨瓣短，长 7 mm，基部具弯钩形耳和细长瓣柄，龙骨瓣略呈弯刀形，与旗瓣近等长，基部有明显的耳和柄，子房密被毛。荚果卵形，长 8 ~ 10 mm，稍歪斜，先端具短尖，基部圆，表面具网纹和稍密的绢毛。花期 7 ~ 9 月，果期 9 ~ 10 月。

| 生境分布 | 生于海拔 800 m 的干旱山坡、路旁或灌丛中。分布湖北鹤峰、兴山、崇阳、阳新、武昌、罗田。

| 采收加工 | 夏、秋季采收，切段，晒干。

| 功能主治 | 清热解表，止咳止血，通经活络。用于外感头痛，发热，痧疹不透，痢疾，咳嗽咯血，尿血，便血，崩漏，腰痛。

豆科 Leguminosae 胡枝子属 *Lespedeza*

多花胡枝子 *Lespedeza floribunda* Bunge

药材名

多花胡枝子。

形态特征

小灌木，高 30 ～ 60（～ 100）cm。根细长。茎常近基部分枝；枝有条棱，被灰白色绒毛。托叶线形，长 4 ～ 5 mm，先端刺芒状；羽状复叶具 3 小叶；小叶具柄，倒卵形、宽倒卵形或长圆形，长 1 ～ 1.5 cm，宽 6 ～ 9 mm，先端微凹、钝圆或近截形，具小刺尖，基部楔形，上面被疏伏毛，下面密被白色伏柔毛；侧生小叶较小。总状花序腋生；总花梗细长，显著超出叶；花多数；小苞片卵形，长约 1 mm，先端急尖；花萼长 4 ～ 5 mm，被柔毛，5 裂，上方 2 裂片下部合生，上部分离，裂片披针形或卵状披针形，长 2 ～ 3 mm，先端渐尖；花冠紫色、紫红色或蓝紫色，旗瓣椭圆形，长 8 mm，先端圆形，基部有柄，翼瓣稍短，龙骨瓣长于旗瓣，钝头。荚果宽卵形，长约 7 mm，超出宿存萼，密被柔毛，有网状脉。花期 6 ～ 9 月，果期 9 ～ 10 月。

生境分布

生于海拔 1 300 m 以下的石质山坡。湖北各地均有分布。

| 采收加工 | 根：6～10 月采收，洗净，切片，晒干。
茎叶：切段，晒干。

| 功能主治 | 消积，截疟。用于疳积，疟疾。

豆科 Leguminosae 胡枝子属 Lespedeza

美丽胡枝子

Lespedeza formosa (Vogel) Koehne

| 药 材 名 | 美丽胡枝子。

| 形态特征 | 直立灌木，高 1 ~ 2 m。多分枝，枝伸展，被疏柔毛。托叶披针形至线状披针形，长 4 ~ 9 mm，褐色，被疏柔毛；叶柄长 1 ~ 5 cm，被短柔毛；小叶椭圆形、长圆状椭圆形或卵形，稀倒卵形，两端稍尖或稍钝，长 2.5 ~ 6 cm，宽 1 ~ 3 cm，上面绿色，稍被短柔毛，下面淡绿色，贴生短柔毛。总状花序单一，腋生，比叶长，或构成顶生的圆锥花序。总花梗长可达 10 cm，被短柔毛；苞片卵状渐尖，长 1.5 ~ 2 mm，密被绒毛，花梗短，被毛；花萼钟状，长 5 ~ 7 mm，5 深裂，裂片长圆状披针形，长为萼筒的 2 ~ 4 倍，外面密被短柔毛；花冠红紫色，长 10 ~ 15 mm，旗瓣近圆形或稍长，先端圆，基部具

明显的耳和瓣柄，翼瓣倒卵状长圆形，短于旗瓣和龙骨瓣，长 7 ~ 8 mm，基部有耳和细长瓣柄，龙骨瓣比旗瓣稍长，在花盛开时明显长于旗瓣，基部有耳和细长瓣柄。荚果倒卵形或倒卵状长圆形，长 8 mm，宽 4 mm，表面具网纹且被疏柔毛。花期 7 ~ 9 月，果期 9 ~ 10 月。

| 生境分布 | 生于海拔 2 800 m 以下的山坡、路旁及林缘灌丛中。分布于湖北鹤峰、利川、建始、巴东、秭归、兴山、神农架、黄陂、崇阳、武昌、大悟、黄梅、郧阳、英山、团风、蕲春、恩施、宣恩、五峰、长阳、竹溪等。

| 资源情况 | 野生资源较多，栽培资源较多。药材来源于栽培。

| 采收加工 | 茎叶：夏季开花前采收，鲜用或切段，晒干。

| 功能主治 | 清热凉血，利尿通淋，宣开毛窍，通经活络。用于热淋，小便不利，疹痧不透，头晕眼花，汗不出，手臂酸麻，便血，尿血，中暑发痧，蛇咬伤。

豆科 Leguminosae 胡枝子属 Lespedeza

阴山胡枝子

Lespedeza inschanica (Maxim.) Schindl.

| 药 材 名 | 阴山胡枝子。

| 形态特征 | 灌木，高达 80 cm。茎直立或斜升，下部近无毛，上部被短柔毛。托叶丝状钻形，长约 2 mm，背部具 1 ~ 3 明显的脉，被柔毛；叶柄长（3 ~）5 ~ 10 mm；羽状复叶具 3 小叶；小叶长圆形或倒卵状长圆形，长 1 ~ 2（~ 2.5）cm，宽 0.5 ~ 1（~ 1.5）cm，先端钝圆或微凹，基部宽楔形或圆形，上面近无毛，下面密被伏毛，顶生小叶较大。总状花序腋生，与叶近等长，具 2 ~ 6 花；小苞片长卵形或卵形，背面密被伏毛，边有缘毛；花萼长 5 ~ 6 mm，5 深裂，前方 2 裂片分裂较浅，裂片披针形，先端长渐尖，具明显 3 脉及缘毛，萼筒外被伏毛，向上渐稀疏；花冠白色，旗瓣近圆形，长 7 mm，宽

5.5 mm，先端微凹，基部带大紫斑，花期反卷，翼瓣长圆形，长 5 ~ 6 mm，宽 1 ~ 1.5 mm，龙骨瓣长 6.5 mm，通常先端带紫色。荚果倒卵形，长 4 mm，宽 2 mm，密被伏毛，短于宿存萼。

| 生境分布 | 生于干旱山坡。分布于湖北团风。

| 功能主治 | 全株：用于水泻，痢疾，感冒，跌打损伤，小儿遗尿；外用于刀枪伤，烫伤，疮毒。

根：用于肾炎，膀胱炎，乳腺炎，赤白带下。

叶：用于黄水疮，湿疹，毒蛇咬伤，带状疱疹。

豆科 Leguminosae 胡枝子属 *Lespedeza*

尖叶铁扫帚
Lespedeza juncea (L. f.) Pers.

| 药 材 名 | 尖叶铁扫帚。

| 形态特征 | 小灌木，高可达 1 m。全株被伏毛，分枝或上部分枝呈扫帚状。托叶线形，长约 2 mm，叶柄长 0.5 ~ 1 cm；羽状复叶具 3 小叶，小叶倒披针形、线状长圆形或狭长圆形，长 1.5 ~ 3.5 cm，宽 3 ~ 7 mm，先端稍尖或钝圆，具小刺尖头，基部渐狭，边缘稍反卷，上面近无毛，下面密被伏毛。总状花序腋生，稍超出叶，有 3 ~ 7 排列较密集的花，近伞形花序；总花梗长；苞片及小苞片卵状披针形或狭披针形，长约 1 mm；花萼狭钟状，长 3 ~ 4 mm，5 深裂，裂片披针形，先端锐尖，外面被白色伏毛，花开后具明显 3 脉；花冠白色或淡黄色，旗瓣基部带紫色斑，花期不反卷或稀反卷，龙骨瓣先端带紫色，旗瓣、翼瓣与龙骨瓣近等长，有时旗瓣较短；闭锁花簇生于叶腋，近无梗。荚果宽卵形，两面被白色伏毛，稍超出宿存萼。花期 7 ~ 9 月，果

期 9 ～ 10 月。

| **生境分布** | 生于海拔 1 500 m 以下的山坡灌丛间。湖北有分布。

| **资源情况** | 野生资源一般，栽培资源稀少。

| **功能主治** | 止泻，止痢，止血。用于痢疾，遗精，吐血，子宫下垂。

豆科 Leguminosae 胡枝子属 Lespedeza

铁马鞭

Lespedeza pilosa (Thunb.) Sieb. et Zucc.

| 药 材 名 | 铁马鞭。

| 形态特征 | 多年生草本。全株密被长柔毛,茎平卧,细长,长 60 ～ 80（～ 100）cm,少分枝,匍匐于地面。托叶钻形,长约 3 mm,先端渐尖;叶柄长 6 ～ 15 mm;羽状复叶具 3 小叶;小叶宽倒卵形或倒卵圆形,长 1.5 ～ 2 cm,宽 1 ～ 1.5 cm,先端圆形、近截形或微凹,有小刺尖头,基部圆形或近截形,两面密被长毛,顶生小叶较大。总状花序腋生,比叶短;苞片钻形,长 5 ～ 8 mm,上部具缘毛;总花梗极短,密被长毛;小苞片 2,披针状钻形,长 1.5 mm,背部中脉具长毛,具缘毛;花萼密被长毛,5 深裂,上方 2 裂片基部合生,上部分离,裂片狭披针形,长约 3 mm,先端长渐尖,具长缘毛;花冠黄白色或白色,

旗瓣椭圆形，长 7 ~ 8 mm，宽 2.5 ~ 3 mm，先端微凹，具瓣柄，翼瓣比旗瓣与龙骨瓣短；闭锁花常 1 ~ 3 集生于茎上部叶腋，无梗或近无梗，结实。荚果广卵形，长 3 ~ 4 mm，凸镜状，两面密被长毛，先端具尖喙。花期 7 ~ 9 月，果期 9 ~ 10 月。

| 生境分布 | 生于海拔 1 000 m 以下的荒山坡及草地。分布于湖北来凤、鹤峰、巴东、黄梅、罗田、丹江口、当阳、郧西、兴山、枣阳、南漳、通城、英山、麻城、恩施、利川、宣恩。

| 采收加工 | **带根全草**：夏、秋季采收，鲜用或切段，晒干。

| 功能主治 | 益气安神，活血止痛，利尿消肿，解毒散结。用于气虚发热，失眠，痧证腹痛，风湿痹痛，水肿，瘰疬，痈疽肿毒。

豆科 Leguminosae 胡枝子属 *Lespedeza*

绒毛胡枝子
Lespedeza tomentosa (Thunb.) Sieb. ex Maxim.

| 药 材 名 | 绒毛胡枝子。

| 形 态 特 征 | 灌木，高达 1 m。全株密被黄褐色绒毛。茎直立，单一或上部少分枝。托叶线形，长约 4 mm，羽状复叶具 3 小叶，小叶质厚，椭圆形或卵状长圆形，长 3 ~ 6 cm，宽 1.5 ~ 3 cm，先端钝或微心形，边缘稍反卷，上面被短伏毛，下面密被黄褐色绒毛或柔毛，沿脉上尤多；叶柄长 2 ~ 3 cm。总状花序顶生或于茎上部腋生；总花梗粗壮，长 4 ~ 8 cm；苞片线状披针形，长 2 mm，有毛；花具短梗，密被黄褐色绒毛；花萼密被毛，长约 6 mm，5 深裂，裂片狭披针形，长约 4 mm，先端长渐尖；花冠黄色或黄白色，旗瓣椭圆形，长约 1 cm，龙骨瓣与旗瓣近等长，翼瓣较短，长圆形；闭锁花生于茎上部叶腋，

簇生成球状。荚果倒卵形，长 3 ~ 4 mm，宽 2 ~ 3 mm，先端有短尖，表面密被毛。

| 生境分布 | 生于海拔 1 000 m 以下的干的山坡草地及灌丛中。分布于湖北丹江口、郧西、大悟、枣阳、南漳、麻城、竹溪等。

| 资源情况 | 野生资源一般，栽培资源一般。药材来源于栽培。

| 功能主治 | 宣开毛窍，通经活络。用于疹痧不透，头晕眼花，汗不出，手臂酸麻。

豆科 Leguminosae 胡枝子属 *Lespedeza*

细梗胡枝子 *Lespedeza virgata* (Thunb.) DC.

| 药 材 名 | 细梗胡枝子。

| 形态特征 | 小灌木，高 25 ~ 50 cm，有时可达 1 m。基部分枝，枝细，带紫色，被白色伏毛。托叶线形，长 5 mm；羽状复叶具 3 小叶；小叶椭圆形、长圆形或卵状长圆形，稀近圆形，长（0.6 ~）1 ~ 2（~ 3）cm，宽 4 ~ 10（~ 15）mm，先端钝圆，有时微凹，有小刺尖头，基部圆形，边缘稍反卷，上面无毛，下面密被伏毛，侧生小叶较小；叶柄长 1 ~ 2 cm，被白色伏柔毛。总状花序腋生，通常具 3 稀疏的花；总花梗纤细，呈毛发状，被白色伏柔毛，明显超出叶；苞片及小苞片披针形，长约 1 mm，被伏毛；花梗短；花萼狭钟形，长 4 ~ 6 mm，旗瓣长约 6 mm，基部有紫色斑，翼瓣较短，龙骨瓣长于旗瓣或近等

长；闭锁花簇生于叶腋，无梗，结实。荚果近圆形，通常不超出萼。花期 7 ～ 9 月，果期 9 ～ 10 月。

| **生境分布** | 生于海拔 1 300 m 以下的山坡草丛中。分布于湖北来凤、巴东、秭归、兴山、钟祥、武昌、罗田、红安、保康、公安、枣阳、南漳、团风、麻城、恩施、宣恩。

| **采收加工** | **全草：** 夏季采收，洗净，切碎，晒干。

| **功能主治** | 清暑利尿，截疟。用于中暑，小便不利，疟疾，感冒，高血压。

豆科 Leguminosae 百脉根属 Lotus

百脉根
Lotus corniculatus Linn.

药 材 名

百脉根。

形态特征

多年生草本，高 15 ~ 50 cm；全株散生稀疏白色柔毛或秃净。具主根。茎丛生，平卧或上升，实心，近四棱形。羽状复叶小叶 5；叶轴长 4 ~ 8 mm，疏被柔毛，先端 3 小叶，基部 2 小叶呈托叶状，纸质，斜卵形至倒披针状卵形，长 5 ~ 15 mm，宽 4 ~ 8 mm，中脉不清晰；小叶柄甚短，长约 1 mm，密被黄色长柔毛。伞形花序；总花梗长 3 ~ 10 cm；花 3 ~ 7 集生于总花梗先端，长（7 ~）9 ~ 15 mm；花梗短，基部有苞片 3；苞片叶状，与萼等长，宿存萼钟形，长 5 ~ 7 mm，宽 2 ~ 3 mm，无毛或稀被柔毛，萼齿近等长，狭三角形，渐尖，与萼筒等长；花冠黄色或金黄色，干后常变蓝色，旗瓣扁圆形，瓣片和瓣柄几等长，长 10 ~ 15 mm，宽 6 ~ 8 mm，翼瓣和龙骨瓣等长，均略短于旗瓣，龙骨瓣弯曲成直角三角形，喙部狭尖；雄蕊二体，花丝分离部位略短于雄蕊筒；花柱直，与子房等长成直角上指，柱头点状，子房线形，无毛，胚珠 35 ~ 40。荚果直，线状圆柱形，长 20 ~ 25 mm，直径 2 ~ 4 mm，褐色，2 瓣裂，扭曲；有多数种子，种子细小，卵圆形，长约 1 mm，灰褐色。花期 5 ~ 9 月，果期 7 ~ 10 月。

| **生境分布** | 生于海拔 2 300 ~ 3 100 m 的冷杉和高山栎混交林或山坡草地、田间湿润处。分布于湖北当阳、保康、秭归、郧西、兴山、南漳、远安、郧阳、恩施、利川、宣恩、建始、竹溪。

| **采收加工** | **根茎**：夏季采挖根茎，洗净，晒干。

| **功能主治** | 补虚，清热，止渴。用于虚劳，阴虚发热，口渴。

豆科 Leguminosae 苜蓿属 Medicago

天蓝苜蓿 *Medicago lupulina* L.

| 药 材 名 | 天蓝苜蓿。

| 形态特征 | 一年生草本，高 20 ~ 60 cm。植株分枝多，伏卧或斜上，被疏毛。叶互生，三出复叶；小叶柄长 3 ~ 7 mm，有柔毛；叶片宽倒卵形或近圆形，长 5 ~ 15 mm，宽 4 ~ 10 mm，先端钝圆或微凹，具小尖头，基部宽楔形，边缘上部具细锯齿，侧脉略平行，两面均被白色柔毛。花腋生，密集成头状花序，有花 10 ~ 15；花萼钟形，有柔毛，萼筒短，萼齿 5，较长；花冠黄色，雄蕊 10，二体，花丝丝状；子房具短柄，柱头弯斜成钩状。荚果弯，略成肾形，成熟时黑色，表面具不规则的纵纹，无刺，有疏毛；种子 1，肾圆形，黄褐色。花期 5 ~ 6 月，果期 7 月。

| **生境分布** | 生于郊野旷地和路边、田埂草丛中。分布于湖北丹江口、当阳、红安、谷城、保康、郧西、大悟、公安、枣阳、恩施、利川、竹溪、房县、巴东。

| **采收加工** | **全草：** 夏、秋季采收，洗净，晒干。

| **功能主治** | 用于黄疸性肝炎，便血，痔疮出血，白血病，坐骨神经痛，风湿骨痛，腰肌劳损；外用于蛇咬伤。

小苜蓿 *Medicago minima* (L.) Grufb.

| 药 材 名 | 小苜蓿。

| 形态特征 | 一年生草本。高 5 ~ 30 cm，全株被伸展柔毛，偶杂有腺毛。茎基部多分枝。羽状三出复叶；托叶卵形，先端锐尖，基部圆形，全缘或边缘具不明显浅齿；叶柄细柔；小叶倒卵形，几等大，纸质，先端圆或凹缺，具细尖，基部楔形。花序头状，具花 3 ~ 6，疏松；总花梗细，挺直，腋生，通常比叶长，有时甚短；苞片细小，刺毛状；花梗甚短或无；花萼钟形，密被柔毛，萼齿披针形，不等长，与萼筒等长或稍长于萼筒；花冠淡黄色，旗瓣阔卵形，明显比翼瓣和龙骨瓣长。荚果球形，边缝具 3 棱，被长棘刺，通常长与半径相等，水平伸展，尖端钩状，每圈有种子 1 ~ 2；种子长肾形，长 1.5 ~

2 mm，棕色，平滑。花期 3 ~ 4 月，果期 4 ~ 5 月。

| **生境分布** | 生于山谷、低山或平川。湖北有分布。

| **采收加工** | **全草**：夏、秋季茎叶茂盛时采割，除去杂质，干燥。

| **功能主治** | 清热利湿。用于尿路结石，水肿，淋证，消渴。

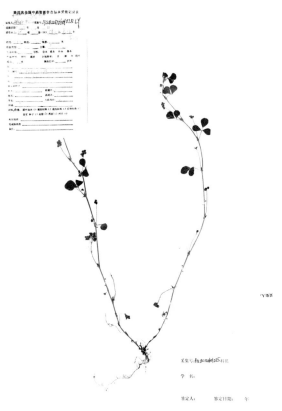

豆科 Leguminosae 苜蓿属 Medicago

南苜蓿 *Medicago polymorpha* L.

| 药 材 名 | 南苜蓿。

| 形态特征 | 一年生或二年生草本，高 20 ～ 90 cm。茎平卧、上升或直立，近四棱形，基部分枝，无毛或微被毛。羽状三出复叶，托叶大，卵状长圆形，长 4 ～ 7 mm，先端渐尖，基部耳状，边缘具不整齐条裂，成丝状细条或深齿状缺刻，脉纹明显；叶柄柔软，细长，长 1 ～ 5 cm，上面具浅沟；小叶倒卵形或三角状倒卵形，几等大，长 7 ～ 20 mm，宽 5 ～ 15 mm，纸质，先端钝，近平截或凹缺，具细尖，基部阔楔形，边缘在 1/3 以上具浅锯齿，上面无毛，下面被疏柔毛，无斑纹。头状伞形花序，具花 2 ～ 10；总花梗腋生，纤细无毛，长 3 ～ 15 mm，通常比叶短；花序轴先端不呈芒状尖；苞片甚小，尾尖；花长

3 ~ 4 mm，花梗不到 1 mm；萼钟形，长约 2 mm；萼齿披针形，与萼筒近等长，无毛或稀被毛，花冠黄色，旗瓣倒卵形，先端凹缺，基部阔楔形，比翼瓣和龙骨瓣长，翼瓣长圆形，基部具耳和稍阔的瓣柄，齿突甚发达，龙骨瓣比翼瓣稍短，基部具小耳，成钩状；子房长圆形，镰状上弯，微被毛。荚果盘形，暗绿褐色，顺时针方向紧旋 1.5 ~ 2.5 圈，直径 4 ~ 6 mm，螺面平坦无毛，有多条辐射状脉纹，近边缘处环结，每圈具棘刺或瘤突 15，种子每圈 1 ~ 2；种子长肾形，长约 2.5 mm，宽 1.25 mm，棕褐色，平滑。花期 3 ~ 5 月，果期 5 ~ 6 月。

| 生境分布 | 生于肥沃的旱地或排水良好的地区。分布于湖北郧西、公安、枣阳、南漳、郧阳、建始、长阳等。

| 资源情况 | 野生资源一般，栽培资源一般。药材来源于栽培。

| 采收加工 | **全草或根：**夏季采收全草，晒干或鲜用；秋季采挖根，洗净，晒干。

| 功能主治 | 清热利尿，退黄。用于膀胱结石，黄疸，尿路结石。

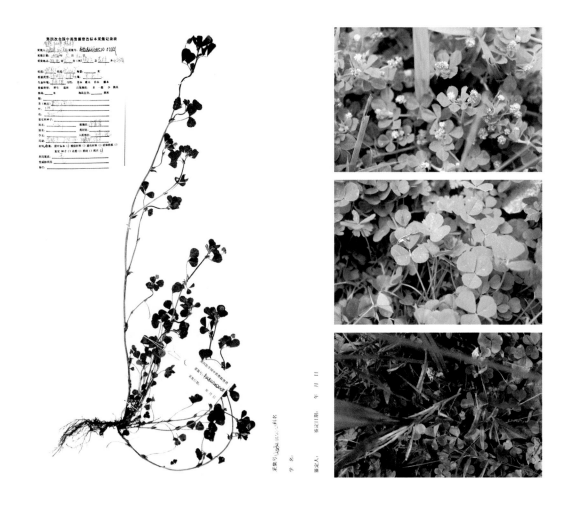

白花草木樨 *Melilotus alba* Medic. ex Desr.

| 药 材 名 | 白花草木樨。

| 形态特征 | 二年生草本，高 1 ~ 4 m。茎直立，全株有香气。三出复叶；托叶狭三角形，先端尖锐呈尾状，基部宽，长可达 8 mm，叶片椭圆形或

披针状椭圆形，长 2 ~ 3.5 cm，宽 0.5 ~ 1.2 cm，先端截形，微凹，基部近圆形，边缘具细齿，两面无毛。花成细长的总状花序，腋生；萼钟状，有微柔毛，萼齿三角形，与萼筒等长；花冠蝶形，白色，旗瓣较翼瓣稍长；雄蕊 10，二体；子房、花柱向内弯曲。荚果短，卵球形，灰棕色，有凸起的网脉，无毛；有种子 1 ~ 2；种子褐黄色，肾形，有香气。花期 5 ~ 6 月，果期 6 ~ 8 月。

| **生境分布** | 生于田边、路旁荒地及湿润的沙地。分布于湖北丹江口、郧西、枣阳、南漳、恩施、竹溪。

| **采收加工** | **全草：** 花期采收，洗净，切段，阴干。

| **功能主治** | 清热解毒，和胃化湿。用于暑热胸闷，头痛，口臭，疟疾，痢疾，淋病，皮肤疮疡。

豆科 Leguminosae 草木樨属 Melilotus

草木樨
Melilotus officinalis (L.) Pall.

| 药 材 名 | 草木樨。

| 形态特征 | 一年生或两年生草本，高 60 ~ 90 cm，有时可达 1 m 以上。茎直立，粗壮，多分枝。三出复叶，互生；托叶线状披针形，基部不齿裂，稀有时靠近下部叶的托叶基部具 1 或 2 齿裂；叶片倒卵形、长圆形或倒披针形，长 15 ~ 27 mm，宽 4 ~ 7 mm，先端钝，基部楔形或近圆形，边缘有不整齐的疏锯齿。总状花序细长，腋生，花多数；花萼钟状，萼齿 5，三角状披针形，近等长；花黄色，长约 4 mm，旗瓣椭圆形，先端圆或微凹，基部楔形，翼瓣比旗瓣短，与龙骨瓣略等长；雄蕊 10，二体；子房卵状长圆形，花柱细长。荚果小，倒卵形，长 3 ~ 3.5 mm，棕色，仅 1 节荚，先端有短喙，表面具网纹；

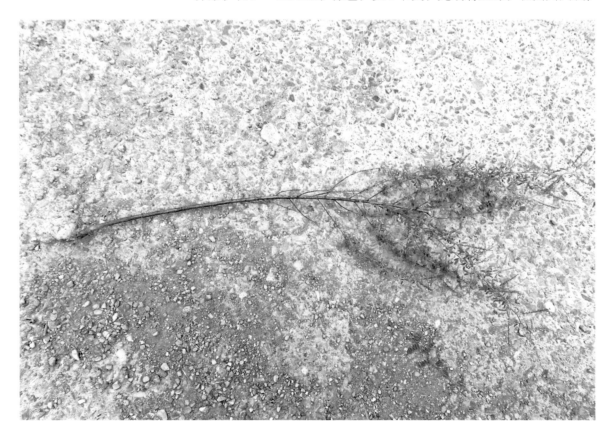

种子 1，近圆形或椭圆形，稍扁。花期 6 ~ 8 月，果期 7 ~ 10 月。

| **生境分布** | 生于海拔 200 ~ 3 100 m 的山沟、河岸或田野潮湿处。分布于湖北丹江口、保康、秭归、郧西、大悟、公安、兴山、枣阳、南漳、房县、巴东。

| **采收加工** | **全草**：6 ~ 8 月开花期割取地上部分，鲜用或晒干，切段。

| **功能主治** | 清暑化湿，健胃和中。用于暑湿胸闷，头胀头痛，痢疾，疟疾，淋证，带下，口疮，口臭，疮疡，湿疮，疥癣，淋巴结结核。

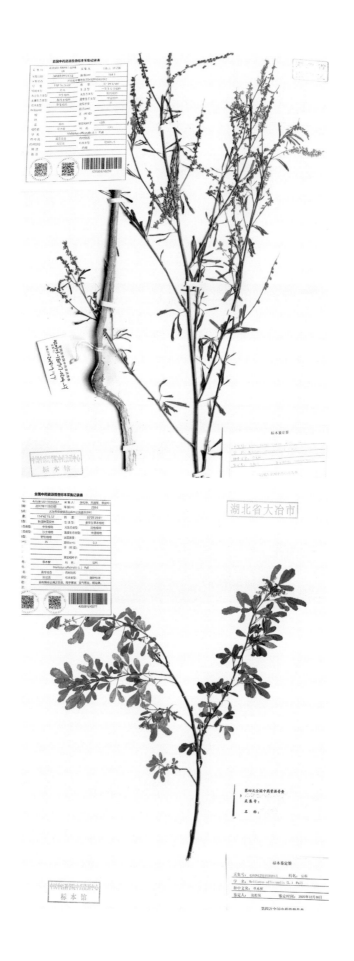

豆科 Leguminosae 崖豆藤属 Millettia

香花崖豆藤

Millettia dielsiana Harms

| 药 材 名 | 昆明鸡血藤。

| 形态特征 | 木质藤本，长 2 ～ 5 m。枝被褐色短毛。叶互生，奇数羽状复叶，长 15 ～ 30 cm；叶柄长 5 ～ 12 cm；托叶线形，长约 3 mm；小叶片5，革质，具短柄；叶片长椭圆形至披针形，有时为卵形，长 4 ～ 15 cm，宽 2 ～ 3 cm，先端钝，渐尖，基部钝或圆，上面无毛，下面略被短柔毛或无毛，网脉密集而明显。总状花序顶生或腋生，组成圆锥花序，长达 15 cm，密被黄褐色茸毛；苞片小，卵形，小花梗长约 5 mm，被绒毛；花密集；萼钟状，5 裂，密被锈色茸毛；花外面白色，密被锈色茸毛，内面深紫色，花冠蝶形；雄蕊 10，二体；子房线性，花柱内弯。荚果狭长椭圆形，略扁平，长 7 ～ 12 cm，

宽 14 ～ 25 mm，近木质，密被锈色茸毛。种子 1 ～ 5，扁长圆形。花期 5 ～ 8 月，
果期 10 ～ 11 月。

| **生境分布** | 生于海拔 2 500 m 以下的山坡杂木林与灌丛中或阴处岩边。分布于湖北保康、
秭归、宜都、郧西、公安、神农架、远安、利川、咸丰、来凤、宣恩、长阳、
竹溪、巴东以及恩施。

| **采收加工** | 夏、秋季采收，切片，晒干。

| **功能主治** | 补血止血，活血通络。用于血虚体弱，劳伤筋骨，月经不调，闭经，产后腹痛，
恶露不尽，各种出血，风湿痹痛，跌打损伤。

豆科 Leguminosae **崖豆藤属** *Millettia*

网络崖豆藤 *Millettia reticulata* Benth.

| 药 材 名 | 网络鸡血藤。

| 形态特征 | 攀缘状灌木，高 2 ~ 4 m。茎皮灰色。叶互生，有柄，奇数羽状复叶，长 10 ~ 20 cm；叶柄长 2 ~ 5 cm；托叶锥刺形，基部向下凸起成 1 对短而硬的距；叶腋有多数芽苞叶，宿存；小叶 5 ~ 9，柄长约 5 mm；小托叶针刺状，长约 3 mm；叶片长圆形或卵状长圆形，长 2.5 ~ 10 cm，宽 2 ~ 3.5 cm，先端钝，微凹，基部圆形或近圆形，全缘，网脉两面均明显。圆锥花序顶生，稀腋生，长 5 ~ 10 cm，花序轴有黄色疏柔毛；花多而密集；萼钟状，长约 3 mm，5 齿裂，裂齿短钝三角形，边缘有淡黄色毛；蝶形花冠，淡紫色或玫瑰红色；雄蕊 10，二体，花丝不等长；子房线形，花柱弯曲，柱头小。荚果

扁条形，长可达 15 cm，宽约 2 cm，果瓣近木质，种子间缢缩，开裂时果瓣扭曲；种子 3 ~ 6，扁圆形。花期 5 ~ 6 月，果期 11 ~ 12 月。

| 生境分布 | 生于山野草地的灌丛中。分布于湖北公安、黄梅。

| 采收加工 | **藤茎：** 8 ~ 9 月采割，去净枝叶，切成长 30 ~ 60 cm 的小段，晒干。

| 功能主治 | 养血补虚，活血通经。用于气血虚弱，遗精，阳痿，月经不调，痛经，闭经，赤白带下，腰膝酸痛，麻木瘫痪，风湿痹痛。

豆科 Leguminosae 含羞草属 Mimosa

含羞草 *Mimosa pudica* L.

| **药 材 名** | 含羞草。

| **形态特征** | 披散半灌木状草本，高可达1m。有散生、下弯的钩刺及倒毛刚毛。叶对生，羽片通常4，指状排列于总叶柄的先端；叶柄长1.5～4cm；托叶披针形，长5～10mm，有刚毛；小叶10～20对，触之即闭合面下垂；小叶片线状长圆形，长8～13mm，先端急尖，基部近圆形，略偏斜，边缘有疏生刚毛。头状花序具长梗，单生或2～3花序生于叶腋，直径约1cm；花小，淡红色；苞片线形，边缘有刚毛；萼漏斗状，极小，短齿裂；花冠钟形，上部4裂，裂片三角形，外面有短柔毛；雄蕊4，基部合生，伸出花瓣外；子房有短柄，无毛，花柱丝状，柱头小。荚果扁平弯曲，长约14mm，先

端有喙，有 3 ~ 4 节，每节有 1 种子，荚缘波状，具刺毛，成熟时荚节脱落；种子阔卵形。花期 3 ~ 4 月，果期 5 ~ 11 月。

| **生境分布** | 生于旷野、山沟溪边、草丛或灌丛中。分布于湖北秭归、黄梅、兴山、罗田、麻城、宣恩、房县。

| **采收加工** | 全草：夏季采收，除去泥沙，洗净，鲜用或扎成把，晒干。

| **功能主治** | 凉血解毒，清热利湿，镇静安神。用于感冒，小儿高热，支气管炎，肝炎，胃炎，肠炎，结膜炎，泌尿系统结石，水肿，劳伤咯血，血尿，神经衰弱，失眠，疮疡肿毒，带状疱疹，跌打损伤。

豆科 Leguminosae 黧豆属 Mucuna

常春油麻藤 Mucuna sempervirens Hemsl.

| **药 材 名** | 常春油麻藤。

| **形态特征** | 大攀缘灌木，长 5 ~ 10 m，稀有达 20 m 者。茎直径可达 30 cm，棕色或棕黄色，粗糙。小枝具明显的皮孔。三出复叶，革质；叶柄长 9 ~ 15 cm；叶片卵形或长卵形，长 7 ~ 12 cm，宽 5 ~ 7 cm，先端渐尖，基部楔形，侧生小叶基部斜楔形。总状花序着生于老茎上，萼宽钟形，萼齿 5，上面 2 齿连合，外面疏被锈色长硬毛，内面密生绢质茸毛；蝶形花冠，深紫色，长约 6.5 cm；雄蕊 10，二体，花药异性；子房无柄，有锈色长硬毛。荚果条形，木质，长约 60 cm，种子间缢缩，外被金黄色粗毛；种子 10 或更多，肾形，黑色，直径约为 2 cm。花期 6 ~ 7 月，果期 7 ~ 9 月。

| 生境分布 | 生于山地林边，常缠绕于其他树上或附于岩石上。分布于湖北当阳、保康、秭归、南漳、英山、蕲春、利川、宣恩、长阳、竹溪、巴东。

| 采收加工 | 茎：全年均可采收，晒干。

| 功能主治 | 活血调经，补血舒筋。用于月经不调，调经，闭经，产后血虚，贫血，风湿痹痛，四肢麻木，跌打损伤。

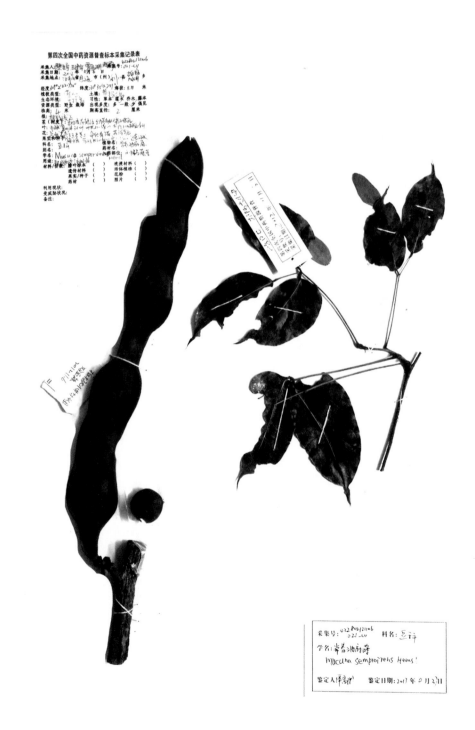

红豆树

Ormosia hosiei Hemsl. et Wils.

| 药 材 名 | 红豆。

| 形态特征 | 常绿或落叶乔木，高达 20 ~ 30 m，胸径可达 1 m；树皮灰绿色，平滑。小枝绿色，幼时有黄褐色细毛，后变光滑；冬芽有褐黄色细毛。奇数羽状复叶，长 12.5 ~ 23 cm；叶柄长 2 ~ 4 cm，叶轴长 3.5 ~ 7.7 cm，叶轴在最上部 1 对小叶延长 0.2 ~ 2 cm 处生顶小叶；小叶（1 ~ ）2（~ 4）对，薄革质，卵形或卵状椭圆形，稀近圆形，长 3 ~ 10.5 cm，宽 1.5 ~ 5 cm，先端急尖或渐尖，基部圆形或阔楔形，上面深绿色，下面淡绿色，幼叶疏被细毛，老叶脱落无毛或仅下面中脉有疏毛，侧脉 8 ~ 10 对，和中脉成 60° 角，干后侧脉和细脉均明显凸起成网格；小叶柄长 2 ~ 6 mm，圆形，无凹槽，小叶

柄及叶轴疏被毛或无毛。圆锥花序顶生或腋生，长 15 ~ 20 cm，下垂；花疏，有香气；花梗长 1.5 ~ 2 cm；花萼钟形，浅裂，萼齿三角形，紫绿色，密被褐色短柔毛；花冠白色或淡紫色，旗瓣倒卵形，长 1.8 ~ 2 cm，翼瓣与龙骨瓣均为长椭圆形；雄蕊 10，花药黄色；子房光滑无毛，内有胚珠 5 ~ 6，花柱紫色，线状，弯曲，柱头斜生。荚果近圆形，扁平，长 3.3 ~ 4.8 cm，宽 2.3 ~ 3.5 cm，先端有短喙，果颈长 5 ~ 8 mm，果瓣近革质，厚 2 ~ 3 mm，干后褐色，无毛，内壁无隔膜，有种子 1 ~ 2；种子近圆形或椭圆形，长 1.5 ~ 1.8 cm，宽 1.2 ~ 1.5 cm，厚约 5 mm，种皮红色，种脐长 9 ~ 10 mm，位于长轴一侧。花期 4 ~ 5 月，果期 10 ~ 11 月。

| **生境分布** | 生于海拔 200 ~ 900 m，稀达 1 350 m 的河旁、山坡、山谷林内。分布于湖北郧西、巴东、保康、郧阳、竹溪等。

| **资源情况** | 野生资源较少，栽培资源一般。药材来源于栽培。

| **采收加工** | **种子：**秋季果实成熟时采收，打下果实，晒到果荚开裂后取出种子，晒至全干。

| **功能主治** | 理气止痛，清热凉血，利水渗湿，杀虫。用于心胃气痛，疝气疼痛，小便短赤，涩痛，无名肿痛，疔疮，烫火伤。

豆科 Leguminosae 棘豆属 Oxytropis

硬毛棘豆
Oxytropis hirta Bunge

| 药 材 名 | 硬毛棘豆。

| 形态特征 | 多年生草本，高 20 ~ 55 cm，被长硬毛，灰绿色。根很长，褐色。
茎极缩短。羽状复叶长 15 ~ 25（~ 30）cm，坚挺；托叶膜质，坚
硬，披针状钻形，长 20 ~ 33 mm，与叶柄贴生至 2/3 处，基部合生，
分离部分先端长渐尖，长 6 ~ 14 mm，被长硬毛，边缘具硬纤毛；
叶柄与叶轴粗壮，上面有细沟，密被长硬毛，小叶之间有时密生
小腺点；小叶（5 ~）9 ~ 19（~ 23），对生，罕互生，卵状披针
形或长椭圆形，长 12 ~ 30（~ 60）mm，宽 3 ~ 8（~ 17）mm，
通常顶小叶最大，自上而下依次渐小，先端渐尖、急尖或稍钝，
基部圆形，两面疏被长硬毛，边缘具纤毛，有时上面无毛或近无

毛。多花组成密长穗形总状花序；花葶粗壮，长于叶，长 20 ～ 50 mm，密被长硬毛或至无毛；苞片草质，线形或线状披针形，比花萼长，长（7 ～）8 ～ 13（～ 20）mm，宽 1 ～ 3 mm，先端渐尖，疏被长硬毛；花长 15 ～ 18 mm；花萼筒形或筒状钟形，长 10 ～ 13（～ 14）mm，宽 3 ～ 4 mm，密被白色长硬毛，萼齿线形，长 5 ～ 7 mm；花冠蓝紫色、紫红色或黄白色，旗瓣匙形，长约 20 mm，宽约 6 mm，先端圆形，基部下延成瓣柄，翼瓣长约 17 mm，宽约 3 mm，瓣片倒卵状长圆形，先端钝，龙骨瓣长约 17 mm，瓣片斜长圆形，喙长 1 ～ 3 mm；子房密被白色柔毛，胚珠 20 ～ 24。荚果长卵形，2/3 包于萼内，长 10 ～ 12 mm，宽 3 ～ 4.5 mm，密被白色长硬毛，喙长 3 ～ 4 mm，腹隔膜宽约 1 mm，不完全 2 室。花期 5 ～ 8 月，果期 7 ～ 10 月。

| 生境分布 | 生于海拔 800 ～ 2 020 m 的草原、山坡路旁、丘陵坡地、山坡草地、覆沙坡地、石质山地阳坡和疏林下。分布于湖北枣阳。

| 采收加工 | **地上部分：** 夏季开花时割取地上部分，除去杂质，阴干。

| 功能主治 | 用于黏疫，脉伤，新旧创伤，陶赖，赫如虎，协日乌素症，出血诸症。

豆科 Leguminosae　豆薯属 Pachyrhizus

豆薯
Pachyrhizus erosus (L.) Urban

| **药 材 名** | 豆薯。

| **形态特征** | 粗壮、缠绕、草质藤本，稍被毛，有时基部稍木质。根块状，纺锤形或扁球形，一般直径 20 ～ 30 cm，肉质。羽状复叶具 3 小叶；托叶线状披针形，长 5 ～ 11 mm；小托叶锥状，长约 4 mm；小叶菱形或卵形，长 4 ～ 18 cm，宽 4 ～ 20 cm，中部以上不规则浅裂，裂片小，急尖，侧生小叶的两侧极不等，仅下面微被毛。总状花序长 15 ～ 30 cm，每节有花 3 ～ 5；小苞片刚毛状，早落；萼长 9 ～ 11 mm，被紧贴的长硬毛；花冠浅紫色或淡红色，旗瓣近圆形，长 15 ～ 20 mm，中央近基部处有 1 黄绿色斑块及 2 胼胝状附属物，瓣柄以上有 2 半圆形、直立的耳，翼瓣镰形，基部具线形、向下的

长耳，龙骨瓣近镰形，长 1.5 ~ 2 cm；雄蕊二体，对旗瓣的 1 离生；子房被浅黄色长硬毛，花柱弯曲，柱头位于先端以下的腹面。荚果带形，长 7.5 ~ 13 cm，宽 12 ~ 15 mm，扁平，被细长糙伏毛；种子每荚 8 ~ 10，近方形，长、宽均 5 ~ 10 mm，扁平。花期 8 月，果期 11 月。

| **生境分布** | 生于温暖、阳光充足的环境。分布于湖北房县、利川、竹溪、建始、巴东、长阳、五峰、宜都、枣阳、秭归等。

| **采收加工** | **块根**：秋季采挖，鲜用或晒干。

| **功能主治** | 清肺生津，利尿通乳，解酒。用于肺热咳嗽，肺痈，中暑烦渴，消渴，乳少，小便不利。

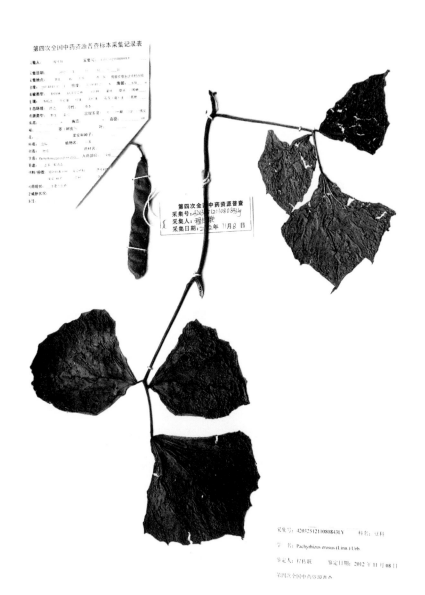

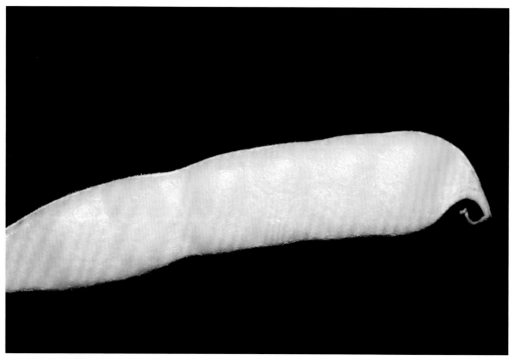

豆科 Leguminosae 菜豆属 Phaseolus

菜豆 *Phaseolus vulgaris* L.

| 药 材 名 | 菜豆。

| 形态特征 | 一年生、缠绕或近直立草本。茎被短柔毛或老时无毛。羽状复叶具3小叶；托叶披针形，长约4 mm，基着。小叶宽卵形或卵状菱形，

侧生的偏斜，长 4 ~ 16 cm，宽 2.5 ~ 11 cm，先端长渐尖，有细尖，基部圆形或宽楔形，全缘，被短柔毛。总状花序比叶短，有数花生于花序顶部；花梗长 5 ~ 8 mm；小苞片卵形，有数条隆起的脉，约与花萼等长或稍较花萼长，宿存；花萼杯状，长 3 ~ 4 mm，上方的 2 裂片连合成一微凹的裂片；花冠白色、黄色、紫堇色或红色；旗瓣近方形，宽 9 ~ 12 mm，翼瓣倒卵形，龙骨瓣长约 1 cm，先端旋卷，子房被短柔毛，花柱压扁。荚果带形，稍弯曲，长 10 ~ 15 cm，宽 1 ~ 1.5 cm，略肿胀，通常无毛，顶有喙；种子 4 ~ 6，长椭圆形或肾形，长 0.9 ~ 2 cm，宽 0.3 ~ 1.2 cm，白色、褐色、蓝色或有花斑，种脐通常白色。花期春、夏季。

| **生境分布** | 湖北有栽培。

| **功能主治** | 滋养，利尿消肿。用于水肿，脚气病。

豆科 Leguminosae 豌豆属 Pisum

豌豆
Pisum sativum L.

| 药 材 名 | 豌豆。

| 形态特征 | 一年生攀缘草本，高 0.5 ~ 2 m。全株绿色，光滑无毛，被粉霜。叶具小叶 4 ~ 6，托叶比小叶大，叶状，心形，下缘具细牙齿。小叶卵圆形，长 2 ~ 5 cm，宽 1 ~ 2.5 cm；花单生于叶腋或数朵排列为总状花序；花萼钟状，5 深裂，裂片披针形；花冠颜色多样，随品种而异，但多为白色和紫色，雄蕊 10，二体；子房无毛，花柱扁，内面有髯毛。荚果肿胀，长椭圆形，长 2.5 ~ 10 cm，宽 0.7 ~ 1.4 cm，先端斜急尖，背部近伸直，内侧有坚硬纸质的内皮；种子 2 ~ 10，圆形，青绿色，有皱纹或无，干后变为黄色。花期 6 ~ 7 月，果期 7 ~ 9 月。

| **生境分布** | 半耐寒性作物，喜温和湿润的气候，不耐燥热。湖北有分布。

| **功能主治** | 益中气，止泻痢，调营卫，利小便，消痈肿，解乳石毒。用于脚气，痈肿，乳汁不通，脾胃不适，呃逆呕吐，心腹胀痛，口渴泻痢等。

豆科 Leguminosae 葛属 Pueraria

野葛

Pueraria lobata (Willd.) Ohwi

| 药 材 名 | 野葛。

| 形态特征 | 粗壮藤本，长可达 8 m，全体被黄色长硬毛，茎基部木质，有粗厚的块根。羽状复叶具 3 小叶；托叶背着，卵状长圆形，具线条；小托叶线状披针形，与小叶柄等长或较长；小叶 3 裂，偶尔全缘，顶生小叶宽卵形或斜卵形，长 7 ～ 15（～ 19）cm，宽 5 ～ 12（～ 18）cm，先端长渐尖，侧生小叶斜卵形，稍小，上面被淡黄色、平伏的疏柔毛，下面较密；小叶柄被黄褐色绒毛。总状花序长15 ～ 30 cm，中部以上有颇密集的花；苞片线状披针形至线形，远比小苞片长，早落；小苞片卵形，长不及 2 mm；花 2 ～ 3 聚生于花序轴的节上；花萼钟形，长 8 ～ 10 mm，被黄褐色柔毛，裂片披针形，

渐尖，比萼管略长；花冠长 10 ~ 12 mm，紫色，旗瓣倒卵形，基部有 2 耳及 1 黄色硬痂状附属体，具短瓣柄，翼瓣镰状，较龙骨瓣为狭，基部有线形、向下的耳，龙骨瓣镰状长圆形，基部有极小、急尖的耳；对旗瓣的 1 雄蕊仅上部离生；子房线形，被毛。荚果长椭圆形，长 5 ~ 9 cm，宽 8 ~ 11 mm，扁平，被褐色长硬毛。花期 9 ~ 10 月，果期 11 ~ 12 月。

| 生境分布 | 生于山地疏林或密林中。湖北有分布。

| 资源情况 | 野生资源较多。药材来源于野生。

| 采收加工 | **根**：秋、冬季采挖，趁鲜切成厚片或小块。

| 功能主治 | **根**：升阳解肌，透疹止泻，除烦止渴。用于伤寒，温热头痛，烦热消渴，泄泻，痢疾，斑疹不透，高血压，心绞痛，耳聋等。
花：解酒醒脾，止血。用于伤酒烦热口渴，头痛头晕，脘腹胀满，呕逆吐酸，不思饮食，吐血，肠风下血。

豆科 Leguminosae 葛属 Pueraria

粉葛
Pueraria lobata (Willd.) Ohwi var. *thomsonii* (Benth.) van der Maesen

| 药 材 名 | 粉葛。

| 形态特征 | 本种与野葛的区别在于本种顶生小叶菱状卵形或宽卵形，侧生小叶斜卵形，长和宽均为 10 ~ 13 cm，先端急尖或具长小尖头，基部平截或急尖，全缘或具 2 ~ 3 裂片，两面均被黄色粗伏毛。花冠长 16 ~ 18 mm，旗瓣近圆形。花期 9 月，果期 11 月。

| 生境分布 | 生于山野灌丛或疏林中。湖北有分布。

| 采收加工 | **根：**秋、冬季采挖，除去外皮，切段或片，干燥。

| 功能主治 | 解肌退热，生津止渴，透疹，升阳止泻，通经活络，解酒毒。用于外感发热头痛，项背强痛，口渴，消渴，麻疹不透，热痢，泄泻，眩晕头痛，中风偏瘫，胸痹心痛，酒毒伤中。

三裂叶野葛 *Pueraria phaseoloides* (Roxb.) Benth.

| 药 材 名 | 三裂叶野葛。

| 形态特征 | 草质藤本。茎纤细，长 2 ~ 4 m，被褐黄色、开展的长硬毛。羽状复叶具 3 小叶；托叶基着，卵状披针形，长 3 ~ 5 mm；小托叶线形，长 2 ~ 3 mm；小叶宽卵形、菱形或卵状菱形，顶生小叶较宽，长 6 ~ 10 cm，宽 4.5 ~ 9 cm，侧生的较小，偏斜，全缘或 3 裂，上面绿色，被紧贴的长硬毛，下面灰绿色，密被白色长硬毛。总状花序单生，长 8 ~ 15 cm 或更长，中部以上有花；苞片和小苞片线状披针形，长 3 ~ 4 mm，被长硬毛；花具短梗，聚生于稍疏离的节上；萼钟状，长约 6 mm，被紧贴的长硬毛，下部的裂齿与萼管等长而先端呈刚毛状，其余的裂齿三角形，比萼管短；花冠浅蓝色或淡紫色，

旗瓣近圆形，长 8 ~ 12 mm，基部有小片状、直立的附属体及 2 内弯的耳，翼瓣倒卵状长椭圆形，稍较龙骨瓣为长，基部一侧有宽而圆的耳，具纤细而长的瓣柄，龙骨瓣镰状，先端具短喙，基部截形，具瓣柄；子房线形，略被毛。荚果近圆柱状，长 5 ~ 8 cm，直径约 4 mm，初时稍被紧贴的长硬毛，后近无毛，果瓣开裂后扭曲；种子长椭圆形，两端近平截，长 4 mm。花期 8 ~ 9 月，果期 10 ~ 11 月。

| **生境分布** | 生于山地、丘陵的灌丛中。湖北有分布。

| **资源情况** | 野生资源较多。药材来源于野生。

| **采收加工** | **根：** 秋、冬季采挖，趁鲜切成厚片或小块。

| **功能主治** | 少数地区亦作葛根使用。

豆科 Leguminosae 鹿藿属 Rhynchosia

菱叶鹿藿 *Rhynchosia dielsii* Harms

| 药 材 名 | 菱叶鹿藿。

| 形态特征 | 缠绕草本。茎纤细，通常密被黄褐色长柔毛或有时混生短柔毛。叶具羽状 3 小叶；托叶小，披针形，长 3 ~ 7 mm；叶柄长 3.5 ~ 8 cm，被短柔毛，顶生小叶卵形、卵状披针形、宽椭圆形或菱状卵形，长 5 ~ 9 cm，宽 2.5 ~ 5 cm，先端渐尖或尾状渐尖，基部圆形，两面密被短柔毛，下面有松脂状腺点，基出脉 3，侧生小叶稍小，斜卵形；小托叶刚毛状，长约 2 mm；小叶柄长 1 ~ 2 mm，均被短柔毛。总状花序腋生，长 7 ~ 13 cm，被短柔毛；苞片披针形，长 5 ~ 10 mm，脱落；花疏生，黄色，长 8 ~ 10 mm；花梗长 4 ~ 6 mm；花萼 5 裂，裂片三角形，下面 1 裂片较长，密被短柔毛；花冠各瓣均具瓣柄，

旗瓣倒卵状圆形，基部两侧具内弯的耳，翼瓣狭长椭圆形，具耳，其中 1 耳较长而弯，另 1 耳短小，龙骨瓣具长喙，基部一侧具钝耳。荚果长圆形或倒卵形，长 1.2 ~ 2.2 cm，宽 0.8 ~ 1 cm，扁平，成熟时红紫色，被短柔毛；种子 2，近圆形，长、宽约 4 mm。花期 6 ~ 7 月，果期 8 ~ 11 月。

| 生境分布 | 生于海拔 600 ~ 2 100 m 的山坡、路旁灌丛中。湖北有分布。

| 资源情况 | 野生资源较多。药材来源于野生。

| 采收加工 | **茎叶、根：** 5 ~ 6 月采收，晒干。

| 功能主治 | 凉血，解毒。用于头痛，腰疼腹痛，产褥热，瘰疬，痈肿，流注。

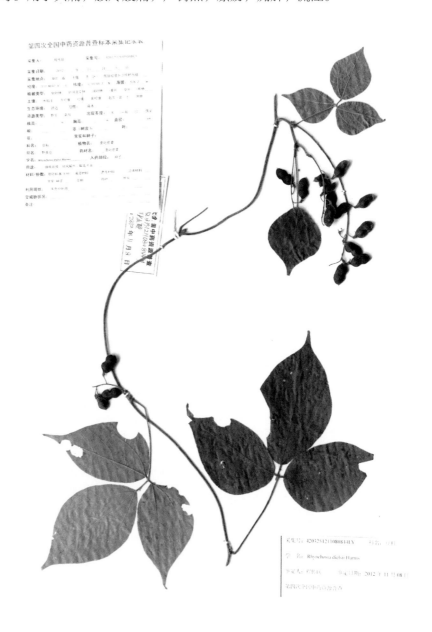

豆科 Leguminosae 刺槐属 Robinia

刺槐 *Robinia pseudoacacia* L.

|药 材 名|

刺槐。

|形态特征|

落叶乔木，高 10 ~ 25 m。树皮灰褐色至黑褐色，浅裂至深纵裂，稀光滑。小枝灰褐色，幼时有棱脊，微被毛，后无毛；具托叶刺，长达 2 cm；冬芽小，被毛。羽状复叶长 10 ~ 25（~ 40）cm；叶轴上面具沟槽；小叶 2 ~ 12 对，常对生，椭圆形、长椭圆形或卵形，长 2 ~ 5 cm，宽 1.5 ~ 2.2 cm，先端圆，微凹，具小尖头，基部圆形至阔楔形，全缘，上面绿色，下面灰绿色，幼时被短柔毛，后变无毛；小叶柄长 1 ~ 3 mm；小托叶针芒状。总状花序腋生，长 10 ~ 20 cm，下垂，花多数，芳香；苞片早落；花梗长 7 ~ 8 mm；花萼斜钟状，长 7 ~ 9 mm，萼齿 5，三角形至卵状三角形，密被柔毛；花冠白色，各瓣均具瓣柄，旗瓣近圆形，长 16 mm，宽约 19 mm，先端凹缺，基部圆，反折，内有黄色斑，翼瓣斜倒卵形，与旗瓣几等长，长约 16 mm，基部一侧具圆耳，龙骨瓣镰状，三角形，与翼瓣等长或稍短，前缘合生，先端钝尖；雄蕊二体，对向旗瓣的 1 雄蕊分离；子房线形，长约

1.2 cm，无毛，柄长 2～3 mm，花柱钻形，长约 8 mm，上弯，先端具毛，柱头顶生。荚果具褐色或红褐色斑纹，线状长圆形，长 5～12 cm，宽 1～1.3（～1.7）cm，扁平，先端上弯，具尖头，果颈短，沿腹缝线具狭翅；花萼宿存，有种子 2～15；种子褐色至黑褐色，微具光泽，有时具斑纹，近肾形，长 5～6 mm，宽约 3 mm，种脐圆形，偏于一端。花期 4～6 月，果期 8～9 月。

| 生境分布 | 生于公路旁及村舍附近。湖北有分布。

| 采收加工 | **花：** 6～7 月盛开时采收花序，采摘花，晾干。

| 功能主治 | 止血。用于大肠下血，咯血，吐血，崩漏。

豆科 Leguminosae 槐属 Sophora

白刺花

Sophora davidii (Franch.) Skeels

药材名

白刺花。

形态特征

灌木或小乔木，高 1 ~ 2 m，有时 3 ~ 4 m。枝多开展，小枝初被毛，旋即脱净，不育枝末端明显变成刺，有时分叉。羽状复叶；托叶钻状，部分变成刺，疏被短柔毛，宿存；小叶 5 ~ 9 对，形态多变，一般为椭圆状卵形或倒卵状长圆形，长 10 ~ 15 mm，先端圆或微缺，常具芒尖，基部钝圆形，上面几无毛，下面中脉隆起，疏被长柔毛或近无毛。总状花序着生于小枝先端；花小，长约 15 mm，较少；花萼钟状，稍歪斜，蓝紫色，萼齿 5，不等大，圆三角形，无毛；花冠白色或淡黄色，有时旗瓣稍带红紫色，旗瓣倒卵状长圆形，长 14 mm，宽 6 mm，先端圆形，基部具细长柄，柄与瓣片近等长，反折，翼瓣与旗瓣等长，单侧生，倒卵状长圆形，宽约 3 mm，具 1 锐尖耳，明显具海绵状折皱，龙骨瓣比翼瓣稍短，镰状倒卵形，具锐三角形耳；雄蕊 10，等长，基部连合不到 1/3；子房比花丝长，密被黄褐色柔毛，花柱变曲，无毛，胚珠多数，荚果非典型串珠状，稍压扁，长 6 ~ 8 cm，宽 6 ~ 7 mm，表面散生毛或近无毛，有种子3～5；种子卵球形，长约4 mm，直径约3 mm，深褐色。花期3～8月，果期6～10月。

| 生境分布 | 生于河谷沙丘和山坡路边的灌丛中。湖北有分布。

| 采收加工 | 根：全年均可采挖。

花、果实：夏、秋季采摘，分别晒干。

| 功能主治 | 根：清热解毒，利湿消肿，凉血止血。用于喉炎，肺炎，痢疾，膀胱炎，水肿，衄血，血尿，便血。

果实：理气消积。用于消化不良，胃痛，腹痛。

花：清凉解暑。

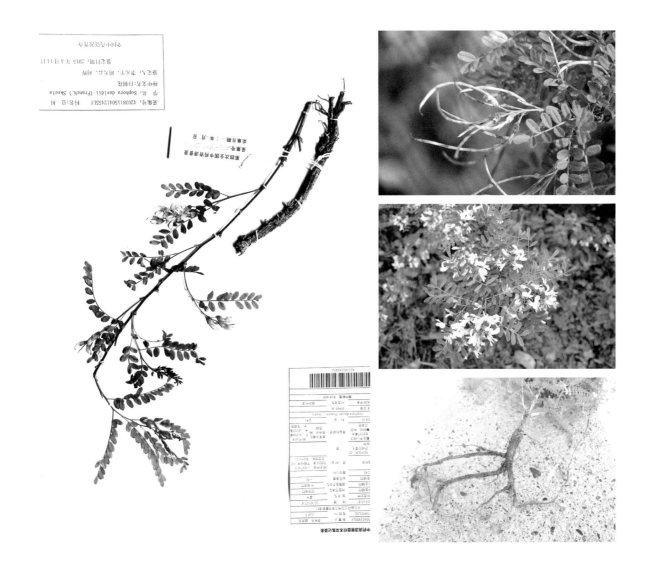

豆科 Leguminosae 槐属 *Sophora*

苦参

Sophora flavescens Aiton

| 药 材 名 | 苦参。

| 形态特征 | 草本或亚灌木，稀呈灌木状。通常高 1 m 左右，稀达 2 m。茎具纹棱，幼时疏被柔毛，后无毛。羽状复叶长达 25 cm；托叶披针状线形，渐尖，长 6 ~ 8 mm；小叶 6 ~ 12 对，互生或近对生，纸质，形状多变，椭圆形、卵形、披针形至披针状线形，长 3 ~ 4（~ 6）cm，宽（0.5 ~）1.2 ~ 2 cm，先端钝或急尖，基部宽楔形或浅心形，上面无毛，下面疏被灰白色短柔毛或近无毛，中脉在下面隆起。总状花序顶生，长 15 ~ 25 cm；花多数，疏或稍密；花梗纤细，长约 7 mm；苞片线形，长约 2.5 mm；花萼钟状，明显歪斜，具不明显波状齿，完全发育后近平截，长约 5 mm，宽约 6 mm，疏

被短柔毛；花冠比花萼长 1 倍，白色或淡黄白色，旗瓣倒卵状匙形，长 14 ～ 15 mm，宽 6 ～ 7 mm，先端圆形或微缺，基部渐狭成柄，柄宽 3 mm，翼瓣单侧生，强烈折皱几达瓣片的顶部，柄与瓣片近等长，长约 13 mm，龙骨瓣与翼瓣相似，稍宽，宽约 4 mm；雄蕊 10，分离或近基部稍连合；子房近无柄，被淡黄白色柔毛，花柱稍弯曲，胚珠多数。荚果长 5 ～ 10 cm，种子间稍缢缩，呈不明显串珠状，稍四棱形，疏被短柔毛或近无毛，成熟后开裂成 4 瓣，有种子 1 ～ 5；种子长卵形，稍压扁，深红褐色或紫褐色。花期 6 ～ 8 月，果期 7 ～ 10 月。

| 生境分布 | 生于海拔 1 500 m 以下的山坡、沙地草坡灌木林中或田野附近。湖北有分布。

| 采收加工 | **根**：春、秋季采挖，除去根头及小支根，洗净，干燥，或趁鲜切片干燥。

| 功能主治 | 清热燥湿，祛风杀虫。用于湿热泻痢，肠风便血，黄疸，小便不利，水肿，带下，阴痒，疥癣，麻风，皮肤瘙痒，湿毒疮疡。

槐 *Sophora japonica* L.

| 药 材 名 | 槐。

| 形态特征 | 乔木，高达 25 m；树皮灰褐色，具纵裂纹。当年生枝绿色，无毛。羽状复叶长达 25 cm；叶轴初被疏柔毛，旋即脱净；叶柄基部膨大，包裹着芽；托叶形状多变，有时呈卵形，叶状，有时线形或钻状，早落；小叶 4 ~ 7 对，对生或近互生，纸质，卵状披针形或卵状长圆形，长 2.5 ~ 6 cm，宽 1.5 ~ 3 cm，先端渐尖，具小尖头，基部宽楔形或近圆形，稍偏斜，下面灰白色，初被疏短柔毛，旋变无毛；小托叶 2，钻状。圆锥花序顶生，常呈金字塔形，长达 30 cm；花梗比花萼短；小苞片 2，形似小托叶；花萼浅钟状，长约 4 mm，萼齿 5，近等大，圆形或钝三角形，被灰白色短柔毛，萼管近无毛；花冠

白色或淡黄色，旗瓣近圆形，长、宽均约 11 mm，具短柄，有紫色脉纹，先端微缺，基部浅心形，翼瓣卵状长圆形，长 10 mm，宽 4 mm，先端浑圆，基部斜截形，无折皱，龙骨瓣阔卵状长圆形，与翼瓣等长，宽达 6 mm；雄蕊近分离，宿存；子房近无毛。荚果串珠状，长 2.5 ~ 5 cm 或稍长，直径约 10 mm，种子间缢缩不明显，种子排列较紧密，具肉质果皮，成熟后不开裂，具种子 1 ~ 6；种子卵球形，淡黄绿色，干后黑褐色。花期 7 ~ 8 月，果期 8 ~ 10 月。

| 生境分布 | 栽培于屋边、路边。湖北有分布。

| 采收加工 | **花、花蕾：**夏季花开放或花蕾形成时采收，及时干燥，除去枝、梗及杂质。前者习称"槐花"，后者习称"槐米"。

| 功能主治 | 凉血止血，清肝泻火。用于便血，痔血，血痢，崩漏，吐血，衄血，肝热目赤，头痛，眩晕。

豆科 Leguminosae 车轴草属 *Trifolium*

红车轴草 *Trifolium pratense* L.

| 药材名 | 红车轴草。

| 形态特征 | 多年生草本，生长期 2～5（～9）年。主根深入土层达 1 m。茎粗壮，具纵棱，直立或平卧上升，疏生柔毛或秃净。掌状三出复叶；托叶近卵形，膜质，每侧具脉纹 8～9，基部抱茎，先端离生部分渐尖，具锥刺状尖头；叶柄较长，茎上部的叶柄短，被伸展毛或秃净；小叶卵状椭圆形至倒卵形，长 1.5～3.5（～5）cm，宽 1～2 cm，先端钝，有时微凹，基部阔楔形，两面疏生褐色长柔毛，叶面上常有 "V" 字形白色斑，侧脉约 15 对，作 20° 角展开，在叶边处分叉隆起，伸出形成不明显的钝齿；小叶柄短，长约 1.5 mm。花序球状或卵状，顶生；无总花梗或具甚短总花梗，包于顶生叶的托叶内，

托叶扩展成佛焰苞状，具花 30～70，密集；花长 12～14（～18）mm；几无花梗；萼钟形，被长柔毛，具脉纹 10，萼齿丝状，锥尖，比萼筒长，最下方 1 齿比其余萼齿长 1 倍，萼喉开张，具 1 多毛的加厚环；花冠紫红色至淡红色，旗瓣匙形，先端圆形，微凹缺，基部狭楔形，明显比翼瓣和龙骨瓣长，龙骨瓣稍比翼瓣短；子房椭圆形，花柱丝状细长，胚珠 1～2。荚果卵形；通常有 1 扁圆形种子。花果期 5～9 月。

| 生境分布 | 生于林缘、路边、草地等湿润处。湖北有分布。

| 采收加工 | **花序、带花枝叶：** 夏季采摘花序或带花嫩枝叶，阴干。

| 功能主治 | 止咳，止喘，镇痉。

白车轴草 *Trifolium repens* L.

| **药材名** | 白车轴草。

| **形态特征** | 多年生草本，生长期达 5 年，高 10 ~ 30 cm。主根短，侧根和须根发达。茎匍匐蔓生，上部稍上升，节上生根，全株无毛。掌状三出复叶；托叶卵状披针形，膜质，基部抱茎成鞘状，离生部分锐尖；叶柄较长，长 10 ~ 30 cm；小叶倒卵形至近圆形，长 8 ~ 20（~ 30）mm，宽 8 ~ 16（~ 25）mm，先端凹头至钝圆，基部楔形渐窄至小叶柄，中脉在下面隆起，侧脉约 13 对，与中脉作 50°角展开，两面均隆起，近叶边分叉并伸达锯齿齿尖；小叶柄长 1.5 mm，微被柔毛。花序球形，顶生，直径 15 ~ 40 mm；总花梗甚长，比叶柄长近 1 倍，具花 20 ~ 50（~ 80），密集；无总苞；

苞片披针形，膜质，锥尖；花长 7 ~ 12 mm；花梗比花萼稍长或等长，开花时立即下垂；萼钟形，具脉纹 10，萼齿 5，披针形，稍不等长，短于萼筒，萼喉开张，无毛；花冠白色、乳黄色或淡红色，具香气，旗瓣椭圆形，比翼瓣和龙骨瓣长近 1 倍，龙骨瓣比翼瓣稍短；子房线状长圆形，花柱比子房略长，胚珠 3 ~ 4。荚果长圆形；种子通常 3，种子阔卵形。花果期 5 ~ 10 月。

| 生境分布 | 栽培种，并在湿润草地、河岸、路边呈半自生状态。湖北有分布。

| 采收加工 | **全草**：夏季采收。

| 功能主治 | 清热，凉血，宁心。

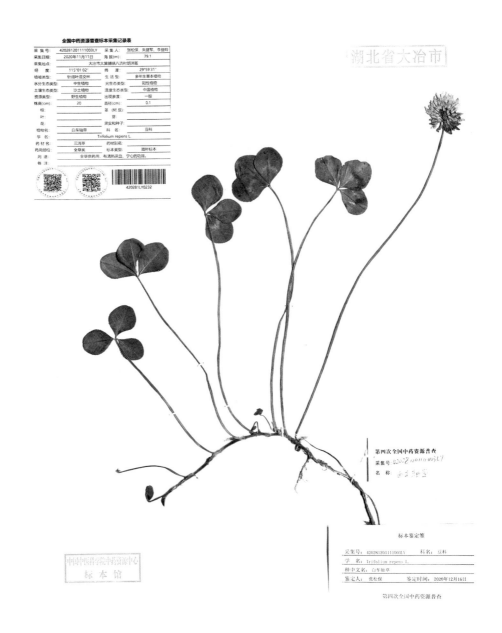

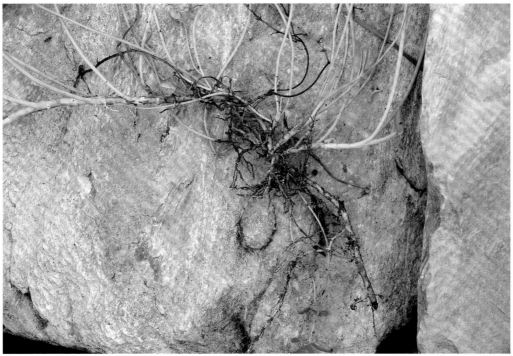

豆科 Leguminosae 狸尾豆属 Uraria

中华狸尾豆

Uraria sinensis (Hemsl.) Franch.

| 药 材 名 | 中华狸尾豆。

| 形态特征 | 亚灌木，高约 1 m。茎直立，被灰黄色短粗硬毛。叶为羽状三
出复叶；托叶长三角形，长约 5 mm，宽约 2 mm，具条纹，有缘
毛；叶柄长 2 ~ 4 cm，有沟槽，被灰黄色柔毛；小叶坚纸质，长圆
形、倒卵状长圆形或宽卵形，长（3 ~）4 ~ 7 cm，宽 2 ~ 4 cm，
侧生小叶略小，上面沿脉上有极短疏柔毛，下面有灰黄色长柔毛，
侧脉每边 6 ~ 8，直而斜展，直达叶缘处消失；小托叶刺毛状，长
2 mm。圆锥花序顶生，长 20 ~ 30 cm，分枝呈毛帚状，有稀疏的花；
花序轴具灰黄色毛；苞片圆卵形，长约 4 mm，宽 3 mm，具条纹，
先端渐尖，被灰黄色柔毛和褐色缘毛，开花时脱落；每苞有花 1 或

2；花梗纤细，丝状，长 8 ~ 10 mm，结果时增长至 13 mm，具极短柔毛和散生无柄褐色腺体；花萼膜质，长约 3 mm，无毛或有疏柔毛，5 裂，裂片宽三角形或宽卵形，较为宽短，下部裂片与萼筒相等或较短；花冠紫色，较花萼长 4 倍；子房稀被柔毛。荚果与果柄几等长，具荚节 4 ~ 5，近无毛，具网纹。花果期 9 ~ 10 月。

| 生境分布 | 生于海拔 500 ~ 2 300 m 的干燥河谷山坡、疏林下、灌丛中或高山草原。湖北有分布。

| 功能主治 | 清热化痰，凉血止血。用于肺热咳嗽，刀伤出血。

大花野豌豆

Vicia bungei Ohwi

| 药 材 名 | 大花野豌豆。

| 形态特征 | 一年生或二年生缠绕或匍匐草本，高 15 ~ 40（~ 50）cm。茎有棱，多分枝，近无毛，偶数羽状复叶先端卷须有分枝；托叶半箭头形，长 0.3 ~ 0.7 cm，有锯齿；小叶 3 ~ 5 对，长圆形或狭倒卵状长圆形，长 1 ~ 2.5 cm，宽 0.2 ~ 0.8 cm，先端平截微凹，稀齿状，上面叶脉不甚清晰，下面叶脉明显被疏柔毛。总状花序长于叶或与叶轴近等长；具花 2 ~ 4（~ 5），着生于花序轴先端，长 2 ~ 2.5 cm，萼钟形，被疏柔毛，萼齿披针形；花冠红紫色或金蓝紫色，旗瓣倒卵披针形，先端微缺，翼瓣短于旗瓣，长于龙骨瓣；子房柄细长，沿腹缝线被金色绢毛，花柱上部被长柔毛。荚果扁长圆形，长

2.5 ～ 3.5 cm，宽约 0.7 cm；种子 2 ～ 8，球形，直径约 0.3 cm。花期 4 ～ 5 月，果期 6 ～ 7 月。

| 生境分布 | 生于海拔 280 ～ 3 100 m 的山坡、谷地、草丛、田边及路旁。湖北有分布。

| 功能主治 | 花：用于中风后口眼歪斜，吐血，咯血，肺热咳嗽等。

种仁：用于水肿。

果荚：用于脓疮，烫火伤。

叶：用于无名肿毒，蛇咬伤等。

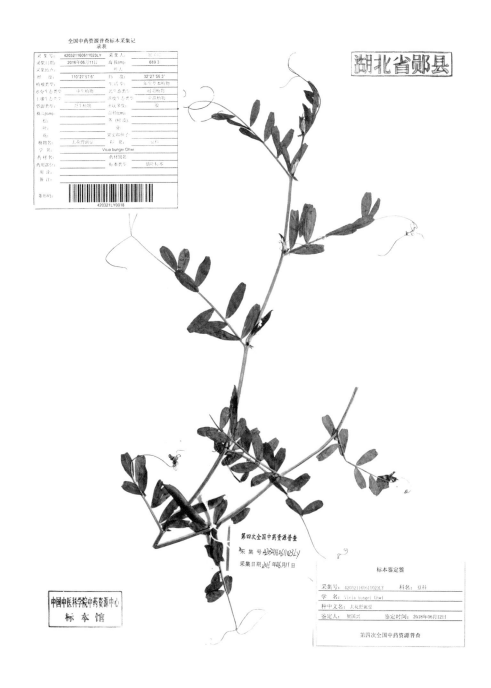

豆科 Leguminosae 野豌豆属 Vicia

广布野豌豆 *Vicia cracca* L.

| 药 材 名 |

广布野豌豆、兰花苕。

| 形态特征 |

多年生草本，高 40 ~ 150 cm。根细长，多
分枝。茎攀缘或蔓生，有棱，被柔毛。偶数
羽状复叶，叶轴先端卷须有 2 ~ 3 分支；托
叶半箭头形或戟形，上部 2 深裂；小叶 5 ~ 12
对互生，线形、长圆形或披针状线形，长
1.1 ~ 3 cm，宽 0.2 ~ 0.4 cm，先端锐尖或
圆形，具短尖头，基部近圆或近楔形，全缘；
叶脉稀疏，呈三出脉状，不甚清晰。总状花
序与叶轴近等长，花多数，10 ~ 40，密集
一面对向总花序轴上部着生；花萼钟状，萼
齿 5，近三角状披针形；花冠紫色、蓝紫色
或紫红色，长 0.8 ~ 1.5 cm，旗瓣长圆形，
中部缢缩成提琴形，先端微缺，瓣柄与瓣片
近等长，翼瓣与旗瓣近等长，明显长于龙骨
瓣，先端钝；子房有柄，胚珠 4 ~ 7，花柱
弯，与子房连接处呈大于 90° 夹角，上部
四周被毛。荚果长圆形或长圆状菱形，长
2 ~ 2.5 cm，宽约 0.5 cm，先端有喙，果柄
长约 0.3 cm；种子 3 ~ 6，扁圆球形，直径
约 0.2 cm，种皮黑褐色，种脐长相当于种子
周长的 1/3。花果期 5 ~ 9 月。

| **生境分布** | 生于草甸、林缘、山坡、河滩草地及灌丛。湖北有分布。

| **资源情况** | 野生资源丰富。

| **功能主治** | 祛风除湿，活血消肿，解毒止痛。用于风湿痹痛，肢体痿废，跌打肿痛，湿疹，疮毒。

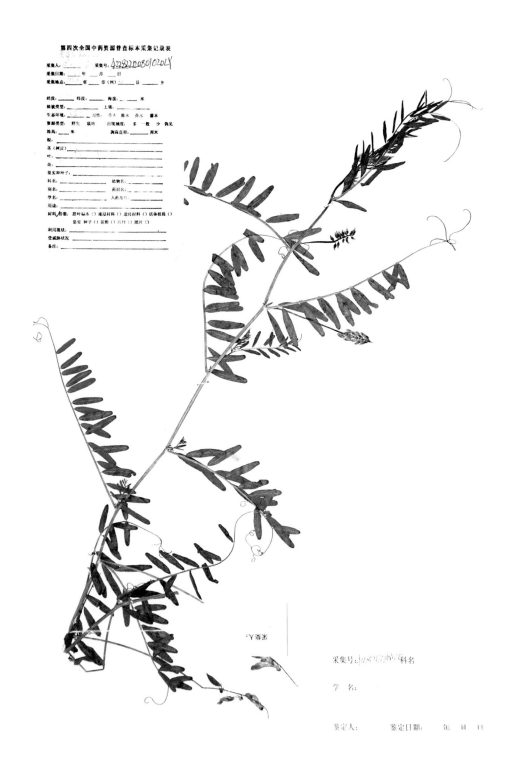

豆科 Leguminosae 野豌豆属 Vicia

蚕豆
Vicia faba L.

| 药 材 名 | 蚕豆。

| 形 态 特 征 | 一年生草本，高 30 ~ 100 (~ 120) cm。生根短粗，多须根，根瘤粉红色，密集。茎粗壮，直立，直径 0.7 ~ 1 cm，具 4 棱，中空，无毛。偶数羽状复叶，叶轴先端卷须短缩为短尖头；托叶戟状头形或近三角状卵形，长 1 ~ 2.5 cm，宽约 0.5 cm，略有锯齿，具深紫色密腺点；小叶通常 1 ~ 3 对，互生，上部小叶可达 4 ~ 5 对，基部较少，小叶椭圆形、长圆形或倒卵形，稀圆形，长 4 ~ 6 (~ 10) cm，宽 1.5 ~ 4 cm，先端圆钝，具短尖头，基部楔形，全缘，两面均无毛。总状花序腋生，花梗近无；花萼钟形，萼齿披针形，下萼齿较长；具花 2 ~ 4 (~ 6)，呈丛状着生于叶腋；花冠白

色，具紫色脉纹及黑色斑晕，长 2 ~ 3.5 cm，旗瓣中部缢缩，基部渐狭，翼瓣短于旗瓣，长于龙骨瓣；雄蕊 10，二体；子房线形无柄，胚珠 2 ~ 4（~ 6），花柱密被白色柔毛，先端远轴面有 1 束髯毛。荚果肥厚，长 5 ~ 10 cm，宽 2 ~ 3 cm；表皮绿色被绒毛，内有白色海绵状横隔膜，成熟后表皮变为黑色；种子 2 ~ 4（~ 6），长方圆形或近长方形，中间内凹，种皮革质，青绿色，灰绿色至棕褐色，稀紫色或黑色；种脐线形，黑色，位于种子一端。花期 4 ~ 5 月，果期 5 ~ 6 月。

| 生境分布 | 湖北有栽培。

| 采收加工 | **种子：**夏季果实成熟时呈黑褐色时，拔取全草，晒干，打下种子，扬净后再晒干；或鲜嫩时用。

| 功能主治 | 健脾利水，解毒消肿。用于食积，水肿，疮毒。

豆科 Leguminosae 野豌豆属 Vicia

大野豌豆 *Vicia gigantea* Bunge

| 药 材 名 | 大野豌豆。

| 形态特征 | 多年生草本，高 40 ~ 100 cm。灌木状，全株被白色柔毛。根茎粗壮，直径可达 2 cm，表皮深褐色，近木质化。茎有棱，多分枝，被白色柔毛。偶数羽状复叶，先端卷须，2 ~ 3 分枝或单一，托叶 2 深裂，裂片披针形，长约 0.6 cm；小叶 3 ~ 6 对，近互生，椭圆形或卵圆形，长 1.5 ~ 3 cm，宽 0.7 ~ 1.7 cm，先端钝，具短尖头，基部圆形，两面被疏柔毛，叶脉 7 ~ 8 对，下面中脉凸出，被灰白色柔毛。总状花序长于叶；具 6 ~ 16 花，稀疏着生于花序轴上部；花冠白色、粉红色、紫色或雪青色；较小，长约 0.6 cm，小花梗长 0.15 ~ 0.2 cm；花萼钟状，长 0.2 ~ 0.25 cm，萼齿狭披针形或锥形，

外面被柔毛；旗瓣倒卵形，长约 7 mm，先端微凹，翼瓣与旗瓣近等长，龙骨瓣最短；子房无毛，具长柄，胚珠 2 ~ 3，柱头上部四周被毛。荚果长圆形或菱形，长 1 ~ 2 cm，宽 4 ~ 5 mm，两面急尖，表皮棕色。种子 2 ~ 3，肾形，表皮红褐色，长约 0.4 cm。花期 6 ~ 7 月，果期 8 ~ 10 月。

| **生境分布** | 生于海拔 600 ~ 2 900 m 的林下、河滩、草丛及灌丛。湖北有分布。

| **功能主治** | 消肿排脓。外用于疮毒疔肿。

豆科 Leguminosae 野豌豆属 Vicia

小巢菜

Vicia hirsuta (L.) S. F. Gray

| 药 材 名 | 小巢菜。

| 形态特征 | 一年生草本，高 15 ～ 90（～ 120）cm，攀缘或蔓生。茎细柔有棱，近无毛。偶数羽状复叶末端卷须分支；托叶线形，基部有 2 ～ 3 裂齿；小叶 4 ～ 8 对，线形或狭长圆形，长 0.5 ～ 1.5 cm，宽 0.1 ～ 0.3 cm，先端平截，具短尖头，基部渐狭，无毛。总状花序明显短于叶；花萼钟形，萼齿披针形，长约 0.2 cm；花 2 ～ 4（～ 7）密集于花序轴先端，花甚小，仅长 0.3 ～ 0.5 cm；花冠白色、淡蓝青色或紫白色，稀粉红色，旗瓣椭圆形，长约 0.3 cm，先端平截有凹，翼瓣近勺形，与旗瓣近等长，龙骨瓣较短；子房无柄，密被褐色长硬毛，胚珠 2，花柱上部四周被毛。荚果长圆状菱形，长 0.5 ～ 1 cm，宽 0.2 ～ 0.5 cm，

表皮密被棕褐色长硬毛；种子 2，扁圆形，直径 0.15 ～ 0.25 cm，两面凸出，种脐长相当于种子圆周长的 1/3。花果期 2 ～ 7 月。

| **生境分布** | 生于小麦田或山坡。湖北有分布。

| **资源情况** | 野生资源丰富。

| **采收加工** | **全草**：春、夏季采收，鲜用或晒干。

| **功能主治** | 清热利湿，调经止血。用于黄疸，疟疾，月经不调，带下，鼻衄。

豆科 Leguminosae 野豌豆属 Vicia

大叶野豌豆 *Vicia pseudorobus* Fisch. et C. A. Mey.

| 药 材 名 |

大叶野豌豆。

| 形态特征 |

多年生草本，高 50 ～ 150（～ 200）cm。根茎粗壮、木质化，须根发达，表皮黑褐色或黄褐色。茎直立或攀缘，有棱，绿色或黄色，具黑褐斑，被微柔毛，老时渐脱落。偶数羽状复叶，长 2 ～ 17 cm；先端卷须发达，2 ～ 3 分枝，托叶戟形，长 0.8 ～ 1.5 cm，边缘齿裂；小叶 2 ～ 5 对，卵形、椭圆形或长圆状披针形，长（2 ～ ）3 ～ 6（～ 10）cm，宽 1.2 ～ 2.5 cm，纸质或革质。先端圆或渐尖，有短尖头，基部圆或宽楔形，叶脉清晰，侧脉与中脉为 60° 夹角，直达叶缘，呈波形或齿状连合，下面被疏柔毛。总状花序长于叶，长 1.5 ～ 4.5 cm，花序轴单一，长于叶；花萼斜钟状，萼齿短，短三角形，长 1 mm；花多，通常 15 ～ 30，花长 1 ～ 2 cm，紫色或蓝紫色，翼瓣、龙骨瓣与旗瓣近等长；子房无毛，胚珠 2 ～ 6，子房柄长，花柱上部四周被毛，柱头头状。荚果长圆形，扁平，长 2 ～ 3 cm，宽 0.6 ～ 0.8 cm，棕黄色。种子 2 ～ 6，扁圆形，直径约 0.3 cm，棕黄色、棕红褐色至褐黄色，种脐灰白色，长相当于种子周长的 1/3。花期 6～9 月，果期 8～10 月。

| **生境分布** | 生于林缘、灌丛、山坡及柞林或杂木林的林间草地、疏林下和路旁等。湖北有分布。

| **资源情况** | 野生资源丰富。药材来源于野生。

| **采收加工** | 夏、秋季采收，除去杂质，晒干。

| **功能主治** | 祛风除湿，活血止痛。用于风湿痹痛，筋骨拘挛，无名肿毒，阴囊湿疹，跌打损伤。

豆科 Leguminosae 野豌豆属 *Vicia*

救荒野豌豆 *Vicia sativa* L.

| 药 材 名 | 大巢菜。

| 形态特征 | 一年生或二年生草本。茎斜升或攀缘，单一或多分枝，具棱，被微柔毛。偶数羽状复叶长 2 ～ 10 cm，卷须有 2 ～ 3 分枝；托叶戟形；小叶 2 ～ 7 对，长椭圆形或近心形，先端圆或平截，凹陷，具短尖头，基部楔形，侧脉不甚明显，两面被贴伏黄柔毛。花腋生，近无梗；萼钟形，外面被柔毛，萼齿披针形或锥形；花冠紫红或红色，旗瓣长倒卵圆形，先端圆，微凹，中部两侧缢缩，翼瓣短于旗瓣，龙骨瓣短于翼瓣；子房线形，微被柔毛，花柱上部被淡黄白色髯毛。荚果线状长圆形，长 4 ～ 6 cm，成熟后呈黄色，种子间稍缢缩，有毛。花期 4 ～ 7 月，果期 7 ～ 9 月。

| **生境分布** | 生于山脚草地、路旁、灌丛中。湖北有分布。 |

| **采收加工** | 全草：4 ~ 5 月采收，晒干或鲜用。 |

| **功能主治** | 益肾，利水，止血，止咳。用于肾虚腰痛，遗精，黄疸，水肿，疟疾，鼻衄，心悸，咳嗽痰多，月经不调，疮疡肿毒。 |

豆科 Leguminosae 野豌豆属 Vicia

野豌豆
Vicia sepium L.

| 药 材 名 | 野豌豆。

| 形态特征 | 一年生或二年生草本，高 30 ~ 100 cm。根茎匍匐；茎柔细，斜升或攀缘，具棱，疏被柔毛。偶数羽状复叶长 7 ~ 12 cm，叶轴先端卷须发达；托叶半戟形，有 2 ~ 4 裂齿；小叶 5 ~ 7 对，长卵状圆形或长圆状披针形，长 0.6 ~ 3 cm，宽 0.4 ~ 1.3 cm，先端钝或平截，微凹，有短尖头，基部圆形，两面被疏柔毛，下面较密。短总状花序，2 ~ 4（~ 6）花腋生；花萼钟状，萼齿披针形或锥形，短于萼筒；花冠红色、近紫色至浅粉红色，稀白色；子房线形，无毛，胚珠 5，子房柄短，柱头远轴面有 1 束黄髯毛。荚果宽，长圆状，近菱形，长 2.1 ~ 3.9 cm，宽 0.5 ~ 0.7 cm，成熟时呈亮黑色，先端具喙，微

弯；种子 5 ~ 7，扁圆球形，表皮棕色，有斑，种脐长相当于种子周长的 2/3。花期 6 月，果期 7 ~ 8 月。

| **生境分布** | 生于海拔 1 000 ~ 2 200 m 的山坡、林缘草丛。湖北有分布。

| **采收加工** | **全草**：夏季采收，晒干或鲜用。

| **功能主治** | 补肾调经，祛痰止咳。用于肾虚腰痛，遗精，月经不调，咳嗽痰多；外用于疔疮。

豆科 Leguminosae 野豌豆属 Vicia

歪头菜

Vicia unijuga A. Br.

| 药 材 名 | 歪头菜。

| 形态特征 | 多年生草本。茎丛生，具棱，嫩时疏被柔毛，老时无毛。叶轴先端具细刺尖，偶见卷须；托叶戟形或近披针形，边缘有不规则齿；小叶 1 对，卵状披针形或近菱形，先端尾状渐尖，基部楔形，边缘具小齿状，两面均疏被微柔毛。总状花序单一，稀有分枝呈复总状花序，明显长于叶，有密集的花 8 ~ 20；花萼紫色，斜钟状或钟状，无毛或近无毛；花冠蓝紫色、紫红色或淡蓝色，旗瓣中部两侧缢缩，呈倒提琴形，龙骨瓣短于翼瓣；子房无毛，胚珠 2 ~ 8，具子房柄，花柱上部四周被毛。荚果扁，长圆形，长 2 ~ 3.5 cm，无毛，棕黄色，近革质。花期 6 ~ 7 月，果期 8 ~ 9 月。

| **生境分布** | 生于山地、林缘、草地、沟边或灌丛。湖北有分布。 |

| **采收加工** | **全草**：夏、秋季采收，洗净，切段，晒干。 |

| **功能主治** | 补虚调肝，理气止痛，清热利尿。用于头晕，体虚水肿，胃痛，疔疮。 |

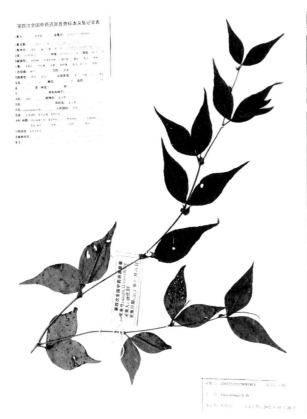

豆科 Leguminosae 豇豆属 Vigna

赤豆

Vigna angularis (Willd.) Ohwi et Ohashi

| 药 材 名 |　赤豆。

| 形态特征 |　一年生、直立或缠绕草本植物。茎高 30 ~ 90 cm，植株被疏长毛。
羽状复叶具 3 小叶；托叶盾状着生，箭头形，长 0.9 ~ 1.7 cm；小
叶卵形至菱状卵形，长 5 ~ 10 cm，宽 5 ~ 8 cm，先端宽三角形或
近圆形，侧生的偏斜，全缘或 3 浅裂，两面均稍被疏长毛。花黄
色，5 或 6 花生于短的总花梗先端；花梗极短；小苞片披针形，长
6 ~ 8 mm；花萼钟状，长 3 ~ 4 mm；花冠长约 9 mm，旗瓣扁圆形
或近肾形，常稍歪斜，先端凹，翼瓣比龙骨瓣宽，具短瓣柄及耳，
龙骨瓣先端弯曲近半圈，其中 1 龙骨瓣中下部有 1 角状突起，基部
有瓣柄；子房线形，花柱弯曲，近先端有毛。荚果圆柱状，长 5 ~

8 cm，宽 5 ～ 6 mm，平展或下弯，无毛；种子通常暗红色或其他颜色，长圆形，长 5 ～ 6 mm，宽 4 ～ 5 mm，两头平截或近浑圆，种脐不凹陷。花期夏季，果期 9 ～ 10 月。

| **生境分布** | 湖北有栽培。

| **资源情况** | 野生资源稀少，栽培资源丰富。药材主要来源于栽培。

| **采收加工** | **种子**：中秋前后摘取成熟荚果，晒干，打出种子，再晒至全干。

| **功能主治** | 清热解毒，利尿消肿，润肠通便。用于小便不利，腹水，下肢水肿等。

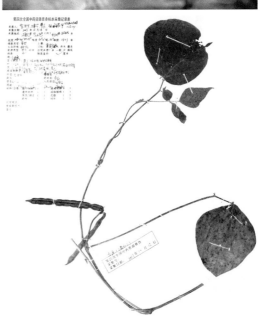

豆科 Leguminosae 豇豆属 Vigna

贼小豆

Vigna minima (Roxb.) Ohwi et Ohashi

| 药 材 名 | 贼小豆。

| 形态特征 | 羽状复叶具 3 小叶；托叶披针形，长约 4 mm，盾状着生，被疏硬毛；小叶的形状和大小变化颇大，卵形、卵状披针形、披针形或线形，长 2.5 ~ 7 cm，宽 0.8 ~ 3 cm，先端急尖或钝，基部圆形或宽楔形，两面近无毛或被极稀疏的糙伏毛。总状花序柔弱；总花梗远长于叶柄，通常有花 3 ~ 4；小苞片线形或线状披针形；花萼钟状，长约 3 mm，具不等大的 5 齿，裂齿被硬缘毛；花冠黄色，旗瓣极外弯，近圆形，长约 1 cm，宽约 8 mm，龙骨瓣具长而尖的耳。荚果圆柱形，长 3.5 ~ 6.5 cm，宽 4 mm，无毛，开裂后旋卷；种子 4 ~ 8，长圆形，长约 4 mm，宽约 2 mm，深灰色，种脐线形，凸起，长 3 mm。花

果期 8 ~ 10 月。

| **生境分布** | 生于河岸荒地草丛、路边行道树下绿篱、废弃地灌丛、沟边芦苇和紫荆槐下及大豆田空隙位置。分布于湖北兴山、神农架。

| **资源情况** | 野生资源一般，栽培资源稀少。药材主要来源于野生。

| **采收加工** | **种子**：中秋前后摘取成熟荚果，晒干，打出种子，再晒至全干。

| **功能主治** | 利水除湿，和血排脓，消肿解毒。用于小便不利，水肿，痈肿。

豆科 Leguminosae 豇豆属 Vigna

赤小豆
Vigna umbellata (Thunb.) Ohwi et Ohashi

| **药 材 名** | 赤小豆。

| **形态特征** | 一年生半攀缘草本。茎长可达 1.8 m，密被倒毛。托叶披针形或卵状披针形；小叶 3，披针形、矩圆状披针形至卵状披针形，长 6 ~ 10 cm，宽 2 ~ 6 cm，全缘或具 3 浅裂，两面均无毛，仅叶脉上有疏毛，纸质，三出脉。总状花序腋生，小花多枚，小花梗极短；小苞 2，披针状线形，具毛；花萼短钟状，萼齿 5；花冠蝶形，黄色，旗瓣肾形，顶面中央微凹，基部心形，翼瓣斜卵形，基部具渐狭的爪，龙骨瓣狭长，有角状突起；雄蕊 10，二体，花药小；子房上位，密被短硬毛，花柱线形。荚果线状扁圆柱形；种子 6 ~ 10，干燥种子略呈圆柱形而稍扁，长 5 ~ 7 mm，直径约 3 mm，种皮赤褐色或紫

褐色，微有光泽，种脐线形，白色，约为全长的 2/3，中间凹陷成一纵沟，偏向一端，背面有 1 不明显的棱脊，质坚硬，除去种皮，可见 2 瓣乳白色种仁，嚼之有豆腥味；以身干，颗粒饱满，色赤红发暗者为佳。花期 5 ~ 8 月，果期 8 ~ 9 月。

| 生境分布 | 生于黏土、砂土中、川道、山地。湖北有分布。

| 资源情况 | 野生资源较稀少，栽培资源丰富。药材主要来源于栽培。

| 采收加工 | **种子**：秋季荚果成熟而未开裂时拔取全草，晒干并打下种子，去杂质，晒干。

| 功能主治 | 利水消肿，解毒排脓。用于水肿胀满，脚气浮肿，黄疸尿赤，风湿热痹，痈肿疮毒，肠痈腹痛。

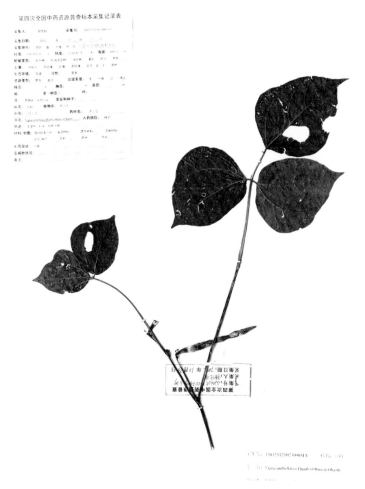

豆科 Leguminosae 豇豆属 Vigna

豇豆
Vigna unguiculata (L.) Walp.

| 药 材 名 | 豇豆。

| 形态特征 | 一年生缠绕性草本。茎无毛或近无毛。托叶棱形，两端渐狭急尖，基部着生于茎上；三出复叶互生，顶生小叶菱状卵形，两侧小叶斜卵形。花序较叶短，顶部被髯毛，着生 2 ~ 3 花；小苞片匙形，早落；萼钟状，无毛，皱缩，萼齿 5，披针形；花冠蝶形，淡紫色或带黄白色，旗瓣、翼瓣有耳，龙骨瓣无耳；雄蕊 10，二体；雌蕊 1，子房无柄，荚果长 20 ~ 30 cm，下垂；种子肾形或球形。花期 6 ~ 7 月，果期 8 月。

| 生境分布 | 生于土层深厚、疏松、保肥保水性强的肥沃土壤中。湖北有分布。

| **资源情况** | 野生资源较稀少，栽培资源丰富。药材主要来源于栽培。

| **采收加工** | **种子**：秋季果实成熟后采收，晒干，打下种子。

| **功能主治** | 健脾利湿，补肾涩精。用于脾胃虚弱，泄泻痢疾，吐逆，肾虚腰痛，遗精，消渴，带下，白浊，小便频数。

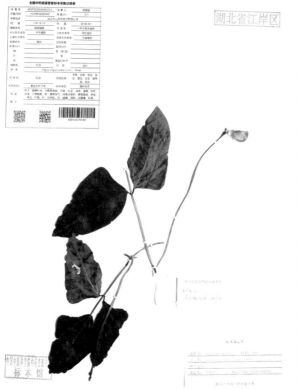

豆科 Leguminosae 豇豆属 Vigna

绿豆
Vigna radiata (L.) Wilczek

| **药 材 名** | 绿豆。

| **形态特征** | 一年生直立草本，高 20 ~ 60 cm。茎被褐色长硬毛。羽状复叶具 3
小叶；托叶盾状着生，卵形，长 0.8 ~ 1.2 cm，具缘毛；小托叶显著，
披针形；小叶卵形，长 5 ~ 16 cm，宽 3 ~ 12 cm，侧生的多少偏斜，
全缘，先端渐尖，基部阔楔形或浑圆，两面多少被疏长毛，基部 3
脉明显；叶柄长 5 ~ 21 cm；叶轴长 1.5 ~ 4 cm；小叶柄长 3 ~ 6 mm。
总状花序腋生，有 4 至数花，最多可达 25；总花梗长 2.5 ~ 9.5 cm；
花梗长 2 ~ 3 mm；小苞片线状披针形或长圆形，长 4 ~ 7 mm，有
线条，近宿存；萼管无毛，长 3 ~ 4 mm，裂片狭三角形，长 1.5 ~
4 mm，具缘毛，上方的 1 对合生成一先端 2 裂的裂片；旗瓣近方形，

长 1.2 cm，宽 1.6 cm，外面黄绿色，里面有时粉红色，先端微凹，内弯，无毛；翼瓣卵形，黄色，龙骨瓣镰状，绿色而染粉红色，右侧有显著的囊。荚果线状圆柱形，平展，长 4 ～ 9 cm，宽 5 ～ 6 mm，被淡褐色、散生的长硬毛，种子间多少收缩；种子 8 ～ 14，淡绿色或黄褐色，短圆柱形，长 2.5 ～ 4 mm，宽 2.5 ～ 3 mm，种脐白色而不凹陷。花期初夏，果期 6 ～ 8 月。

| 生境分布 | 湖北有栽培。

| 资源情况 | 野生资源较稀少，栽培资源丰富。药材主要来源于栽培。

| 采收加工 | **种子：**立秋后种子成熟时采收，拔取全草，晒干，打下种子，簸净杂质。

| 功能主治 | 清热，消暑，利水，解毒。用于暑热烦渴，感冒发热，霍乱吐泻，痰热哮喘，头痛目赤，口舌生疮，水肿尿少，疮疡痈肿，风疹丹毒，药物及食物中毒。

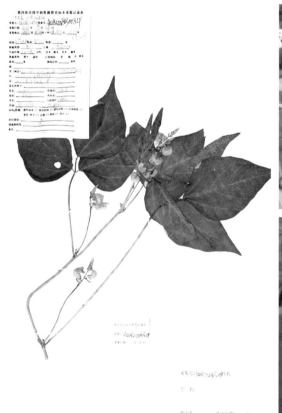

豆科 Leguminosae 豇豆属 Vigna

短豇豆亚种

Vigna unguiculata (L.) Walp. subsp. *cylindrica* (L.) Verdc.

| 药 材 名 | 短豇豆。

| 形态特征 | 一年生直立草本，有时先端缠绕，高 20 ～ 40 cm。复叶，顶生小叶卵状菱 3 形，两侧小叶斜卵形，先端为短尖状，全缘或近全缘，其茎、叶、花等性状与普通豇豆相似，但植株较矮小，豆荚短小。荚果长 10 ～ 16 cm；种子有多种颜色。花期 7 ～ 8 月，果期 9 月。

| 生境分布 | 生于土层深厚、疏松、保肥保水性强的肥沃土壤中。湖北各地均有栽培。

| 资源情况 | 野生资源稀少，栽培资源丰富。药材主要来源于栽培。

| **采收加工** | 秋季果实成熟后采收果实，剥取种子，晒干。

| **功能主治** | 补中益气，健脾益肾。用于脾肾虚损。

豆科 Leguminosae 豇豆属 Vigna

野豇豆

Vigna vexillata (L.) A. Rich.

| 药 材 名 | 野豇豆。

| 形态特征 | 多年生攀缘或蔓生草本。根纺锤形，木质。茎被开展的棕色刚毛，老时渐变为无毛。羽状复叶具 3 小叶；托叶卵形至卵状披针形，基着，长 3 ~ 5 mm，基部心形或耳状，被缘毛；小叶膜质，形状变化较大，卵形至披针形，长 4 ~ 9 (~ 15) cm，宽 2 ~ 2.5 cm，先端急尖或渐尖，基部圆形或楔形，通常全缘，少数微具 3 裂片，两面被棕色或灰色柔毛；叶柄长 1 ~ 11 cm；叶轴长 0.4 ~ 3 cm；小叶柄长 2 ~ 4 mm。花序腋生，有 2 ~ 4 生于花序轴顶部的花，使花序近伞形；总花梗长 5 ~ 20 cm；小苞片钻状，长约 3 mm，早落；花萼被棕色或白色刚毛，稀变无毛，萼管长 5 ~ 7 mm，裂片线形或线

状披针形，长 2 ~ 5 mm，上方的 2 裂片基部合生；旗瓣黄色、粉红色或紫色，有时在基部内面具黄色或紫红色斑点，长 2 ~ 3.5 cm，宽 2 ~ 4 cm，先端凹缺，无毛，翼瓣紫色，基部稍淡，龙骨瓣白色或淡紫色，镰状，喙部呈 180° 弯曲，左侧具明显的袋状附属物。荚果直立，线状圆柱形，长 4 ~ 14 cm，宽 2.5 ~ 4 mm，被刚毛；种子 10 ~ 18，浅黄色至黑色，无斑点或棕色至深红而有黑色的溅点，长圆形或长圆状肾形，长 2 ~ 4.5 mm。花期 7 ~ 9 月。

| 生境分布 | 生于海拔 300 ~ 1 600 m 的山坡、林缘山麓草丛或路旁中。分布于湖北来凤、咸丰、兴山、神农架、崇阳、黄梅、英山等。

| 资源情况 | 野生资源较一般。药材主要来源于野生。

| 采收加工 | **根**：秋季采挖，除去茎的基部、须根和泥土，晒干。

| 功能主治 | 解毒益气，生津，利咽。用于头痛乏力，失眠，阴挺，脱肛，乳少，暑热烦渴，风火牙痛，咽喉肿痛，瘰疬，疮疖，毒蛇咬伤。

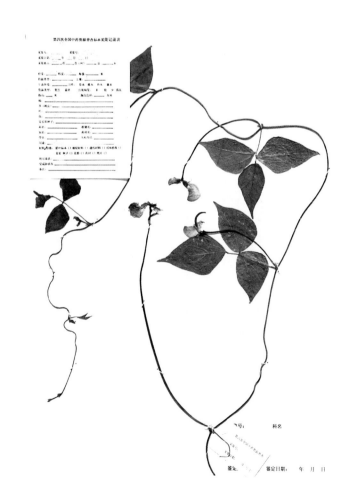

豆科 Leguminosae 紫藤属 Wisteria

紫藤
Wisteria sinensis (Sims) Sweet

| **药 材 名** | 紫藤、紫藤根、紫藤子。 |

| **形态特征** | 落叶藤本。茎右旋，枝较粗壮，嫩枝被白色柔毛，后秃净；冬芽卵形。奇数羽状复叶长 15 ~ 25 cm；托叶线形，早落；小叶 3 ~ 6 对，纸质，卵状椭圆形至卵状披针形，上部小叶较大，基部 1 对最小，长 5 ~ 8 cm，宽 2 ~ 4 cm，先端渐尖至尾尖，基部钝圆、楔形或歪斜，嫩叶两面被平伏毛，后秃净；小叶柄长 3 ~ 4 mm，被柔毛；小托叶刺毛状，长 4 ~ 5 mm，宿存。总状花序发于种植 1 年生的短枝的腋芽或顶芽，长 15 ~ 30 cm，直径 8 ~ 10 cm，花序轴被白色柔毛；苞片披针形，早落；花长 2 ~ 2.5 cm，芳香；花梗细，长 2 ~ 3 cm；花萼杯状，长 5 ~ 6 mm，宽 7 ~ 8 mm，密被细绢毛，上方 2 齿甚 |

钝，下方 3 齿卵状三角形；花冠具细绢毛，上方 2 齿甚钝，下方 3 齿卵状三角形，花冠紫色，旗瓣圆形，先端略凹陷，花开后反折，基部有 2 胼胝体，翼瓣长圆形，基部圆，龙骨瓣较翼瓣短，阔镰形；子房线形，密被绒毛，花柱无毛，上弯，胚珠 6 ~ 8。荚果倒披针形，长 10 ~ 15 cm，宽 1.5 ~ 2 cm，密被绒毛，悬于垂枝上不脱落，有种子 1 ~ 3；种子褐色，具光泽，圆形，宽 1.5 cm，扁平。花期 4 月中旬至 5 月上旬，果期 5 ~ 8 月。

| 生境分布 | 生于海拔 1 000 m 以下的山坡、疏林缘、溪谷两旁、空旷草地或栽培于庭园内。分布于湖北巴东、崇阳、赤壁、江夏、罗田。

| 资源情况 | 野生资源较稀少，栽培资源丰富。药材主要来源于栽培。

| 采收加工 | **紫藤：** 夏季采收茎或茎皮，晒干。
紫藤根： 全年均可采挖，除去泥土，洗净，切片，晒干。
紫藤子： 冬季果实成熟时采收，除去果壳，晒干。

| 功能主治 | **紫藤：** 利水，除痹，杀虫。用于水癃病，浮肿，关节疼痛，肠寄生虫病。
紫藤根： 祛风除湿，舒筋活络。用于痛风，痹病。
紫藤子： 活血，通络，解毒，驱虫。用于筋骨疼痛，腹痛吐泻，小儿蛲虫病。

酢浆草
Oxalis corniculata L.

| 药材名 | 酢浆草。

| 形态特征 | 多年生草本。根茎细长，茎细弱，常褐色，匍匐或斜生，多分枝，被柔毛。总叶柄长 2 ~ 6.5 cm；托叶明显；小叶 3，倒心形，长 4 ~ 10 mm，先端凹，基部宽楔形，上面无毛，叶背疏生平伏毛，脉上毛较密，边缘具贴伏缘毛；无柄。花单生或数朵组成腋生伞形花序；花梗与叶柄等长；花黄色，萼片长卵状披针形，长约 4 mm，先端钝；花瓣倒卵形，长约 9 mm，先端圆，基部微合生；雄蕊的花丝基部合生成筒；花枝 5。蒴果近圆柱形，长 1 ~ 1.5 cm，略具 5 棱，有喙，成熟时弹裂；种子深褐色，近卵形而扁，有纵槽纹。花期 5 ~ 8月，果期 6 ~ 9 月。

| **生境分布** | 生于山坡草地、河谷沿岸、路边、田边、荒地或林下阴湿处等。湖北有分布。

| **资源情况** | 野生资源丰富，栽培资源较少。药材主要来源于野生。

| **采收加工** | **全草**：全年均可采收，尤以夏、秋季为宜，洗净，鲜用或晒干。

| **功能主治** | 清热利湿，凉血散瘀，消肿解毒。用于湿热泄泻，痢疾，黄疸，淋证，带下，吐血，衄血，尿血，月经不调，跌打损伤，咽喉肿痛，痈肿疔疮，丹毒，湿疹，疥癣，痔疮，麻疹，烫火伤，蛇虫咬伤。

红花酢浆草
Oxalis corymbosa DC.

| 药 材 名 | 红花酢浆草。

| 形态特征 | 多年生直立草本。无地上茎，地下部分有球状鳞茎，外层鳞片膜质，褐色，背具 3 肋状纵脉，被长缘毛，内层鳞片呈三角形，无毛。叶基生；叶柄长 5 ~ 30 cm 或更长，被毛；小叶 3，扁圆状倒心形，长 1 ~ 4 cm，宽 1.5 ~ 6 cm，先端凹入，两侧角圆形，基部宽楔形，表面绿色，被毛或近无毛；背面浅绿色，通常两面或有时仅边缘有干后呈棕黑色的小腺体，背面尤甚，并被疏毛；托叶长圆形，顶部狭尖，与叶柄基部合生。总花梗基生，二歧聚伞花序，通常排列成伞形花序，总花梗长 10 ~ 40 cm 或更长，被毛；花梗、苞片、萼片均被毛；花梗长 5 ~ 25 mm，每花梗有披针形干膜质苞片 2；萼片 5，

披针形，长 4 ~ 7 mm，先端有暗红色长圆形的小腺体 2，顶部腹面被疏柔毛；花瓣 5，倒心形，长 1.5 ~ 2 cm，为萼长的 2 ~ 4 倍，淡紫色至紫红色，基部颜色较深；雄蕊 10，长的 5 雄蕊超出花柱，另 5 雄蕊长至子房中部，花丝被长柔毛；子房 5 室，花柱 5，被锈色长柔毛，柱头 2 浅裂。花果期 3 ~ 12 月。

| 生境分布 | 生于低海拔的旷野村边、路旁阴湿处。分布于湖北鹤峰、巴东，以及武汉。

| 资源情况 | 野生资源较少，栽培资源一般。药材主要来源于栽培。

| 采收加工 | **全草**：3 ~ 6 月采收，洗净，鲜用或晒干。

| 功能主治 | 清热利湿，解毒，散瘀消肿，调经。用于肾盂肾炎，痢疾，水泻，咽炎，牙痛，淋浊，月经不调，带下；外用于毒蛇咬伤，跌打损伤，痈疮，烫火伤。

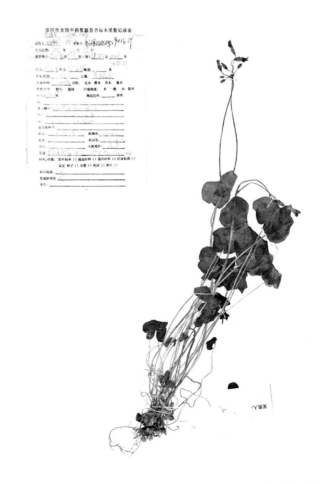

酢浆草科 Oxalidaceae 酢浆草属 Oxalis

山酢浆草

Oxalis griffithii Edgew. et Hook. f.

| 药 材 名 | 麦穗七。

| 形态特征 | 一年生草本，高约 20 cm。根茎肥厚，斜卧，有残留的鳞片状叶柄基部，多少呈麦穗形。叶基生，叶柄长 8 ~ 15 cm，密被长柔毛；3 小叶复叶，小叶片倒三角形，长 2 ~ 2.5 cm，宽 3 ~ 3.5 cm，先端凹缺，基部楔形，全缘，两面均被柔毛。夏季初开白色或淡黄色花，有时呈淡红色，直径约 2 cm，单生于基生花梗上，花梗中部有 1 苞片，被毛；萼片、花瓣均 5；雄蕊 5 长 5 短，于花丝基部合生；子房 5 室，花柱 5，分生。花期 3 ~ 4 月。

| 生境分布 | 生于海拔 800 ~ 3 000 m 的密林、灌丛和沟谷等阴湿处。分布于湖北巴东、神农架、五峰等。

| **资源情况** | 野生资源丰富，栽培资源较少。药材主要来源于野生。 |

| **采收加工** | **全草**：夏、秋季采收，洗净，晒干。 |

| **功能主治** | 清热解毒，消肿止痛。用于泄泻，痢疾，目赤肿痛，小儿口疮，乳腺炎，带状疱疹。 |

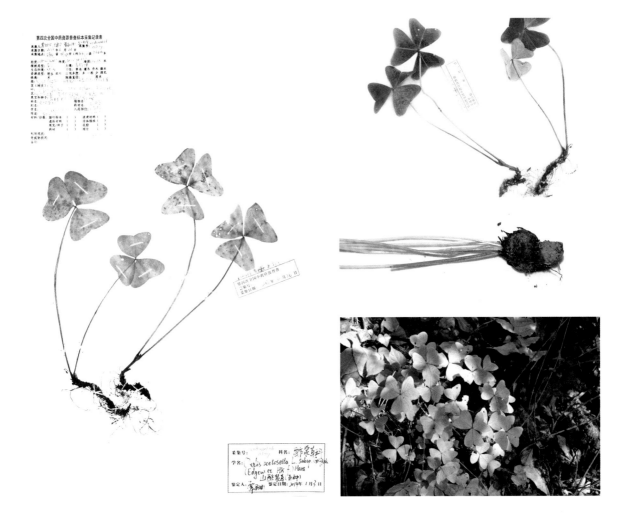

酢浆草科 Oxalidaceae 酢浆草属 Oxalis

黄花酢浆草 *Oxalis pes-caprae* L.

| 药 材 名 | 黄花酢浆草。

| 形态特征 | 多年生草本，高 5 ～ 10 cm。根茎匍匐，具块茎，地上茎短缩不明显或无地上茎，基部具褐色膜质鳞片。叶多数，基生；无托叶；叶柄长 3 ～ 6 cm，基部具关节；小叶 3，倒心形，长约 2 cm，宽 2 ～ 2.5 cm，先端深凹陷，基部楔形，两面被柔毛，具紫色斑。伞形花序基生，明显长于叶，总花梗被柔毛；苞片狭披针形，长 2.5 ～ 4 mm，宽约 1 mm，先端急尖；花梗与苞片近等长或稍长，被柔毛，下垂；萼片披针形，长 4.5 ～ 6 mm，宽 1.5 ～ 2 mm，先端急尖，边缘白色膜质，具缘毛；花瓣黄色，宽倒卵形，长为萼片的 4 ～ 5 倍，先端圆形、微凹，基部具爪；雄蕊 10，2 轮，内轮雄蕊长为外轮雄蕊

的 2 倍，花丝基部合生；子房被柔毛。蒴果圆柱形，被柔毛；种子卵形。

| **生境分布** | 生于低海拔的山坡草地、河谷沿岸、路边、田边、荒地或林下阴湿处等。分布于湖北鹤峰、巴东，以及武汉。

| **资源情况** | 野生资源稀少，栽培资源一般。药材主要来源于栽培。

| **采收加工** | **全草**：3 ~ 6 月采收，洗净，鲜用或晒干

| **功能主治** | 清热利湿，活血散瘀，消肿解毒，止痒止痛。用于痢疾，黄疸，淋病，赤白带下，麻疹，吐血，衄血，咽喉肿痛，疔疮，痈肿，疥癣，跌打损伤，烫火伤。

牻牛儿苗科 Geraniaceae 牻牛儿苗属 Erodium

牻牛儿苗
Erodium stephanianum Willd.

| 药 材 名 |　牻牛儿苗。

| 形态特征 |　多年生草本，高 15 ~ 50 cm。根为直根，较粗壮，少分枝。茎多数，仰卧或蔓生，具节，被柔毛。叶对生；托叶三角状披针形，分离，被疏柔毛，边缘具缘毛；基生叶、茎下部叶具长柄，柄长为叶片长的 1.5 ~ 2 倍，被开展的长柔毛和倒向短柔毛；叶片卵形或三角状卵形，基部心形，长 5 ~ 10 cm，宽 3 ~ 5 cm，2 回羽状深裂，小裂片卵状条形，全缘或具疏齿，表面被疏伏毛，背面被疏柔毛，沿脉被毛较密。伞形花序腋生，明显长于叶，总花梗被开展的长柔毛和倒向短柔毛，每梗具 2 ~ 5 花；苞片狭披针形，分离；花梗与总花梗相似，等于或稍长于花，花期直立，果期开展，上部向上弯曲；

萼片矩圆状卵形，长 6 ～ 8 mm，宽 2 ～ 3 mm，先端具长芒，被长糙毛，花瓣紫红色，倒卵形，等于或稍长于萼片，先端圆或微凹；雄蕊稍长于萼片，花丝紫色，中部以下扩展，被柔毛；雌蕊被糙毛，花柱紫红色。蒴果长约 4 cm，密被短糙毛。种子褐色，具斑点。花期 6 ～ 8 月，果期 8 ～ 9 月。

| **生境分布** | 生于中海拔地区的干山坡、农田边、砂质河滩地和草原凹地等。分布于湖北西北部。

| **资源情况** | 野生资源一般，栽培资源稀少。药材主要来源于栽培。

| **采收加工** | 夏、秋季采收，除去杂质，洗净泥土，晒干，切段。

| **功能主治** | 活血通络，清热利湿。用于风湿痹痛，肌肤麻木，筋骨酸楚，跌打损伤，泄泻，痢疾，疮毒。

牻牛儿苗科 Geraniaceae 老鹳草属 Geranium

野老鹳草 *Geranium carolinianum* L.

| 药 材 名 |

老鹳草。

| 形 态 特 征 |

一年生草本，高 20 ~ 60 cm，根纤细，单一或分枝，茎直立或仰卧，单一或多数，具棱角，密被倒向短柔毛。基生叶早枯，茎生叶互生或最上部叶对生；托叶披针形或三角状披针形，长 5 ~ 7 mm，宽 1.5 ~ 2.5 mm，外被短柔毛；茎下部叶具长柄，柄长为叶片的 2 ~ 3 倍，被倒向短柔毛，上部叶柄渐短；叶片圆肾形，长 4 ~ 6 cm，宽 2 ~ 3 cm，基部心形，掌状 5 ~ 7 裂近基部，裂片楔状倒卵形或菱形，下部楔形，全缘，上部羽状深裂，小裂片条状矩圆形，先端急尖，表面被短伏毛，背面主要沿脉被短伏毛。花序腋生和顶生，长于叶，被倒生短柔毛和开展的长腺毛，各总花梗具 2 花，顶生总花梗常数个集生，花序呈伞形；花梗与总花梗相似，等于或稍短于花；苞片钻状，长 3 ~ 4 mm，被短柔毛；萼片长卵形或近椭圆形，长 5 ~ 7 mm，宽 3 ~ 4 mm，先端急尖，具长约 1 mm 的尖头，外被短柔毛或沿脉被开展的糙柔毛和腺毛；花瓣淡紫红色，倒卵形，稍长于萼，先端圆形，基部宽楔形，雄蕊稍

短于萼片，中部以下被长糙柔毛；雌蕊稍长于雄蕊，密被糙柔毛。蒴果长约2 cm，被短糙毛，果瓣由喙上部先裂向下卷曲。花期 4 ~ 7 月，果期 5 ~ 9 月。

| **生境分布** | 生于山坡、田野间。湖北有分布。

| **资源情况** | 药材来源于野生。

| **采收加工** | **全草**：夏、秋季果实将成熟时割取地上部分或将全草拔起，去净泥土和杂质，晒干。

| **功能主治** | 祛风通络，活血，清热利湿。用于风湿痹痛，肌肤麻木，筋骨酸楚，跌打损伤，泄泻，痢疾，疮毒。

牻牛儿苗科 Geraniaceae 老鹳草属 Geranium

灰岩紫地榆

Geranium franchetii R. Knuth

| 药 材 名 | 灰岩紫地榆。

| 形态特征 | 多年生草本，高 40 ～ 60 cm。根茎斜生，粗壮，直径约 2 cm，围以残存基生托叶，具长的纤维状细根。茎直立、单一，具棱角或沟槽，下部近无毛，上部被倒生短柔毛，基部或上部具假二叉状分枝。基生叶早枯，茎生叶对生；托叶三角形或三角状披针形，长 6 ～ 10 mm，宽 3 ～ 5 mm，先端长渐尖，无毛；下部茎生叶具长柄，柄长为叶片的 2 ～ 3 倍，被倒向疏短柔毛或下部几无毛，近叶片处被毛较密；叶片五角形或五角状肾圆形，基部深心形，长 4 ～ 5 cm，宽 5 ～ 9 cm，掌状 5 深裂达叶片的 2/3 处，裂片宽菱形或倒卵状菱形，下部楔形、全缘，上部圆齿状羽状浅裂，小裂片先端急尖、

钝圆或平截状，具短尖头，表面被疏伏毛，背面一般仅被疏短柔毛；总花梗腋生和顶生，长于叶，被倒向短柔毛，具 2 花；花梗与总花梗相似，长约为花的 2 倍；苞片狭披针形，长 7 ~ 10 mm，先端长渐尖，无毛；萼片卵状矩圆形，长 7 ~ 8 mm，宽约 3 mm，先端具短尖头，外面沿脉被糙柔毛；花瓣紫红色，长为萼片的 1.5 倍，倒长卵形，先端圆形或微凹，基部具短柄，被缘毛；雄蕊与萼片近等长，花丝下部扩展并被长柔毛，花药棕褐色；子房稍长于雄蕊，密被白色长柔毛。蒴果长约 2 cm，被柔毛；种子肾圆形，黄褐色，长约 2 mm，宽约 1 mm，具网纹。花期 6 ~ 8 月，果期 9 ~ 10 月。

| 生境分布 | 生于海拔 700 ~ 3 000 m 的山地林下、灌丛和草地。分布于湖北长阳。

| 资源情况 | 野生资源稀少，栽培资源稀少。药材主要来源于栽培。

| 采收加工 | **带果实的全草：**夏、秋季果实将成熟时，割取地上部分或将全草拔起，去净泥土和杂质，晒干。

| 功能主治 | 凉血止血，清热利湿。用于泄泻，痢疾，消化不良，脘腹疼痛，鼻衄，便血，月经过多，产后出血不止，跌打损伤。

牻牛儿苗科 Geraniaceae 老鹳草属 Geranium

兴安老鹳草

Geranium maximowiczii Regel et Maack

| 药 材 名 | 兴安老鹳草。

| 形态特征 | 多年生草本，高 20 ~ 60 cm。根茎短粗，斜生，具束生细长纺锤形块根，上部围以残存基生托叶。茎直立，假二叉状分枝，具棱槽，下部被倒向开展的疏糙毛，上部密被开展的长糙毛。基生叶和茎上部叶对生；托叶狭披针形，长 4 ~ 6 mm，先端长渐尖；基生叶具长柄，柄长为叶片长的 3 ~ 5 倍，被倒向的疏糙毛，近叶片处被毛密集，茎生叶柄较短，密被开展长糙毛，最上部叶近无柄；叶片肾圆形，基部深心形，长 4 ~ 5 cm，宽 6 ~ 8 cm，掌状 5 ~ 7 深裂至近2/3 处，裂片倒卵状宽楔形或狭菱状楔形，下部全缘，上部齿状羽裂或近 3 裂，小裂片具 1 ~ 2 齿，表面被糙伏毛，背面主要沿脉被糙毛。

花序腋生和顶生，与叶近等长或较之稍长，被倒向短柔毛和疏长糙毛，总花梗具 2 花；苞片钻状或狭披针形，长 4 ~ 6 mm；花梗与总花梗相似，与花近等长，直立，果期叉开，花梗向上弯曲；萼片椭圆状卵形或长卵形，长 7 ~ 8 mm，宽约 3 mm，外被长糙毛，先端具细尖头；花瓣紫红色，倒圆卵形，长为萼片长的 1.5 倍或过之，先端圆形，基部楔形，被糙毛；雄蕊与萼片近等长，花丝棕色，下部扩展，被缘毛；雌蕊被短糙毛，花柱分枝棕色，长约 3 mm。蒴果长约 2.5 cm，被微毛。花期 7 ~ 8 月，果期 8 ~ 9 月。

| **生境分布** | 生于海拔 500 m 的林下。湖北神农架有栽培。

| **资源情况** | 栽培资源稀少。药材来源于栽培。

| **采收加工** | 夏、秋季枝繁叶茂、果实将成熟时采收，割取地上部分，除去泥土、杂质，晒干。

| **功能主治** | 祛风通络，清热止泻。用于风湿痹痛，跌打损伤，筋骨酸痛，肠炎痢疾。

牻牛儿苗科 Geraniaceae 老鹳草属 Geranium

尼泊尔老鹳草 *Geranium nepalense* Sweet

| 药 材 名 | 尼泊尔老鹳草。

| 形态特征 | 多年生草本，高 30 ~ 50 cm。根为直根，多分枝，纤维状。茎多数，细弱，多分枝，仰卧，被倒生柔毛。叶对生或偶为互生；托叶披针形，棕褐色干膜质，长 5 ~ 8 mm，外被柔毛；基生叶、下部茎生叶具长柄，柄长为叶片的 2 ~ 3 倍，被开展的倒向柔毛；叶片五角状肾形，茎部心形，掌状 5 深裂，裂片菱形或菱状卵形，长 2 ~ 4 cm，宽 3 ~ 5 cm，先端锐尖或钝圆，基部楔形，中部以上边缘齿状浅裂或缺刻状，表面被疏伏毛，背面被疏柔毛，沿脉被毛较密；上部叶具短柄，叶片较小，通常 3 裂。总花梗腋生，长于叶，被倒向柔毛，每梗 2 花，少有 1 花；苞片披针状钻形，棕褐色干膜质；

萼片卵状披针形或卵状椭圆形，长 4 ~ 5 mm，被疏柔毛，先端锐尖，具短尖头，边缘膜质；花瓣紫红色或淡紫红色，倒卵形，等于或稍长于萼片，先端平截或圆形，基部楔形，雄蕊下部扩大成披针形，具缘毛；花柱不明显，柱头分枝长约 1 mm。蒴果长 15 ~ 17 mm，果瓣被长柔毛，喙被短柔毛。花期 4 ~ 9 月，果期 5 ~ 10 月。

| **生境分布** | 生于中海拔的山地阔叶林林缘、灌丛、荒山草坡或山地杂草中。分布于湖北西部。

| **资源情况** | 野生资源一般。药材主要来源于野生。

| **采收加工** | **带果实的全草**：夏、秋季，枝繁叶茂、果实将成熟时采收，割取地上部分，除去泥土、杂质，晒干。

| **功能主治** | 活血通络，清热利湿。用于风湿痹痛，肌肤麻木，筋骨酸楚，跌打损伤，泄泻，痢疾，疮毒。

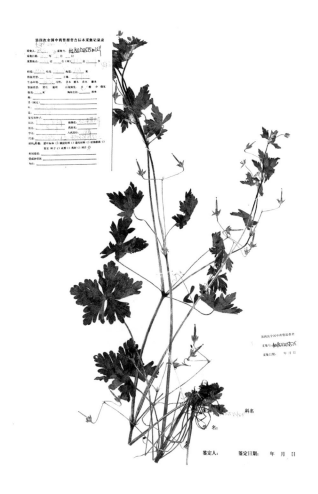

牻牛儿苗科 Geraniaceae 老鹳草属 Geranium

中日老鹳草 *Geranium nepalense* Sweet var. *thunbergii* (Siebold ex Lindl. et Paxton) Kudo

| 药 材 名 | 中日老鹳草。

| 形态特征 | 多年生草本，高 30 ~ 50 cm。根为直根，多分枝，纤维状。茎多数，细弱，多分枝，仰卧，被倒生柔毛。叶对生，偶为互生；托叶披针形，棕褐色，干膜质，长 5 ~ 8 mm，外被柔毛；基生叶、茎下部叶具长柄，柄长为叶片长的 2 ~ 3 倍，被开展的倒向柔毛；叶片五角状肾形，茎部心形，掌状 5 深裂，裂片菱形或菱状卵形，长 2 ~ 4 cm，宽 3 ~ 5 cm，先端锐尖或钝圆，基部楔形，中部以上边缘齿状浅裂或缺刻状，表面被疏伏毛，背面被疏柔毛，沿脉毛较密；上部叶具短柄，叶片较小，通常 3 裂。总花梗腋生，长于叶，被倒向柔毛，每梗有 2 花，少 1 花；苞片披针状钻形，棕褐色，干膜质；萼片卵状

披针形或卵状椭圆形，长 4 ~ 5 mm，被疏柔毛，先端锐尖，具短尖头，边缘膜质；花瓣紫红色或淡紫红色，倒卵形，等于或稍长于萼片，先端平截或圆形，基部楔形；雄蕊下部扩大成披针形，具缘毛；花柱不明显，柱头分枝长约 1 mm。蒴果长 15 ~ 17 mm，果瓣被长柔毛，喙被短柔毛。花期 4 ~ 9 月，果期 5 ~ 10 月。

| 生境分布 | 生于海拔 600 ~ 1 200 m 的山地林缘、灌丛和杂草山坡。分布于湖北巴东、房县，以及宜昌。

| 资源情况 | 野生资源一般，栽培资源较少。药材主要来源于野生。

| 采收加工 | 夏、秋季枝繁叶茂、果实将成熟时采收，割取地上部分，除去泥土、杂质，晒干。

| 功能主治 | 祛风通络，清热止泻。用于风湿痹痛，跌打损伤，筋骨酸痛，肠炎。

牻牛儿苗科 Geraniaceae 老鹳草属 Geranium

草地老鹳草
Geranium pratense L.

| **药材名** | 草地老鹳草。

| **形态特征** | 多年生草本，高 30 ~ 50 cm。根茎粗壮，斜生，具多数纺锤形块根，上部被鳞片状残存基生托叶。茎单一或数个丛生，直立，假二叉状分枝，被倒向弯曲的柔毛和开展的腺毛。叶基生，茎上叶对生；托叶披针形或宽披针形，长 10 ~ 12 mm，宽 4 ~ 5 mm，外被疏柔毛；基生叶、茎下部叶具长柄，柄长为叶片长的 3 ~ 4 倍，被倒向短柔毛和开展的腺毛，近叶片处被毛密集，向上叶柄渐短，明显短于叶；叶片肾圆形或上部叶五角状肾圆形，基部宽心形，长 5 ~ 9 cm，宽 3 ~ 4 cm，掌状 7 ~ 9 深裂至近茎部，裂片菱形或狭菱形，羽状深裂，小裂片条状卵形，常具 1 ~ 2 齿，表面被疏伏毛，背面通常仅

沿脉被短柔毛。总花梗腋生或于茎顶集为聚伞花序，长于叶，密被倒向短柔毛和开展腺毛，每梗具 2 花；苞片狭披针形，长 12 ~ 15 mm，宽约 2 mm，花梗与总花梗相似，明显短于花，向下弯曲或果期下折；萼片卵状椭圆形或椭圆形，长 10 ~ 12 mm，宽 4 ~ 5 mm，背面密被短柔毛和开展腺毛，先端具长约 2 mm 的尖头；花瓣紫红色，宽倒卵形，长为萼片长的 1.5 倍，先端钝圆，茎部楔形；雄蕊稍短于萼片，花丝上部紫红色，下部扩展，具缘毛，花药紫红色；雌蕊被短柔毛，花柱分枝，紫红色。蒴果长 2.5 ~ 3 cm，被短柔毛和腺毛。花期 6 ~ 7 月，果期 7 ~ 9 月。

| 生境分布 | 生于山地草甸和亚高山草甸。湖北有分布。

| 功能主治 | 用于痹病，肠炎，痢疾，泄泻。

湖北老鹳草

Geranium rosthornii R. Knuth

| 药 材 名 | 湖北老鹳草。

| 形态特征 | 多年生草本，高 30 ~ 60 cm。根茎粗壮，具多数纤维状根和纺锤形块根，上部围以残存基生托叶。茎直立或仰卧，具明显棱槽，假二叉状分枝，被疏散倒向短柔毛。基生叶早枯，茎生叶对生，具长柄，柄长为叶片的 5 ~ 6 倍，被短柔毛；托叶三角形，长 8 ~ 12 mm，宽 5 ~ 6 mm，被星状散柔毛；叶片五角状圆形，掌状 5 深裂近茎部，裂片菱形，基部浅心形，下部全缘，上部羽状深裂，小裂片条形，先端急尖，下部小裂片常具 2 ~ 3 齿，表面被短伏毛，背面仅沿脉被短柔毛。花序腋生和顶生，明显长于叶，被短柔毛；总花梗具 2 花；苞片狭披针形，长 5 ~ 6 mm，宽约 1 mm；花梗与总花梗相似，

不等长，长者长为花的 1.5 ~ 2 倍；萼片卵形或椭圆状卵形，长 6 ~ 7 mm，宽 3 ~ 4 mm，外被短柔毛，先端具 1 ~ 2 mm 长的尖头；花瓣倒卵形，紫红色，长为萼片的 1.5 ~ 2 倍，先端圆形，基部楔形，下部边缘具长糙毛；雄蕊稍长于萼片，花丝和花药棕色；雌蕊密被短柔毛，花柱分枝长 2 ~ 3 mm，深紫色。蒴果长约 2 cm，被短柔毛。花期 6 ~ 7 月，果期 8 ~ 9 月。

| 生境分布 | 生于海拔 1 600 ~ 2 400 m 的山地林下和山坡草丛。分布于湖北神农架、巴东。

| 资源情况 | 野生资源一般。药材主要来源于野生。

| 采收加工 | **带果实的全草：** 夏、秋季果实将成熟时，割取地上部分或将全草拔起，去净泥土和杂质，晒干。

| 功能主治 | 活血通络，祛风除湿。用于感冒发热，咽喉痛，喉炎，肺炎，肺热咳嗽，风湿关节痛，肠炎，伤寒。

牻牛儿苗科 Geraniaceae 老鹳草属 Geranium

鼠掌老鹳草
Geranium sibiricun L.

| **药 材 名** | 鼠掌老鹳草。

| **形态特征** | 一年生或多年生草本，高 30 ～ 70 cm，根为直根，有时具不多的分枝。茎纤细，仰卧或近直立，多分枝，具棱槽，被倒向疏柔毛。叶对生；托叶披针形，棕褐色，长 8 ～ 12 cm，先端渐尖，基部抱茎，外面被倒向长柔毛；基生叶、下部茎生叶具长柄，柄长为叶片的 2 ～ 3 倍，下部茎生叶肾状五角形，基部宽心形，长 3 ～ 6 cm，宽 4 ～ 8 cm，掌状 5 深裂，裂片倒卵形、菱形或长椭圆形，中部以上齿状羽裂或齿状深缺刻，下部楔形，两面被疏伏毛，背面沿脉被毛较密；上部叶片具短柄，3 ～ 5 裂。总花梗丝状，单生于叶腋，长于叶，被倒向柔毛或伏毛，具 1 花或偶具 2 花；苞片对生，棕褐

色、贴伏、膜质，生于花梗中部或基部；萼片卵状椭圆形或卵状披针形，长约5 mm，先端急尖，具短尖头，背面沿脉被疏柔毛；花瓣倒卵形，淡紫色或白色，等于或稍长于萼片，先端微凹或缺刻状，基部具短爪；花丝扩大成披针形，具缘毛；花柱不明显，分枝长约 1 mm。蒴果长 15 ～ 18 mm，被疏柔毛，果柄下垂；种子肾状椭圆形，黑色，长约 2 mm，宽约 1 mm。花期 6 ～ 7 月，果期 8 ～ 9 月。

| 生境分布 | 生于海拔 1 500 ～ 2 400 m 的林缘、疏灌丛、河谷草甸中。分布于湖北兴山及神农架。

| 资源情况 | 野生资源一般。药材主要来源于野生。

| 采收加工 | **带果实的全草：** 夏、秋季，枝繁叶茂、果实将成熟时采收，割取地上部分，除去泥土、杂质，晒干。

| 功能主治 | 活血通络，清热利湿。用于风湿痹痛，肌肤麻木，筋骨酸楚，跌打损伤，泄泻，痢疾，疮毒。

牻牛儿苗科 Geraniaceae　老鹳草属 Geranium

反毛老鹳草 *Geranium strigellum* R. Knuth

| 药 材 名 | 反毛老鹳草。

| 形态特征 | 多年生草本，高 20 ~ 30 cm。根茎斜生，直径 7 mm，密被棕色鳞片。茎近直立，单一或数个，几不分枝，下部第一节间长，几无毛，上部茎被弯曲毛。叶对生；托叶披针形，长 6 mm，暗棕色，急尖；叶柄长为叶片的 3 倍，被倒向柔毛；基生叶、下部茎生叶五角状圆肾形，长约 4.5 cm，宽 5.5 cm，基部宽心形，掌状 5 裂近基部，裂片倒卵状菱形，具深撕裂状齿，齿端钝尖，具微尖头，被透明贴伏毛；上部叶 3 裂，近无柄。总花梗长约 11 cm，直生，被倒向柔毛，苞片钻状，长 6 ~ 7 mm，被柔毛；花梗长 1.5 ~ 3 cm，密被倒向绢状毛；萼片卵状披斜形，长约 7 mm，具长约 1 mm 的尖头，3 脉，边缘具开展

糙毛；花瓣紫红色，宽楔状倒卵形，长约 15 mm；花丝下部被糙柔毛。

| **生境分布** | 生于海拔约 2 000 m 的山坡林下。分布于湖北巴东、长阳。

| **资源情况** | 野生资源一般。药材主要来源于野生。

| **采收加工** | **带果实的全草**：夏、秋季果实将成熟时，割取地上部分或将全草拔起，去净泥土和杂质，晒干。

| **功能主治** | 清热解毒，祛风活血。用于咽喉肿痛，肺热咳嗽，感冒发热，咽喉痛，风湿关节痛。

牻牛儿苗科 Geraniaceae 老鹳草属 *Geranium*

老鹳草
Geranium wilfordii Maxim.

| 药 材 名 | 老鹳草。

| 形态特征 | 多年生草本，高 30 ~ 50 cm。根茎直生，粗壮，具簇生纤维状细长须根，上部围以残存基生托叶。茎直立，单生，具棱槽，假二叉状分枝，被倒向短柔毛，有时上部混生开展腺毛。基生叶和茎生叶对生；托叶卵状三角形或上部为狭披针形，长 5 ~ 8 mm，宽 1 ~ 3 mm，基生叶、下部茎生叶具长柄，柄长为叶片的 2 ~ 3 倍，被倒向短柔毛，上部茎生叶柄渐短或近无柄；基生叶圆肾形，长 3 ~ 5 cm，宽 4 ~ 9 cm，5 深裂达 2/3 处，裂片倒卵状楔形，下部全缘，上部不规则状齿裂，茎生叶 3 裂至 3/5 处，裂片长卵形或宽楔形，上部齿状浅裂，先端长渐尖，表面被短伏毛，背面沿脉被短糙毛。花序腋生和顶生，

稍长于叶；总花梗被倒向短柔毛，有时混生腺毛，每梗具 2 花；苞片钻形，长
3 ~ 4 mm；花梗与总花梗相似，长为花的 2 ~ 4 倍，花果期时通常直立；萼片
长卵形或卵状椭圆形，长 5 ~ 6 mm，宽 2 ~ 3 mm，先端具细尖头，背面沿脉
和边缘被短柔毛，有时混生开展的腺毛；花瓣白色或淡红色，倒卵形，与萼片
近等长，内面基部被疏柔毛；雄蕊稍短于萼片，花丝淡棕色，下部扩展，被缘
毛；雌蕊被短糙状毛，花柱分枝紫红色。蒴果长约 2 cm，被短柔毛和长糙毛。
花期 6 ~ 8 月，果期 8 ~ 9 月。

| 生境分布 | 生于海拔 650 ~ 1 400 m 的山坡草地、平原路边和树林下。分布于湖北神农架、
房县、丹江口。

| 资源情况 | 野生资源稀少，栽培资源一般。药材主要来源于栽培。

| 采收加工 | **带果实的全草：**夏、秋季果实将成熟时，割取地上部分或将全草拔起，去净泥
土和杂质，晒干。

| 功能主治 | 活血通络，清热利湿。用于风湿痹痛，肌肤麻木，筋骨酸楚，跌打损伤，泄泻，
痢疾，疮毒。

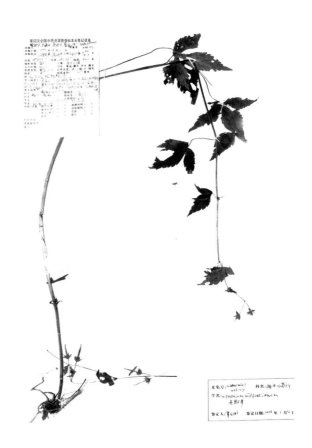

牻牛儿苗科 Geraniaceae 天竺葵属 Pelargonium

天竺葵
Pelargonium hortorum L. H. Bailey

药材名

天竺葵。

形态特征

多年生草本，高 30 ~ 60 cm。茎直立，基部木质化，上部肉质，多分枝或不分枝，具明显的节，密被短柔毛，具浓烈鱼腥味。叶互生；托叶宽三角形或卵形，长 7 ~ 15 mm，被柔毛和腺毛；叶柄长 3 ~ 10 cm，被细柔毛和腺毛；叶片圆形或肾形，茎部叶片心形，直径 3 ~ 7 cm，边缘波状浅裂，具圆形齿，两面被透明短柔毛，表面叶缘以内有暗红色马蹄形环纹。伞形花序腋生；具多花；总花梗长于叶，被短柔毛；总苞片数枚，宽卵形；花梗 3 ~ 4 cm，被柔毛和腺毛，芽期下垂，花期直立；萼片狭披针形，长 8 ~ 10 mm，外面具密腺毛和长柔毛；花瓣红色、橙红色、粉红色或白色，宽倒卵形，长 12 ~ 15 mm，宽 6 ~ 8 mm，先端圆形，基部具短爪，下面 3 花瓣通常较大；子房密被短柔毛。蒴果长约 3 cm，被柔毛。花期 5 ~ 7 月，果期 6 ~ 9 月。

生境分布

湖北有栽培。

| **资源情况** | 栽培资源一般。药材主要来源于栽培。

| **采收加工** | **花：**春、夏季采摘，鲜用。

| **功能主治** | 清热解毒，消炎。用于中耳炎。

旱金莲 *Tropaeolum majus* L.

| **药 材 名** | 旱金莲。

| **形态特征** | 一年生或多年生草本，半蔓生，无毛或被疏毛。叶互生；叶柄长 6 ~ 31 cm，向上扭曲，盾状，着生于叶片的近中心处；叶片圆形，直径 3 ~ 10 cm，有主脉 9，由叶柄着生处向四面放射，边缘为波浪形的浅缺刻，背面通常被疏毛或有乳突点。单花腋生，花梗长 6 ~ 13 cm；花黄色、紫色、橘红色或杂色，直径 2.5 ~ 6 cm；花托杯状；萼片 5，长椭圆状披针形，长 1.5 ~ 2 cm，宽 5 ~ 7 mm，基部合生，边缘膜质，其中 1 萼片延长成 1 长距，距长 2.5 ~ 3.5 cm，渐尖；花瓣 5，通常圆形，边缘有缺刻，上部 2 花瓣通常全缘，长 2.5 ~ 5 cm，宽 1 ~ 1.8 cm，着生在距的开口处，下部 3 花瓣基部

狭窄成爪，近爪处边缘具睫毛；雄蕊 8，长短互间，分离；子房 3 室，花柱 1，柱头 3 裂，线形。果实扁球形，成熟时分裂成 3 具 1 种子的瘦果。花期 6 ~ 10 月，果期 7 ~ 11 月。

| **生境分布** | 作为观赏植物栽培于公园、庭院等地。分布于湖北武汉。

| **资源情况** | 野生资源稀少，栽培资源丰富。药材主要来源于栽培。

| **采收加工** | **全草**：生长盛期割取，鲜用或晒干。

| **功能主治** | 清热解毒，凉血止血。用于结膜炎，痈疖肿毒。

亚麻科 Linaceae 亚麻属 Linum

野亚麻
Linum stelleroides Planch.

| 药材名 | 野亚麻、野亚麻子。

| 形态特征 | 一年生或二年生草本，高 20 ~ 90 cm。茎直立，圆柱形，基部木质化，有凋落的叶痕点，不分枝或自中部以上多分枝，无毛。叶互生，线形、线状披针形或狭倒披针形，长 1 ~ 4 cm，宽 1 ~ 4 mm，顶部钝、锐尖或渐尖，基部渐狭，无柄，全缘，两面无毛，6 脉 3 基出。单花或多花组成聚伞花序；花梗长 3 ~ 15 mm，花直径约 1 cm；萼片 5，绿色，长椭圆形或阔卵形，长 3 ~ 4 mm，顶部锐尖，基部有不明显的 3 脉，边缘稍为膜质并有易脱落的黑色头状带柄的腺点，宿存；花瓣 5，倒卵形，长达 9 mm，先端啮蚀状，基部渐狭，淡红色、淡紫色或蓝紫色；雄蕊 5，与花柱等长，基部合生，通常有退

化雄蕊 5；子房 5 室，有 5 棱，花柱 5，中下部结合或分离，柱头头状，干后黑褐色。蒴果球形或扁球形，直径 3 ~ 5 mm，有纵沟 5，室间开裂；种子长圆形，长 2 ~ 2.5 mm。花期 6 ~ 9 月，果期 8 ~ 10 月。

| 生境分布 | 生于海拔 630 ~ 2 750 m 的山坡、路旁和荒山地。分布于湖北房县、兴山、神农架。

| 资源情况 | 野生资源较一般，栽培资源稀少。药材主要来源于野生。

| 采收加工 | **野亚麻：**夏、秋季采收，洗净，鲜用。
野亚麻子：秋季果实成熟时，摘下果实，搓出种子，簸净，晒干。

| 功能主治 | **野亚麻：**解毒消肿。用于疔疮肿毒。
野亚麻子：养血，润燥，祛风。用于肠燥便秘，皮肤瘙痒。

亚麻科 Linaceae 亚麻属 Linum

亚麻
Linum usitatissimum L.

| 药 材 名 | 亚麻。

| 形态特征 | 一年生草本植物。茎直立，高 30 ~ 120 cm，多在上部分枝，有时自茎基部亦有分枝，但密植则不分枝，基部木质化，无毛，韧皮部纤维具强韧弹性，构造如棉。叶互生；叶片线形，线状披针形或披针形，长 2 ~ 4 cm，宽 1 ~ 5 mm，先端锐尖，基部渐狭，无柄，内卷，有三至五出脉。花单生于枝顶或枝的上部叶腋，组成疏散的聚伞花序；花直径 15 ~ 20 mm；花梗长 1 ~ 3 cm，直立；萼片 5，卵形或卵状披针形，长 5 ~ 8 mm，先端凸尖或长尖，有 3（~ 5）脉；中央 1 脉明显凸起，边缘膜质，无腺点，全缘，有时上部有锯齿，宿存；花瓣 5，倒卵形，长 8 ~ 12 mm，蓝色或紫蓝色，稀白色或

红色，先端啮蚀状；雄蕊 5，花丝基部合生，退化雄蕊 5，钻状；子房 5 室，花柱 5，分离，柱头比花柱微粗，细线状或棒状，长于或几等于雄蕊。蒴果球形，干后棕黄色，直径 6 ~ 9 mm，先端微尖，室间开裂成 5；种子 10，长圆形，扁平，长 3.5 ~ 4 mm，棕褐色。花期 6 ~ 8 月，果期 7 ~ 10 月。

| 生境分布 | 生于中海拔山地草丛中。分布于湖北五峰、神农架。

| 资源情况 | 野生资源较一般，栽培资源丰富。药材主要来源于栽培。

| 采收加工 | 根：秋季采挖，洗净，切片，晒干。

叶：夏季采收，鲜用或晒干。

种子：8 ~ 10 月果实成熟时割取全草，捆成小把，晒干，打下种子，除净杂质，再晒干。

| 功能主治 | 根、叶：平肝，活血。用于肝风头痛，跌打损伤，痈肿疔疮。

种子：养血祛风，润燥通便。用于麻风，皮肤干燥，瘙痒，脱发，疮伤湿疹，肠燥便秘。

蒺藜科 Zygophyllaceae 蒺藜属 Tribulus

蒺藜 *Tribulus terrestris* L.

| **药 材 名** | 蒺藜。

| **形态特征** | 一年生草本。茎平卧。枝长 20 ～ 60 cm。偶数羽状复叶，长 1.5 ～ 5 cm；小叶对生，3 ～ 8 对，矩圆形或斜短圆形，长 5 ～ 10 mm，宽 2 ～ 5 mm，先端锐尖或钝，基部稍偏斜，被柔毛，全缘。花腋生；花梗短于叶，花黄色；萼片 5，宿存；花瓣 5；雄蕊 10，生于花盘基部，基部有鳞片状腺体；子房 5 棱，柱头 5 裂，每室 3 ～ 4 胚珠。果实有分果瓣 5，硬，长 4 ～ 6 mm，无毛或被毛，中部边缘有锐刺 2，下部常有小锐刺 2，其余部位常有小瘤体。花期 5 ～ 8 月，果期 6 ～ 9 月。

| **生境分布** | 生于沙地、荒地、山坡或居民住宅附近。分布于湖北郧西、兴山、

秭归、巴东，以及襄阳。

| 采收加工 | **全草**：秋季果实成熟时采收，晒干，打下果实，除去杂质。

| 功能主治 | 平肝解郁，活血祛风，明目，止痒。用于头痛眩晕，胸胁胀痛，乳痈，目赤翳障，风疹瘙痒。

芸香科 Rutaceae 石椒草属 Boenninghausenia

臭节草
Boenninghausenia albiflora (Hook.) Reichb.

| **药 材 名** | 岩椒草、臭节草根。

| **形态特征** | 多年生草本,高 50 ~ 80 cm。紫红色,光滑无毛,嫩枝灰绿色,常中空。全株有强烈的臭味。主根不明显,具多数须根,棕黄色,二至三回三出复叶互生;总叶柄长 4.5 ~ 5.5 cm,至上部趋短;顶生小叶柄长 4 ~ 7 mm,侧生小叶柄短或几无柄;小叶片倒卵形或椭圆形,大小不等,长 1 ~ 2.5 cm,宽 0.7 ~ 1.5 cm,先端钝或微凹,基部楔形,全缘,上面深绿色,下面灰绿色,秃净,有透明的小腺点。花两性;顶生聚伞花序,花枝基部有小叶;花具短花梗,长 4 ~ 6 mm;花萼4深裂,长 1 ~ 1.5 mm,先端钝或略圆,中部以下合生,有小腺点;花瓣4,白色,分离,长圆形或倒卵状圆形,长 4 ~ 6 mm,先端钝

圆，有透明的小腺点；雄蕊 8，花丝丝状，长短不等，花药长圆形，黄色，纵裂；子房上位，心皮 4，基部分离，具子房柄，果实成熟时子房柄伸长，长可达 4 ～ 7 mm，花柱 4，上部连合，基部分离。蒴果卵形，成熟时从顶部起沿腹缝线开裂，4 瓣，具腺点；种子数粒，肾形，黑褐色，表面有瘤状突起。花期 4 ～ 10 月，果期 6 ～ 11 月。

| 生境分布 |　生于海拔 500 ～ 1 700 m 的山地。湖北有分布。

| 采收加工 |　岩椒草：夏季采收，鲜用或切碎，晒干。
　　　　　　臭节草根：夏季采挖，除去泥沙，鲜用。

| 功能主治 |　岩椒草：解表，截疟，活血，解毒。用于感冒发热，支气管炎，疟疾，胃肠炎，跌打损伤，痈疽疮肿，烫火伤。
　　　　　　臭节草根：解毒消肿。用于疮疖肿毒。

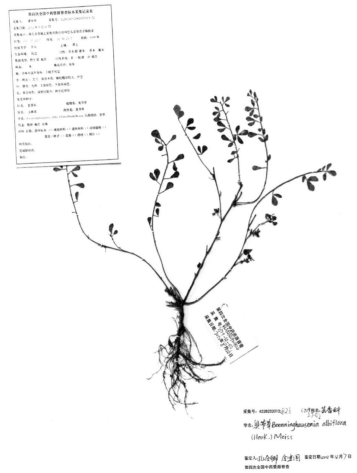

芸香科 Rutaceae 柑橘属 Citrus

酸橙
Citrus aurantium L.

| **药 材 名** | 枳实。

| **形态特征** | 小乔木,枝叶茂密,刺多,长枝的刺长达 8 cm。叶浓绿色,质地颇厚,翼叶倒卵形,基部狭尖,长 1 ~ 3 cm,宽 0.6 ~ 1.5 cm,个别品种几无翼叶。总状花序有花少数,有时兼有腋生单花,有单性花倾向,即雄蕊发育,雌蕊退化;花蕾椭圆形或近圆球形;花萼 5 或 4 浅裂,有时花后增厚,无毛或个别品种被毛;花大小不等,花直径 2 ~ 3.5 cm;雄蕊 20 ~ 25,通常基部合生成多束。果实圆球形或扁圆形,果皮稍厚至甚厚,难剥离,橙黄色至朱红色,油胞大小不均匀,凹凸不平,果心实或半充实,瓤囊 10 ~ 13 瓣,果肉味酸,有时有苦味或兼有特异气味;种子多且大,常有肋状棱;子叶乳白

色，单胚或多胚。花期 4 ~ 5 月，果期 9 ~ 12 月。

| **生境分布** | 湖北有栽培。

| **采收加工** | 幼果：5 ~ 6 月采摘，横切成两半，晒干。

| **功能主治** | 破气消积，化痰散痞。用于积滞内停，痞满胀痛，泻痢后重，大便不通，痰滞气阻胸痹，结胸，胃下垂，脱肛，子宫脱垂。

芸香科 Rutaceae 柑橘属 Citrus

宜昌橙 *Citrus ichangensis* Swing.

| **药材名** | 宜昌橙。

| **形态特征** | 小乔木或灌木，高可达 4 m。枝干多劲直锐刺，叶片卵状披针形，大小差异很大，顶部渐狭尖，翼叶比叶身略短小至稍较长。花通常单生于叶腋；花蕾阔椭圆形；萼浅裂；花瓣淡紫红色或白色，花丝合生成多束，偶有个别离生；花柱比花瓣短，早落，柱头约与子房等宽。果实扁圆形、圆球形或梨形，淡黄色，粗糙，油胞大，明显凸起，果肉淡黄白色，甚酸，兼有苦及麻舌味；种子近圆形而稍长，一面浑圆，种皮乳黄白色，合点大，深茶褐色；子叶乳白色，花期 5 ~ 6 月，果期 10 ~ 11 月。

| **生境分布** | 生于高山陡崖、岩石旁、山脊或沿河谷坡地。分布于湖北来凤、

鹤峰、巴东、长阳、兴山。

| **采收加工** | 果实：秋季果实成熟时采收，鲜用或低温冷藏，亦可风干。

| **功能主治** | 降逆和胃，理气宽胸，醒酒，解鱼虾毒。用于恶心呕吐，胸闷腹胀，醉酒。

香橼
Citrus medica L. var. *medica*

| 药 材 名 |

香橼。

| 形态特征 |

不规则分枝的灌木或小乔木。新生嫩枝、芽及花蕾均暗紫红色，茎枝多刺，刺长达4 cm。单叶，稀兼有单身复叶，有关节，但无翼叶；叶柄短，叶片椭圆形或卵状椭圆形，长 6 ~ 12 cm，宽 3 ~ 6 cm，或更大，顶部圆或钝，稀短尖，叶缘有浅钝裂齿。总状花序有花达 12，有时兼有腋生单花；花两性，有单性花趋向者雌蕊退化；花瓣 5，长 1.5 ~ 2 cm；雄蕊 30 ~ 50；子房圆筒状，花柱粗长，柱头头状。果实椭圆形、近圆形或两端狭的纺锤形，重可达 2 000 g，果皮淡黄色，粗糙，甚厚或颇薄，难剥离，内皮白色或淡黄色，棉质，松软，瓤囊 10 ~ 15，果肉无色，近透明或淡乳黄色，爽脆，味酸或略甜，有香气；种子小，平滑，子叶乳白色，多胚或单胚。花期 4 ~ 5 月，果期10 ~ 11 月。

| 生境分布 |

栽培于低山带或丘陵。湖北有栽培。

| 采收加工 | 定植后 4 ~ 5 年结果，9 ~ 10 月果实成熟时采摘，用糠壳堆 1 星期，待皮变金黄色后，切成 1 cm 厚，摊开暴晒；遇雨天可烘干。

| 功能主治 | 疏肝理气，宽中，化痰。用于肝胃气滞，胸胁胀痛，脘腹痞满，呕吐噫气，痰多咳嗽。

佛手

Citrus medica L. var. *sarcodactylis* Swingle

| **药 材 名** | 佛手。

| **形态特征** | 常绿小乔木或灌木。老枝灰绿色，幼枝略带紫红色，有短而硬的刺。
单叶互生；叶柄短，长 3 ~ 6 mm，无翼叶，无关节；叶片革质，长
椭圆形或倒卵状长圆形，长 5 ~ 16 cm，宽 2.5 ~ 7 cm，先端钝，
有时微凹，基部近圆形或楔形，边缘有浅波状钝锯齿。花单生，或
簇生为总状花序；花萼杯状，5 浅裂，裂片三角形；花瓣 5，内

面白色，外面紫色；雄蕊多数；子房椭圆形，上部窄尖。柑果卵形或长圆形，先端分裂如拳状或张开似指尖，其裂数代表心皮数；表面橙黄色，粗糙；果肉淡黄色；种子数颗，卵形，先端尖，有时不完全发育。花期 4～5 月，果期 10～12 月。

| **生境分布** | 生于海拔 800 m 以下的平原、谷地和丘陵地带。分布于湖北宜昌、黄石、武汉及大悟等。湖北宜昌、黄石、武汉及大悟等有栽培。

| **采收加工** | **果实：** 秋季果实尚未变黄或变黄时采收，纵切成薄片，晒干或低温干燥。

| **功能主治** | 疏肝理气，和胃止痛，燥湿化痰。用于肝胃气滞，胸胁胀痛，胃脘痞满，食少呕吐，咳嗽痰多。

芸香科 Rutaceae 柑橘属 Citrus

柑橘
Citrus reticulata Blanco

| 药 材 名 | 橘、陈皮、青皮、橘红、橘络、橘核、橘叶。

| 形态特征 | 常绿小乔木或灌木，高 3 ~ 4 m。枝细，多有刺。叶互生；叶柄长 0.5 ~ 1.5 cm，有窄翼，先端有关节；叶片披针形或椭圆形，长 4 ~ 11 cm，宽 1.5 ~ 4 cm，先端渐尖，微凹，基部楔形，全缘或为波状，具不明显的钝锯齿，有半透明油点。花单生或数花丛生于枝端或叶腋；花萼杯状，5 裂；花瓣 5，白色或带淡红色，开时向上反卷；雄蕊 15 ~ 30，长短不一，花丝常 3 ~ 5 连合成组；雌蕊 1，子房圆形，柱头头状。柑果近圆形或扁圆形，横径 4 ~ 7 cm，果皮薄而宽，容易剥离，囊瓣 7 ~ 12，汁胞柔软多汁。种子卵圆形，白色，一端尖，数粒至数 10 粒或无。花期 3 ~ 4 月，果期 10 ~ 12 月。

| **生境分布** | 栽培于丘陵、低山地带、江河湖泊沿岸或平原。湖北有栽培。 |

采收加工

橘：10 ~ 12 月果实成熟时，摘下果实，鲜用或冷藏。

陈皮：10 ~ 12 月果实成熟时摘下果实，剥取果皮，阴干或晒干。

青皮：5 ~ 6 月收集自落的幼果，晒干，称"个青皮"；7 ~ 8 月采收未成熟的果实，在果皮上纵剖成 4 瓣至基部，除尽瓤瓣，晒干，习称"四化青皮"，又称"四花青皮"。

橘红：秋末冬初果实成熟后采摘，削取外层果皮，晒干或阴干。

橘络：12 月至翌年 1 月采集果实，将橘皮剥下，自皮内或橘瓤外表撕下白色筋络，晒干或微火烘干。

橘核：秋、冬季食用果肉时，收集种子，洗净，晒干或烘干。

橘叶：全年均可采收，以 12 月至翌年 2 月为佳期，阴干或晒干，亦可鲜用。

功能主治

橘：润肺生津，理气和胃。用于消渴，呕逆，胸膈结气。

陈皮：理气健脾，燥湿化痰。用于胸脘胀满，食少吐泻，咳嗽痰多。

青皮：疏肝破气，消积化滞。用于胸胁胀痛，疝气，乳核，乳痈，食积腹痛。

橘红：散寒，燥湿，利气，消痰。用于风寒咳嗽，喉痒痰多，食积伤酒，呕恶痞闷。

橘络：通络，理气，化痰。用于经络气滞，久咳胸痛，痰中带血，伤酒口渴。

橘核：理气，散结，止痛。用于小肠疝气，睾丸肿痛，乳痈肿痛。

橘叶：疏肝行气，化痰散结。用于乳痈，乳房结块，胸胁胀痛，疝气。

芸香科 Rutaceae 柑橘属 Citrus

甜橙
Citrus sinensis (L.) Osbeck

| 药 材 名 | 枳实。

| 形态特征 | 常绿小乔木，高 3 ~ 8 m。树冠圆形，分枝多，无毛，有刺或无
刺，幼枝有棱角。叶互生，单生复叶；叶柄长 0.6 ~ 2 cm，叶翼狭
窄，宽 2 ~ 3 mm，先端有关节；叶片质较厚，椭圆形或卵圆形，
长 6 ~ 12 cm，宽 2.3 ~ 5.5 cm，先端短尖或渐尖，微凹，基部阔楔
形或圆形，波状全缘，或有不明显的波状锯齿，有半透明油腺点。1
至数花簇生于叶腋，白色，有柄；花萼 3 ~ 5 裂，裂片三角形；花
瓣 5，舌形，长约 1.5 cm，宽约 7 mm，向外反卷；雄蕊 19 ~ 28，
花丝下部连合成 5 ~ 12 束；雌蕊 1，子房近球形，10 ~ 13 室，柱
头头状，花柱细，不脱落。柑果扁圆形或近球形，直径 6 ~ 9 cm，

橙黄色或橙红色，果皮较厚，不易剥离，瓤囊 8 ～ 13，果汁黄色，味甜；种子楔状卵形，表面平滑。花期 4 月，果期 11 ～ 12 月。

| 生境分布 | 栽培于丘陵、低山地带和江河湖泊的沿岸。分布于湖北武汉及秭归等。

| 采收加工 | **幼果：** 5 ～ 6 月采摘，横切成两半，晒干。

| 功能主治 | 破气消积，化痰散痞。用于积滞内停，痞满胀痛，泻痢后重，大便不通，痰滞气阻胸痹，结胸，胃下垂，脱肛，子宫脱垂。

芸香科 Rutaceae 柑橘属 Citrus

香圆
Citrus wilsonii Tanaka

| 药 材 名 | 香橼。

| 形态特征 | 常绿乔木，高 9 ~ 11 m。全株无毛，有短刺。叶互生，叶柄有倒心形宽翅，长约为叶片的 1/4 ~ 1/3；叶片革质，椭圆形，长 5 ~ 12 cm，宽 2 ~ 5 cm，先端短而钝或渐尖，微凹头，基部钝圆，全缘或有波状锯齿，两面无毛，有半透明油腺点。花单生或簇生，也有成总状花序，白色花，雄蕊 25 ~ 36，子房 10 ~ 11 室，柑果圆形、长圆形或卵圆形，横径 5 ~ 9 cm，先端有乳头状突起，果皮通常粗糙而有皱纹或平滑，成熟时橙黄色，有香气，种子多数。花期 4 ~ 5 月，果期 10 ~ 11 月。

| **生境分布** | 湖北有栽培。

| **采收加工** | **果实：** 定植后 4 ~ 5 年结果，9 ~ 10 月果实变黄色成熟时采摘，用糠壳堆 1 星期，待果皮变金黄色后，切成厚 1 cm 的片，摊开曝晒；遇雨天可烘干。

| **功能主治** | 疏肝理气，宽中，化痰。用于肝胃气滞，胸胁胀痛，脘腹痞满，呕吐噫气，痰多咳嗽。

芸香科 Rutaceae 白鲜属 Dictamnus

白鲜

Dictamnus dasycarpus Turcz.

| 药 材 名 | 白鲜皮。

| 形态特征 | 茎基部木质化的多年生宿根草本，高 40 ~ 100 cm。根斜生，肉质，粗长，淡黄白色。茎直立，幼嫩部分密被长毛及水泡状凸起的油点。叶有小叶 9 ~ 13，小叶对生，无柄，位于先端的 1 小叶则具长柄，椭圆形至长圆形，长 3 ~ 12 cm，宽 1 ~ 5 cm，生于叶轴上部的小叶较大，叶缘有细锯齿，叶脉不甚明显，中脉被毛，成长叶的毛逐渐脱落；叶轴有甚狭窄的翼叶。总状花序长可达 30 cm；花梗长 1 ~ 1.5 cm；苞片狭披针形；萼片长 6 ~ 8 mm，宽 2 ~ 3 mm；花瓣白色带淡紫红色或粉红色带深紫红色脉纹，倒披针形，长 2 ~ 2.5 cm，宽 5 ~ 8 mm；雄蕊伸出花瓣外；萼片及花瓣均密生透

明油点。成熟的果实（蓇葖果）沿腹缝线开裂为 5 分果瓣，每分果瓣又深裂为 2 小瓣，瓣的顶角短尖，内果皮蜡黄色，有光泽，每分果瓣有种子 2 ~ 3；种子阔卵形或近圆球形，长 3 ~ 4 mm，厚约 3 mm，光滑。花期 5 月，果期 8 ~ 9 月。

| 生境分布 | 生于丘陵土坡、平地灌丛中、草地或疏林下，石灰岩山地亦常见。分布于湖北荆门及南漳等。

| 采收加工 | **根皮：**立夏后采挖根，洗净泥土，去除须根及粗皮，趁鲜时纵向剖开，抽去木心，晒干。

| 功能主治 | 清热燥湿，祛风解毒。用于湿热疮毒，黄水淋漓，湿疹，风疹，疥癣疮癫，风湿热痹，黄疸尿赤。

芸香科 Rutaceae 吴茱萸属 Evodia

臭檀吴萸

Evodia daniellii (Benn.) F. B. Forbes Hemsl.

| **药 材 名** | 臭檀。

| **形态特征** | 落叶乔木，高可达 20 m，胸径约 1 m。叶有小叶 5 ～ 11，小叶纸质，有时颇薄，阔卵形或卵状椭圆形，长 6 ～ 15 cm，宽 3 ～ 7 cm，顶部长渐尖或短尖，基部圆或阔楔形，有时一侧略偏斜，散生少数油点或油点不明显，叶缘有细钝裂齿，有时有缘毛，叶面中脉被疏短毛，叶背中脉两侧被长柔毛或仅脉腋有丛毛，嫩叶有时两面被疏柔毛；小叶柄长 2 ～ 6 mm。伞房状聚伞花序，花序轴及分枝被灰白色或棕黄色柔毛，花蕾近圆球形；萼片及花瓣均 5；萼片卵形，长不及 1 mm；花瓣长约 3 mm；雄花的退化雌蕊圆锥状，顶部 4 ～ 5 裂，裂片约与不育子房等长，被毛；雌花的退化雄蕊长约为子房的 1/4，

鳞片状。分果瓣紫红色，干后变淡黄色或淡棕色，长 5 ~ 6 mm，背部无毛，两侧面被疏短毛，先端有长 1 ~ 2.5（~ 3）mm 的芒尖，内、外果皮均较薄，内果皮干后软骨质，蜡黄色，每分果瓣有种子 2；种子卵形，一端稍尖，长 3 ~ 4 mm，宽约 3 mm，褐黑色，有光泽，种脐线状纵贯种子的腹面。花期 6 ~ 8 月，果期 9 ~ 11 月。

| **生境分布** | 生于平地及山坡向阳的地方。湖北有分布。

| **采收加工** | **果实：**夏季剪取近成熟的果序，晒干后搓下果实，去净枝叶，再晒至全干。

| **功能主治** | 散寒，温中，止痛。用于脘腹冷痛，疝气痛，口腔溃疡，齿痛。

芸香科 Rutaceae 吴茱萸属 Evodia

棘叶吴萸

Evodia glabrifolia (Champ. ex Benth.) Huang

| 药 材 名 | 獭子树果。

| 形态特征 | 乔木，高达 20 m。树皮灰白色，不开裂，密生圆形或扁圆形、略凸起的皮孔。枝近无毛。奇数羽状复叶对生，总叶柄长 7 ~ 10 cm；小叶柄长约 5 mm；小叶片 5 ~ 11，卵形至长圆形，长 5 ~ 12 cm，宽 2.5 ~ 3.5 cm，先端长渐尖或长尾状尖，基部偏斜宽楔形，边缘浅波状或有细钝齿，具缘毛，上面绿色，有光泽，下面灰白色或粉绿色，基部有长柔毛。花雌雄异株，排成顶生聚伞状圆锥花序；雄花序较雌花序大，长 8 ~ 14 cm，宽 10 ~ 26 cm，雄花的退化雌蕊短棒状，顶部 4 ~ 5 浅裂，花丝中部以下被长柔毛；雌花的退化雄蕊鳞片状或仅具痕迹。分果瓣淡紫红色，干后暗灰色带紫色，油点

疏少但较明显，外果皮的两侧面被短伏毛，内果皮肉质，白色，干后暗蜡黄色，壳质，每分果瓣直径约 5 mm，有成熟种子 1；种子长约 4 mm，宽约 3.5 mm，褐黑色。花期 7 ~ 9 月，果期 10 ~ 12 月。

| 生境分布 | 生于海拔 800 m 以下的平地、常绿阔叶林中、山谷较湿润的地方。分布于湖北武汉及兴山等。

| 采收加工 | **未成熟果实：9 ~ 10 月采收，晒干。**

| 功能主治 | 温中散寒，行气止痛。用于脘腹疼痛，呕吐，头痛。

芸香科 Rutaceae 吴茱萸属 Evodia

吴茱萸

Evodia rutaecarpa (Juss.) Benth.

药材名

吴茱萸。

形态特征

小乔木或灌木。高 3 ~ 5 m，嫩枝暗紫红色，与嫩芽同被灰黄色或红锈色绒毛，或疏短毛。叶有小叶 5 ~ 11，小叶薄至厚纸质，卵形、椭圆形或披针形，长 6 ~ 18 cm，宽 3 ~ 7 cm，叶轴下部的较小，两侧对称或一侧的基部稍偏斜，边全缘或呈浅波浪状，小叶两面及叶轴被长柔毛，毛密如毡状，或仅中脉两侧被短毛，油点大且多。花序顶生；雄花序的花彼此疏离，雌花序的花密集或疏离；萼片及花瓣均 5，偶有 4，镊合排列；雄花花瓣长 3 ~ 4 mm，腹面被疏长毛，退化雌蕊 4 ~ 5 深裂，下部及花丝均被白色长柔毛，雄蕊伸出花瓣之上；雌花花瓣长 4 ~ 5 mm，腹面被毛，退化雄蕊鳞片状或短线状或兼有细小的不育花药，子房及花柱下部被疏长毛。果序宽（3 ~ ）12 cm，果实密集或疏离，暗紫红色，有大油点，每分果瓣有 1 种子；种子近圆球形，一端钝尖，腹面略平坦，长 4 ~ 5 mm，褐黑色，有光泽。花期 4 ~ 6 月，果期 8 ~ 11 月。

| 生境分布 | 生于平地至海拔 1 000 m 的山坡。湖北阳新等有栽培。

| 采收加工 | **近成熟果实：** 8 ~ 11 月果实尚未开裂时，剪下果枝，晒干或低温干燥，除去枝、叶、果柄等杂质。

| 功能主治 | 散寒止痛，降逆止呕，助阳止泻。用于厥阴头痛，寒疝腹痛，寒湿脚气，经行腹痛，脘腹胀痛，呕吐吞酸，五更泄泻。

芸香科 Rutaceae 吴茱萸属 Evodia

波氏吴萸

Evodia rutaecarpa (Juss.) Benth. var. *bodinieri* (Dode) Huang

| 药 材 名 | 波氏吴萸。

| 形态特征 | 与吴茱萸相比小叶薄纸质，叶背仅叶脉被疏柔毛。雌花序上的花彼此疏离，花瓣长约 4 mm，内面被疏毛或几无毛。果柄纤细且延长。

| 生境分布 | 生于平地至海拔 1 000 m 的山坡。湖北阳新等有栽培。

| 采收加工 | **近成熟果实：** 8 ~ 11 月果实尚未开裂时，剪下果枝，晒干或低温干燥，除去枝、叶、果柄等杂质。

| 功能主治 | 散寒止痛，降逆止呕，助阳止泻。用于厥阴头痛，寒疝腹痛，寒湿脚气，经行腹痛，脘腹胀痛，呕吐吞酸，五更泄泻。

芸香科 Rutaceae 吴茱萸属 *Evodia*

石虎
Evodia rutaecarpa (Juss.) Benth. var. *officinalis* (Dode) Huang

| 药 材 名 | 吴茱萸。

| 形态特征 | 小乔木或灌木，高3～5 m；全株具特殊的刺激性气味。小叶3～11，叶片较狭，长圆形至狭披针形，先端渐尖或长渐尖，各小叶片相距较远，侧脉较明显，全缘，两面密被长柔毛，脉上毛最密，油腺粗大。花序顶生，花序轴常被淡黄色或无色的长柔毛，雄花序的花彼此疏离，雌花序的花密集或疏离；萼片及花瓣均5，偶4，镊合状排列；雄花花瓣长3～4 mm，腹面被疏长毛，退化雌蕊4～5深裂，下部及花丝均被白色长柔毛，雄蕊伸出花瓣之上；雌花花瓣长4～5 mm，腹面被毛，退化雄蕊鳞片状或短线状，或兼有细小的不育花药，子房及花柱下部被疏长毛。成熟果序上的果实较疏松，暗紫红

色，有大油点，每分果瓣有种子 1；种子近圆球形，一端钝尖，腹面略平坦，长 4 ~ 5 mm，蓝黑色，有光泽。花期 7 ~ 8 月，果期 9 ~ 10 月。

| 生境分布 | 生于海拔 1 500 m 以下的平地、山地疏林或灌丛中。湖北有分布。

| 采收加工 | **未成熟果实：**9 ~ 11 月果实呈绿色或微显黄绿色、尚未分瓣时采收，剪下果枝，晒干，除去枝叶。如遇阴天，亦可用炭火烘干。

| 功能主治 | 散寒止痛，降逆止呕，助阳止泻。用于厥阴头痛，寒疝腹痛，寒湿脚气，经行腹痛，脘腹胀痛，呕吐吞酸，五更泄泻；外用于口疮，高血压等。

芸香科 Rutaceae 臭常山属 Orixa

臭常山 *Orixa japonica* Thunb.

药 材 名

臭山羊。

形态特征

灌木或小乔木，高 1 ~ 3 m；树皮灰色或淡褐灰色，幼嫩部分常被短柔毛，枝、叶有腥臭气味，嫩枝暗紫红色或灰绿色，髓部大，常中空。叶薄纸质，全缘，或上半段有细钝裂齿，下半段全缘，大小差异较大，同一枝条上有长达 15 cm、宽 6 cm 的叶，也有长约 4 cm、宽 2 cm 的叶，叶倒卵形或椭圆形，中部或中部以上最宽，两端急尖或基部渐狭尖，嫩叶背面被疏或密长柔毛，叶面中脉及侧脉被短毛，中脉在叶面略凹陷，散生半透明的细油点；叶柄长 3 ~ 8 mm。雄花序长 2 ~ 5 cm；花序轴纤细，初时被毛；花梗基部有苞片 1；苞片阔卵形，两端急尖，内拱，膜质，有中脉，散生油点，长 2 ~ 3 mm；萼片甚细小；花瓣比苞片小，狭长圆形，上部较宽，有 3（~ 5）脉；雄蕊比花瓣短，与花瓣互生，插生于明显的花盘基部四周，花盘近正方形，花丝线状，花药广椭圆形；雌花的萼片及花瓣形状与大小均与雄花近似，4 靠合的心皮圆球形，花柱短，黏合，柱头头状。成熟分果瓣阔椭圆形，干后暗褐色，直径 6 ～ 8 mm，每分果瓣由先端起沿腹缝线及背缝线开裂，内有近圆形的种子 1。花期 4 ～ 5 月，果期 9 ～ 11 月。

| **生境分布** | 生于海拔 500 ～ 1 300 m 的山地密林或疏林向阳坡地。湖北有分布。

| **采收加工** | **根：** 9 ～ 11 月采挖，洗净，切片，晒干。

| **功能主治** | 疏风清热，行气活血，解毒除湿，截疟。用于风热感冒，咳嗽，喉痛，脘腹胀痛，风湿性关节炎，跌打伤痛，湿热痢疾，肾囊出汗，疟疾，无名肿毒。

芸香科 Rutaceae 黄檗属 Phellodendron

黄檗 *Phellodendron amurense* Rupr.

| 药 材 名 | 关黄柏。

| 形态特征 | 落叶乔木，高 10 ~ 20 m，大树高达 30 m，胸径 1 m。枝扩展，成年树的树皮有厚木栓层，浅灰色或灰褐色，深沟状或不规则网状开裂，内皮薄，鲜黄色，味苦，黏质，小枝暗紫红色，无毛。叶轴及叶柄均纤细，有小叶 5 ~ 13，小叶薄纸质或纸质，卵状披针形或卵形，长 6 ~ 12 cm，宽 2.5 ~ 4.5 cm，顶部长渐尖，基部阔楔形，一侧斜尖或为圆形，叶缘有细钝齿和缘毛，叶面无毛或中脉有疏短毛，叶背仅基部中脉两侧密被长柔毛，秋季落叶前叶由绿色转黄色而明亮，毛被大多脱落。花序顶生；萼片细小，阔卵形，长约 1 mm；花瓣紫绿色，长 3 ~ 4 mm；雄花的雄蕊比花瓣长，退化雌蕊短小。果

实圆球形，直径约 1 cm，蓝黑色，通常有 5 ~ 8（~ 10）浅纵沟，干后较明显；种子通常 5。花期 5 ~ 6 月，果期 9 ~ 10 月。

| 生境分布 | 生于海拔 250 ~ 3 100 m 的山谷中。湖北有分布。

| 功能主治 | 清热燥湿，泻火除蒸，解毒疗疮。用于湿热泻痢，黄疸，带下，热淋，脚气，痿躄，骨蒸劳热，盗汗，遗精，疮疡肿毒，湿疹瘙痒。

芸香科 Rutaceae 黄檗属 Phellodendron

黄皮树
Phellodendron chinense Schneid.

| **药 材 名** | 黄柏。

| **形态特征** | 落叶乔木，高 10 ~ 12 m。树皮棕褐色，可见唇形皮孔，外层木栓较薄。奇数羽状复叶对生；小叶 7 ~ 15，长圆状披针形至长圆状卵形，长 9 ~ 15 cm，宽 3 ~ 5 cm，先端长渐尖，基部宽楔形或圆形，不对称，近全缘，上面中脉具有锈色短毛，下面密被锈色长柔毛，小叶厚纸质。花单性，雌雄异株；排成顶生圆锥花序，花序轴密被短毛。花紫色；雄花雄蕊 5 ~ 6，比花瓣长，退化雌蕊钻形；雌花退化雄蕊 5 ~ 6，子房上位，有短柄，5 室，花柱短，柱头 5 浅裂。果轴及果皮粗大，常密被短毛；浆果状核果近球形，直径 1 ~ 1.5 cm，密集成团，成熟后黑色，内有种子 5 ~ 6。花期 5 ~ 6 月，

果期 10 ～ 11 月。

| **生境分布** | 生于海拔 250 ～ 3 100 m 的山谷中。湖北有分布。

| **功能主治** | 清热燥湿，泻火除蒸，解毒疗疮。用于湿热泻痢，黄疸，带下，热淋，脚气，痿躄，骨蒸劳热，盗汗，遗精，疮疡肿毒，湿疹瘙痒。

芸香科 Rutaceae 黄檗属 Phellodendron

秃叶黄檗

Phellodendron chinense Schneid. var. *glabriusculum* Schneid.

| **药 材 名** | 黄柏。

| **形态特征** | 树高达 15 m。成年树有厚、纵裂的木栓层，内皮黄色，小枝粗壮，暗紫红色。叶轴及叶柄粗壮，有 7 ~ 15 小叶，小叶纸质，长圆状披针形或卵状椭圆形，长 8 ~ 15 cm，宽 3.5 ~ 6 cm，顶部短尖至渐尖，基部阔楔形至圆形。两侧通常略不对称，全缘或浅波浪状，小叶柄长 1 ~ 3 mm。花序顶生，花通常密集，花序轴粗壮。果多数密集成团，顶部为略狭窄的椭圆形或近圆球形，直径约 1 cm，大者直径达 1.5 cm，蓝黑色，有分核 5 ~ 8 (~ 10)；种子 5 ~ 8，稀10，长 6 ~ 7 mm，厚 4 ~ 5 mm，一端微尖，有细网纹。花期 5 ~ 6月，果期 9 ~ 11 月。

| **生境分布** | 生于海拔 800 ～ 1 500 m 的山地疏林或密林中，也有部分生于 2 000 ～ 3 000 m 的高山地区。湖北有分布。

| **采收加工** | 4 ～ 6 月采收，按 80 ～ 90 cm 的长度将树皮剥下，将粗皮刮去，压平，制干即成。

| **功能主治** | 清热燥湿，泻火除蒸，解毒疗疮。用于湿热泻痢，黄疸，带下，热淋，脚气，痿躄，骨蒸劳热，盗汗，遗精，疮疡肿毒，湿疹瘙痒。

芸香科 Rutaceae 枳属 Poncirus

枳
Poncirus trifoliata (L.) Raf.

| 药 材 名 | 绿衣枳实、绿衣枳壳、枸橘叶。

| 形态特征 | 落叶灌木或小乔木。茎无毛，分枝多，小枝呈扁压状。茎枝具腋生粗大的棘刺，长 1 ~ 5 cm，刺基部扁平。叶互生，三出复叶；叶柄长 1 ~ 3 cm，宽 2 ~ 5 mm；顶生小叶倒卵形或椭圆形，长 1.5 ~ 6 cm，宽 0.7 ~ 3 cm，先端微凹或圆，基部楔形，边缘有不明显小锯齿；侧生小叶较小，椭圆状卵形，基部稍偏斜，幼嫩时在主脉上有短柔毛，具半透明油腺点。花白色，具短柄，单生或成对生于二年生枝条的叶腋，常先于叶开放，有香气；萼片 5，卵状三角形，长 5 ~ 6 mm；花瓣 5，倒卵状匙形，长 1.5 ~ 3 cm，宽 0.5 ~ 1.5 cm；雄蕊 8 ~ 20 或更多，长短不等；雌蕊 1，子房近球形，密被短柔毛，6 ~ 8 室，

每室具数枚胚珠，花柱粗短，柱头头状。柑果球形，直径 2 ～ 5 cm，成熟时橙黄色，密被短柔毛，具很多油腺，芳香，柄粗短，宿存于枝上；种子多数。花期 4 ～ 5 月，果期 7 ～ 10 月。

| **生境分布** | 多栽培于路旁、庭院。湖北有栽培。

| **采收加工** | 绿衣枳实：果期时取幼果自中部横切为两半，晒干。

绿衣枳壳：取未成熟果实横切为两半，晒干。

枸橘叶：8 ～ 9 月果实未成熟时采摘叶片，日晒夜露，至全部干燥。

| **功能主治** | 绿衣枳实：破气消积，化痰散痞。用于积滞内停，痞满胀痛，泻痢后重，大便不通，痰滞气阻，胸痹，结胸，胃下垂，脱肛，子宫脱垂。

绿衣枳壳：行气宽中，消食，化痰。用于胸腹痞满，胀痛，食积不化，痰饮，胃下垂。

枸橘叶：行气消食，止呕。用于反胃，呕吐。

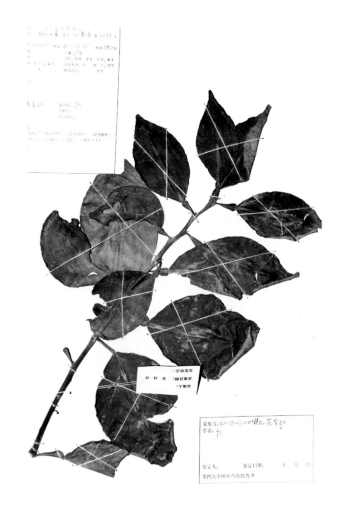

芸香科 Rutaceae 裸芸香属 Psilopeganum

裸芸香
Psilopeganum sinense Hemsl.

| 药 材 名 | 裸芸香。

| 形态特征 | 植株高 30 ~ 80 cm。根纤细。叶有柑橘叶香气，叶柄长 8 ~ 15 mm；小叶椭圆形或倒卵状椭圆形，中间 1 小叶最大，长很少达 3 cm，宽不及 1 cm，两侧 2 小叶甚小，长 4 ~ 10 mm，宽 2 ~ 6 mm，先端钝或圆，微凹缺，下部狭至楔尖，边缘有不规则亦不明显的钝裂齿，无毛，背面灰绿色。花梗在花蕾及结果时下垂，开花时挺直，花蕾时长约 5 mm，结果时长至 15 mm；萼片卵形，长约 1 mm，绿色；花瓣盛花时平展，卵状椭圆形，长 4 ~ 6 mm，宽约 2 mm；雄蕊略短于花瓣，花丝黄色，花药甚小；雄蕊心形而略长，顶部中央凹陷，花柱淡黄绿色，自雌蕊群的中央凹陷处长出，长不超过 2 mm。

菁葖果顶部呈口状凹陷并开裂，2 室；种子长约 1.5 mm，厚约 1 mm。花果期 5 ~ 8 月。

| **生境分布** | 生于海拔约 800 m 的山坡，以及较温暖、湿润的地方。分布于湖北巴东、兴山、秭归。

| **采收加工** | 4 ~ 6 月采收，扎把晒干。

| **功能主治** | 解表，平喘，利水，止呕。用于感冒，咳喘，水肿，呕吐，蛇咬伤。

芸香科 Rutaceae 茵芋属 Skimmia

茵芋
Skimmia reevesiana Fort.

| **药 材 名** | 茵芋。

| **形态特征** | 常绿灌木。分枝，高约 1 m。叶常集生于枝顶，狭长圆形或长圆形，两端渐尖，长 7 ~ 11 cm，宽 2 ~ 3 cm，全缘，有时沿中部以上两侧边缘有疏浅缺刻，中脉在叶面浮凸，且密被微柔毛；叶柄长 4 ~ 7 mm，淡红色。花常为两性，集生成顶生的圆锥花序；苞小，卵形；萼片 5，广卵形；花瓣 5，白色，有芳香，长圆形至卵状长圆形，端圆或钝，在花蕾时各瓣大小略有不等；雄蕊与花瓣等长，花丝丝状，花药广椭圆形；子房近圆球形，4 ~ 5 室，花柱短，柱头头状。果实长圆形，长 10 ~ 15 mm，红色，有残存萼片。花期 4 ~ 5 月。

| **生境分布** | 生于山中树荫下。湖北有分布。

| **采收加工** | 茎叶：全年均可采收，切段，晒干。

| **功能主治** | 祛风胜湿。用于风湿痹痛，四肢挛急，两足软弱。

芸香科 Rutaceae 飞龙掌血属 *Toddalia*

飞龙掌血 *Toddalia asiatica* (L.) Lam.

| 药 材 名 | 飞龙掌血、飞龙掌血叶。

| 形态特征 | 老茎有较厚的木栓层及黄灰色、纵向细裂且凸起的皮孔，三至四年生枝上的皮孔圆形而细小，茎枝、叶轴有甚多向下弯钩的锐刺，当年生嫩枝的顶部有褐色或红锈色甚短的细毛或密被灰白色短毛。小叶无柄，对光透视可见密生的透明油点，揉之有类似柑橘叶的香气，卵形、倒卵形、椭圆形或倒卵状椭圆形，长 5 ~ 9 cm，宽 2 ~ 4 cm，顶部尾状长尖或急尖而钝头，有时微凹缺，叶缘有细裂齿，侧脉甚多而纤细。花梗甚短，基部有极小的鳞片状苞片，花淡黄白色；萼片长不及 1 mm，边缘被短毛；花瓣长 2 ~ 3.5 mm；雄花序为伞房状圆锥花序；雌花序呈聚伞圆锥花序。果实橙红色或朱红色，直径

8 ~ 10 mm 或稍大，有 4 ~ 8 纵向浅沟纹，干后甚明显；种子长 5 ~ 6 mm，厚约 4 mm，种皮褐黑色，有极细小的窝点。花期几全年，果期多在秋、冬季。

| 生境分布 | 生于山林、路旁、灌丛或疏林中。分布于湖北兴山、五峰等。

| 采收加工 | 飞龙掌血：全年均可采挖，洗净，鲜用或切段，晒干。

飞龙掌血叶：4 ~ 8 月采摘，鲜用。

| 功能主治 | 飞龙掌血：散瘀止血，祛风除湿，消肿止痛。用于跌打损伤，风湿关节疼痛，肋间神经痛，胃痛，腰痛，劳伤吐血，瘀滞崩漏，月经不调，痛经，闭经，痈疖肿痛，毒蛇咬伤。

飞龙掌血叶：散瘀止血，消肿解毒。用于刀伤出血，疥疮肿毒，毒蛇咬伤。

芸香科 Rutaceae 花椒属 *Zanthoxylum*

毛刺花椒

Zanthoxylum acanthopodium DC. var. *timbor* Hook. f.

| 药 材 名 | 木本化血丹。

| 形态特征 | 灌木或小乔木，高 1 ~ 1.6 m。根条状，质地坚韧。茎有分枝，有皮刺，幼枝上的皮刺有时对生，刺长 5 mm 左右，小枝上密被紫红色绒毛。奇数羽状复叶，互生；叶质粗糙，亚革质，具透明油点，叶轴有翼，并被白色短粗毛，叶柄基部有 1 刺，尖锐，长约 5 mm；小叶 5 ~ 13，对生，无柄，纸质，披针形，长 3 ~ 8 cm，宽 1 ~ 2 cm。先端锐尖或短渐尖，基部楔形，边具细小锯齿或几全缘，上面被疏柔毛，下面密被长柔毛。聚伞花序，通常生于老枝上，腋生，长 1 ~ 1.5 cm，花多而密集；花单性，黄绿色；花被片 5 ~ 8，1 轮，狭条形；雄花雄蕊 5 ~ 7，较花被片长，花盘环形，退化心皮小，

雌花心皮 2 ～ 3。蓇葖果球形，成熟时红色或紫红色，上有突出的腺点，果序成一团。

| **生境分布** | 生于山沟石缝及丛林中。湖北有分布。

| **采收加工** | 全年均可采收，剥去皮，切片，晒干。

| **功能主治** | 温胃，杀虫。用于虫积腹痛。

芸香科 Rutaceae 花椒属 Zanthoxylum

椿叶花椒
Zanthoxylum ailanthoides Sieb. et. Zucc.

药材名

浙桐皮、樗叶花椒叶、樗叶花椒根、樗叶花椒果。

形态特征

落叶乔木，高达 15 m，胸径 30 cm。茎干有鼓钉状、基部宽达 3 cm、长 2 ~ 5 mm 的锐刺，当年生枝的髓部甚大，常空心，花序轴及小枝顶部常散生短直刺，各部无毛。叶有小叶 11 ~ 27 或稍多；小叶整齐对生，狭长披针形或位于叶轴基部的近卵形，长 7 ~ 18 cm，宽 2 ~ 6 cm，顶部渐狭长尖，基部圆，对称或一侧稍偏斜，叶缘有明显裂齿，油点多，肉眼可见，叶背灰绿色或有灰白色粉霜，中脉在叶面凹陷，侧脉每边 11 ~ 16。花序顶生，多花，几无花梗；萼片及花瓣均 5；花瓣淡黄白色，长约 2.5 mm；雄花的雄蕊 5，退化雌蕊极短，2 ~ 3 浅裂；雌花有心皮 3，稀 4。果柄长 1 ~ 3 mm；分果瓣淡红褐色，干后淡灰色或棕灰色，先端无芒尖，直径约 4.5 mm，油点多，干后凹陷；种子直径约 4 mm。花期 8 ~ 9 月，果期 10 ~ 12 月。

生境分布

生于海拔 900 m 以下的低山、丘陵、平原地

区，散生于次生阔叶林或灌丛中，常见于向阳坡地、山麓、山寨附近。湖北有
分布。

| 采收加工 | 浙桐皮：夏、秋季采剥，晒干。

樗叶花椒叶：夏、秋季采摘，晒干。

樗叶花椒根：全年均可采挖，洗净，切片，晒干。

樗叶花椒果：10 ～ 11 月果实成熟时采摘，晒干，除去果柄，留取果实。

| 功能主治 | 浙桐皮：祛风除湿，通络止痛，利小便。用于风寒湿痹，腰膝疼痛，跌打损伤，
腹痛腹泻，小便不利，齿痛，湿疹，疥癣。

樗叶花椒叶：解毒，止血。用于蛇虫咬伤，外伤出血。

樗叶花椒根：祛风除湿，活血散瘀，利水消肿。用于风湿痹痛，腹痛腹泻，小
便不利，外伤出血，跌打损伤，毒蛇咬伤。

樗叶花椒果：温中，燥湿，健脾，杀虫。用于脘腹冷痛，食少，泄泻，久痢，虫积。

| 附　　注 | 阴虚火旺者及孕妇慎服樗叶花椒果。

芸香科 Rutaceae 花椒属 Zanthoxylum

竹叶花椒
Zanthoxylum armatum DC.

| **药材名** | 竹叶椒、竹叶椒根。

| **形态特征** | 落叶小乔木，高 3 ~ 5 m。茎枝多锐刺，刺基部宽而扁，红褐色，小枝上的刺劲直，水平抽出，小叶背面中脉上常有小刺，仅叶背基部中脉两侧有丛状柔毛，或嫩枝梢及花序轴均被褐锈色短柔毛。叶有小叶 3 ~ 9，稀 11，翼叶明显，稀仅有痕迹；小叶对生，通常披针形，长 3 ~ 12 cm，宽 1 ~ 3 cm，两端尖，有时基部宽楔形，干后叶缘略向背卷，叶面稍粗皱或为椭圆形，长 4 ~ 9 cm，宽 2 ~ 4.5 cm，先端中央 1 小叶最大，基部 1 对最小；有时为卵形，叶缘有甚小且疏离的裂齿或近全缘，仅在齿缝处或沿小叶边缘有油点；小叶柄甚短或无柄。花序近腋生或同时生于侧枝的顶，长 2 ~ 5 cm，

有花约 30 以内；花被片 6 ~ 8，形状与大小几相同，长约 1.5 mm；雄花的雄蕊 5 ~ 6，药隔先端有 1 干后变褐黑色油点，不育雌蕊垫状突起，先端 2 ~ 3 浅裂；雌花有心皮 2 ~ 3，背部近顶侧各有 1 油点，花柱斜向背弯，不育雄蕊短线状。果实紫红色，有微凸起少数油点，单个分果瓣直径 4 ~ 5 mm；种子直径 3 ~ 4 mm，褐黑色。花期 4 ~ 5 月，果期 8 ~ 10 月。

| 生境分布 | 生于低于海拔 2 200 m 的丘陵坡地、山地、山坡及沟谷边疏林中。分布于湖北阳新、竹溪等。

| 采收加工 | **竹叶椒：**秋季果实成熟时采收，干燥，除去种子及杂质。

竹叶椒根：全年均可采收，洗净，根皮鲜用或连根切片，晒干。

| 功能主治 | **竹叶椒：**温中止痛，杀虫止痒。用于脘腹冷痛，呕吐泄泻，虫积腹痛；外用于湿疹瘙痒。

竹叶椒根：祛风散寒，温中理气，活血止痛。用于风湿痹痛，胃脘冷痛，泄泻，痢疾，感冒头痛，牙痛，跌打损伤，痛经，刀伤出血，顽癣，毒蛇咬伤。

芸香科 Rutaceae 花椒属 Zanthoxylum

花椒
Zanthoxylum bungeanum Maxim.

| **药 材 名** | 花椒。

| **形态特征** | 落叶小乔木。高 3 ~ 7 m。茎干上的刺常早落，枝有短刺，小枝上的刺基部宽而扁，呈劲直的长三角形，当年生枝被短柔毛。小叶 5 ~ 13，叶轴常有甚狭窄的叶翼；小叶对生，无柄，卵形或椭圆形，稀披针形，位于叶轴顶部的较大，近基部的有时圆形，长 2 ~ 7 cm，宽 1 ~ 3.5 cm；叶缘有细裂齿，齿缝有油点，其余无或散生肉眼可见的油点；叶背基部中脉两侧有丛毛或小叶两面均被柔毛，中脉在叶面微凹陷，叶背干后常有红褐色斑纹。花序顶生或生于侧枝先端，花序轴及花梗密被短柔毛或无毛；花被片 6 ~ 8，黄绿色，形状及大小大致相同；雄花的雄蕊 5 或多至 8，退化雌蕊先端叉状

浅裂；雌花很少有发育雄蕊，心皮 2 或 3，间有 4，花柱斜向背弯。果实紫红色，单个分果瓣直径 4 ~ 5 mm，散生微凸起的油点，先端有甚短的芒尖或无；种子长 3.5 ~ 4.5 mm。花期 4 ~ 5 月，果期 8 ~ 9 月或 10 月。

| 生境分布 | 生于平原至海拔较高的山地。湖北黄冈、襄阳，以及长阳、秭归、五峰、建始、鹤峰等有栽培。

| 采收加工 | **成熟果皮**：立秋至处暑前后采摘，晒干。

| 功能主治 | 温中止痛，杀虫止痒。用于脘腹冷痛，呕吐泄泻，虫积腹痛；外用于湿疹，阴痒。

芸香科 Rutaceae 花椒属 Zanthoxylum

砚壳花椒 *Zanthoxylum dissitum* Hemsl.

| 药 材 名 | 大叶花椒、大叶花椒根、大叶花椒茎叶。

| 形态特征 | 攀缘藤本。老茎的皮灰白色，枝干上的刺多劲直，叶轴及小叶中脉上的刺向下弯钩，刺褐红色。叶有小叶 5 ~ 9，稀 3；小叶互生或近对生，形状多样，长达 20 cm，宽 1 ~ 8 cm 或更宽，全缘或叶边缘有裂齿（针边蚬壳花椒），两侧对称，稀一侧稍偏斜，顶部渐尖至长尾状，厚纸质或近革质，无毛，中脉在叶面凹陷，油点甚小，在放大镜下不易察见；小叶柄长 3 ~ 10 mm。花序腋生，通常长不超过 10 cm，花序轴有短细毛；萼片及花瓣均 4，油点不明显；萼片紫绿色，宽卵形，长不及 1 mm；花瓣淡黄绿色，宽卵形，长 4 ~ 5 mm；雄花的花梗长 1 ~ 3 mm，雄蕊 4，花丝长 5 ~ 6 mm，退化雌蕊先

端 4 浅裂；雌花无退化雄蕊。果实密集于果序上，果柄短；果实棕色，外果皮比内果皮宽大，外果皮平滑，边缘较薄，干后显出弧形环圈，长 10 ~ 15 mm，残存花柱位于一侧，长不超过 1/3 mm；种子直径 8 ~ 10 mm。

| 生境分布 | 生于海拔 600 ~ 1 900 m 的疏林或灌丛中，尤以石灰岩山坡多见。湖北有分布。

| 采收加工 | 大叶花椒：8 ~ 9 月果实成熟时采摘，晒干。
大叶花椒根：夏、秋季采挖，洗净，鲜用或切片，晒干。
大叶花椒茎叶：夏、秋季采收，鲜用或晒干。

| 功能主治 | 大叶花椒：散寒止痛，调经。用于疝气痛，月经过多。
大叶花椒根：祛风散寒，理气活血。用于风寒湿痹，气滞脘痛，寒疝腹痛，牙痛，跌打损伤。
大叶花椒茎叶：祛风散寒，活血止痛。用于风寒湿痹，胃痛，疝气痛，腰痛，跌打损伤。

芸香科 Rutaceae 花椒属 Zanthoxylum

小花花椒
Zanthoxylum micranthum Hemsl.

| 药 材 名 |

小花花椒。

| 形 态 特 征 |

落叶乔木，高稀达 15 m。茎枝有稀疏短锐刺，花序轴及上部小枝均无刺或少刺，当年生枝的髓部甚小，各部无毛，叶轴腹面常有狭窄的叶质边缘。叶有小叶 9 ~ 17；小叶对生或位于叶轴下部的不整齐对生，披针形，长 5 ~ 8 cm，宽 1 ~ 3 cm，顶部渐狭长尖，基部圆或宽楔形，两侧对称或一侧的基部圆，另一侧基部略楔尖形，干后叶背色较淡，两面无毛，油点多，对光透视清晰可见，叶缘有钝或圆裂齿，中脉凹陷，侧脉每边 8 ~ 12；小叶柄长 1.5 ~ 5 mm。花序顶生，花多；萼片及花瓣均 5；萼片宽卵形，宽约 1/3 mm；花瓣淡黄白色，长 1.5 ~ 21 mm；雄花的雄蕊 5，花盛开时长约 3 mm，退化雌蕊极短，3 浅裂或不裂；雌花的心皮 3，稀 4。分果瓣淡紫红色，干后淡灰黄色或灰褐色，直径约 5 mm，先端无或几无芒尖，油点小；种子长不超过 4 mm。花期 7 ~ 8月，果期 10 ~ 11 月。

| **生境分布** | 生于海拔 1 200 m 以上的山坡林中较湿润处。湖北有分布。

| **采收加工** | 果实：9 ~ 10 月采收，晒干。

| **功能主治** | 温中，行气，止痛。用于心腹冷痛胀满，蛔虫腹痛。

芸香科 Rutaceae 花椒属 Zanthoxylum

两面针

Zanthoxylum nitidum (Roxb.) DC.

| 药 材 名 |

入地金牛。

| 形 态 特 征 |

常绿木质藤本，高 1～2 m。幼枝、叶轴背面和小叶两面中脉上都有钩状皮刺。奇数羽状复叶互生；叶柄软，着生在叶轴最下端的小叶片短；小叶柄长 1～4 mm；小叶 3～11，卵形至卵状长圆形，长 4～11 cm，宽 2.5～6 cm，先端钝或短尾状，基部圆形或宽楔形，近全缘或有疏离的圆锯齿，无毛，革质而有光泽。伞房状圆锥花序，腋生，长 2～8 cm；花梗长 1～2 mm；萼片 4，宽卵形，长不及 1 mm；花瓣 4，卵状长圆形，长约 2 mm；雄花的雄蕊 4，药隔先端有短的突尖体，退化心皮先端常为 4 叉裂；雌花的退化雄蕊极短小，心皮 4。成熟心皮 1～4，紫红色，干时表面折皱。蓇葖果成熟时紫红色，有粗大腺点。种子卵圆形，直径 5～6 mm，黑色光亮。花期 3～4 月，果期 9～10 月。

| 生 境 分 布 |

生于海拔 800 m 以下的山地、丘陵、平地的疏林、灌丛中、荒山草坡的有刺灌丛中。湖

北有分布。

| **采收加工** | 全年均可采收，洗净，切片，晒干或鲜用。

| **功能主治** | 祛风通络，胜湿止痛，消肿解毒。用于风寒湿痹，筋骨疼痛，跌打损伤，骨折，疝痛，咽喉肿痛，胃痛，蛔厥腹痛，牙痛，疮痈瘰疬，烫伤。

芸香科 Rutaceae 花椒属 Zanthoxylum

异叶花椒
Zanthoxylum ovalifolium Wight var. *ovalifolium*

| **药 材 名** | 异叶花椒。

| **形态特征** | 落叶乔木，高达 10 m。枝灰黑色，嫩枝及芽常有红锈色短柔毛，枝很少有刺。叶有 2 ~ 5 小叶，或具 3 指状小叶，或为单小叶，叶缘无针状锐刺。花序顶生；花被片 6 ~ 8，稀 5，大小不等，形状略不同，上宽下窄，先端圆，大者长 2 ~ 3 mm；雄花的雄蕊常 6；退化雌蕊垫状；雌花的退化雄蕊 4 或 5，长约为子房高的一半，常有甚萎缩的花药但无花粉；心皮 2 ~ 3，花柱斜向背弯。分果瓣紫红色，幼嫩时常被疏短毛，直径 6 ~ 8 mm；基部有甚短的狭柄，油点稀少，顶侧有短芒尖；种子直径 5 ~ 7 mm。花期 4 ~ 6 月，

果期 9 ~ 11 月。

| 生境分布 |　生于海拔 300 ~ 2 400 m 的山地林中、石灰岩山地。湖北有分布。

| 功能主治 |　舒筋活血，消肿，镇痛。用于跌打损伤，风湿痹痛。

芸香科 Rutaceae 花椒属 Zanthoxylum

刺异叶花椒
Zanthoxylum ovalifolium Wight var. *spinifolium* (Rehd. et Wils.) Huang

| 药 材 名 |

见血飞、见血飞树皮、见血飞叶、见血飞果。

| 形态特征 |

落叶乔木，高达10 m。枝灰黑色，嫩枝及芽常有红锈色短柔毛，枝很少有刺。单小叶，指状3小叶，2～5小叶或7～11小叶；小叶卵形或椭圆形，有时倒卵形，通常长4～9 cm，宽2～3.5 cm，大的长达20 cm，宽7 cm，小的长约2 cm，宽1 cm，顶部钝、圆或短尖至渐尖，常有浅凹缺，两侧对称，叶缘有明显的钝裂齿或有针状小刺，油点多，在放大镜下可见，叶背的油点最清晰，网状叶脉明显，干后微凸起，叶面中脉平坦或微凸起，被微柔毛。花序顶生；花被片6～8，稀5，大小不相等，形状略不相同，上宽下窄，先端圆，大的长2～3 mm；雄花的雄蕊常6，退化雌蕊垫状；雌花的退化雄蕊4或5，长约为子房高的1/2，常有甚萎缩的花药但无花粉，心皮2～3，花柱斜向背弯。分果瓣紫红色，幼嫩时常被疏短毛，直径6～8 mm；基部有甚短的狭柄，油点稀少，顶侧有短芒尖；种子直径5～7 mm。花期4～6月，果期9～11月。

| **生境分布** | 生于丛林阴湿处，有时见于空旷地。湖北有分布。

| **采收加工** | 见血飞：夏、秋季采收，挖根，鲜用或切片，晒干。

见血飞树皮：夏、秋季采剥，晒干。

见血飞叶：夏、秋季采摘，晒干。

见血飞果：7～8月果实成熟时采摘，晒干。

| **功能主治** | 见血飞：祛风散寒，散瘀定痛，止血生肌。用于风寒湿痹，风寒咳嗽，跌打损伤，瘀血肿痛，外伤出血，大便秘结。

见血飞树皮：理气止痛。用于脘腹胀痛。

见血飞叶：活血消肿，止痛。用于跌打损伤，骨折，瘀血肿痛。

见血飞果：行气消积，活血止痛。用于食积腹胀，跌打损伤，骨折。

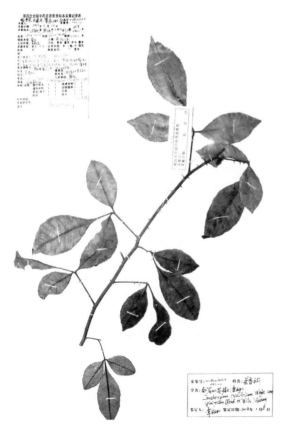

芸香科 Rutaceae 花椒属 Zanthoxylum

尖叶花椒

Zanthoxylum oxyphyllum Edgew.

| **药 材 名** | 尖叶花椒。

| **形态特征** | 小乔木或灌木。小枝披垂，散生弯钩或劲直的刺，叶轴背面的刺较多，叶轴腹面及小叶叶面凹陷的中脉有灰色短柔毛，老叶几无毛，

叶有小叶 11 ~ 19，稀较少；小叶互生或部分对生，略厚而硬，披针形，稀卵形，长 5 ~ 12 cm，宽 1.5 ~ 2.5 cm，顶部渐狭长尖，基部楔尖或长 2.5 ~ 3.5 cm，宽约 1 cm，基部一侧稍偏斜，叶缘由基部至顶部有锯齿状锐齿，侧脉在叶缘附近联结，网状叶脉甚明显，干后微凸起，油点多且大，肉眼可见，叶背干后带浅灰色；小叶柄长不超过 2 mm。伞房状聚伞花序顶生，有花通常不超过 30；萼片紫绿色，4；花瓣长约 3 mm；退化雌蕊 2 ~ 4 深裂，裂瓣短线状。果柄长 1 ~ 1.5 cm，直径 1 ~ 1.5 mm；分果瓣紫红色，长 6 ~ 7 mm，先端有短芒尖，油点大，干后微凹陷；种子直径约 5 mm。花期 5 ~ 6 月，果期 9 ~ 10 月。

| 生境分布 | 生于海拔 1 800 ~ 2 900 m 的疏林中或针阔叶混交林的林缘。湖北有分布。

| 功能主治 | 温中散寒，除湿，止痛。用于心腹冷痛，呕吐，风寒湿痹。

芸香科 Rutaceae 花椒属 Zanthoxylum

花椒簕

Zanthoxylum scandens Bl.

| 药 材 名 | 花椒簕。

| 形态特征 | 幼龄植株呈直立灌木状，其小枝细长而披垂，成龄植株攀缘于其他
树上，枝干有短钩刺，叶轴上的刺较多。叶有小叶 5 ~ 25，近花
序的叶有小叶较少，萌发枝上的叶有小叶较多；小叶互生或位于叶
轴上部的对生，卵形、卵状椭圆形或斜长圆形，长 4 ~ 10 cm，宽
1.5 ~ 4 cm，稀较小，顶部短尖至长尾状尖，或突急尖至长渐尖，
先端常钝头且微凹缺，凹口处有 1 油点，基部短尖、宽楔形或一侧
近圆，另一侧楔尖，两侧明显不对称或近对称，全缘或叶缘的上半
段有细裂齿，干后乌黑色或黑褐色，叶面有光泽或老叶暗淡无光，
中脉至少下半段凹陷且无毛或有灰色粉末状微柔毛，中脉近平坦，

叶有小叶较少，通常 5 ~ 11，质地较厚而稍硬，油点不明显或少且小，仅在放大镜下可见。花序腋生或兼顶生；萼片及花瓣均 4；萼片淡紫绿色，宽卵形，长约 0.5 mm；花瓣淡黄绿色，长 2 ~ 3 mm；雄花的雄蕊 4，长 3 ~ 4 mm，药隔顶部有 1 油点；退化雌蕊半圆形垫状突起；花柱 2 ~ 4 裂；雌花有心皮 3 或 4；退化雄蕊鳞片状。分果瓣紫红色，干后灰褐色或乌黑色，直径 4.5 ~ 5.5 mm，先端有短芒尖，油点通常不甚明显，平或稍凸起，有时凹陷；种子近圆球形，两端微尖，直径 4 ~ 5 mm。花期 3 ~ 5 月，果期 7 ~ 8 月。

| 生境分布 | 生于海拔 1 500 m 以下的沿海低地山坡灌丛或疏林下。分布于湖北兴山、崇阳等。

| 采收加工 | **茎叶、根：** 全年均可采收，洗净，切片，晒干。

| 功能主治 | 活血，散瘀，止痛。用脘腹瘀滞疼痛，跌打损伤。

芸香科 Rutaceae 花椒属 Zanthoxylum

青花椒

Zanthoxylum schinifolium Sieb. et Zucc.

| 药 材 名 | 青椒、椒目。

| 形态特征 | 灌木，高 1 ~ 2 m。茎枝有短刺，刺基部两侧压扁状，嫩枝暗紫红色。叶有小叶 7 ~ 19；小叶纸质，对生，几无柄，位于叶轴基部的常互生，其小叶柄长 1 ~ 3 mm，宽卵形至披针形或阔卵状菱形，长 5 ~ 10 mm，宽 4 ~ 6 mm，稀长达 70 mm，宽 25 mm，顶部短至渐尖，基部圆或宽楔形，两侧对称，有时一侧偏斜，油点多或不明显，叶面有在放大镜下可见的细短毛或毛状凸体，叶缘有细裂齿或近全缘，中脉至少中段以下凹陷。花序顶生，花或多或少；萼片及花瓣均 5；花瓣淡黄白色，长约 2 mm；雄花的退化雌蕊甚短，2 ~ 3 浅裂；雌花有心皮 3，很少 4 或 5。分果瓣红褐色，干后变暗苍绿色

或褐黑色，直径 4 ~ 5 mm，先端几无芒尖，油点小；种子直径 3 ~ 4 mm。花期 7 ~ 9 月，果期 9 ~ 12 月。

| 生境分布 | 生于海拔 800 m 以下的山地疏林、灌丛中或岩石旁。湖北有分布。

| 采收加工 | **青椒、椒目**：9 ~ 10 月果实成熟时剪下果穗，摊开晾晒，待果实开裂，将果皮 与种子分开，晒干。

| 功能主治 | **青椒**：温中散寒，除湿，止痛，杀虫，解鱼蟹毒。用于积食停饮，心腹冷痛， 呕吐，噫呃，咳嗽气逆，风寒湿痹，泄泻，痢疾，疝痛，齿痛，蛔虫病，蛲虫病， 阴痒，疮疥。

椒目：利水消肿，祛痰平喘。用于水肿胀满，哮喘。

| 附　　注 | 《中国植物志》将青椒名称修订为青花椒。

芸香科 Rutaceae 花椒属 Zanthoxylum

野花椒
Zanthoxylum simulans Hance

| 药 材 名 | 野花椒、野花椒叶、野花椒皮。

| 形态特征 | 灌木或小乔木。枝干散生基部宽而扁的锐刺，嫩枝及小叶背面沿中脉或仅中脉基部两侧或有时及侧脉均被短柔毛或各部均无毛。叶有小叶 5 ~ 15；叶轴有狭窄的叶质边缘，腹面呈沟状凹陷；小叶对生，无柄或位于叶轴基部的有甚短的小叶柄，卵形、卵状椭圆形或披针形，长 2.5 ~ 7 cm，宽 1.5 ~ 4 cm，两侧略不对称，顶部急尖或短尖，常有凹口，油点多，干后半透明且常微凸起，间有窝状凹陷，叶面常有刚毛状细刺，中脉凹陷，叶缘有疏离而浅的钝裂齿。花序顶生，长 1 ~ 5 cm；花被片 5 ~ 8，狭披针形、宽卵形或近三角形，大小及形状有时不相同，长约 2 mm，淡黄绿色；雄花的雄蕊 5 ~ 8

（～10），花丝及半圆形凸起的退化雌蕊均淡绿色，药隔先端有1干后暗褐黑色的油点；雌花的花被片为狭长披针形，心皮2～3，花柱斜向背弯。果实红褐色，分果瓣基部变狭窄且略延长1～2 mm，呈柄状，油点多，微凸起，单个分果瓣直径约5 mm；种子长4～4.5 mm。花期3～5月，果期7～9月。

| 生境分布 | 生于平地、低丘陵或略高的山地疏林或密林下。湖北有分布。

| 采收加工 | **野花椒**：7～8月采收成熟的果实，除去杂质，晒干。

野花椒叶：7～9月采收带叶的小枝，晒干或鲜用。

野花椒皮：春、夏、秋季剥皮，鲜用或晒干。

| 功能主治 | **野花椒**：温中止痛，杀虫止痒。用于脾胃虚寒，脘腹冷痛，呕吐，泄泻，蛔虫腹痛，湿疹，皮肤瘙痒，阴痒，龋齿疼痛。

野花椒叶：祛风除湿，活血通经。用于风寒湿痹，闭经，跌打损伤，阴疽，皮肤瘙痒。

野花椒皮：祛风除湿，散寒止痛，解毒。用于风寒湿痹，筋骨麻木，脘腹冷痛，吐泻，牙痛，皮肤疮疡，毒蛇咬伤。

芸香科 Rutaceae 花椒属 Zanthoxylum

狭叶花椒
Zanthoxylum stenophyllum Hemsl.

| 药 材 名 | 狭叶花椒根。

| 形态特征 | 小乔木或灌木。茎枝灰白色，当年生枝淡紫红色，小枝纤细，多刺，刺劲直且长或弯钩则短小，小叶背面中脉上常有锐刺。叶有小叶 9 ~ 23，稀较少；小叶互生，披针形，长 2 ~ 11 cm，宽 1 ~ 4 cm 或狭长披针形，长 2 ~ 3.5 cm，宽 0.4 ~ 0.7 cm 或卵形，长 8 ~ 16 mm，宽 6 ~ 8 mm，顶部长渐尖或短尖，基部楔尖至近圆，油点不显，叶缘有锯齿状裂齿，齿缝处有油点，中脉在叶面微凸起或平坦，至少下半段被微柔毛，至果期变为无毛；叶轴腹面微凹陷呈纵沟状，被毛，网状叶脉在叶片两面均微凸起；小叶柄长 1 ~ 3 mm，腹面被挺直的短柔毛。伞房状聚伞花序顶生，有花稀超过 30；雄花

的花梗长 2 ～ 5 mm；雌花梗长 6 ～ 15 mm，结果时伸长达 30 mm，果柄较短的较粗壮，长的则纤细，直径 0.25 mm，紫红色，无毛；萼片及花瓣均 4；萼片长约 0.5 mm；花瓣长 2.5 ～ 3 mm；雄蕊 4，药隔先端无油点，退化雌蕊浅盆状，花柱短，不分裂；雌花无退化雄蕊，花柱甚短。果柄长 1 ～ 3 cm，与分果瓣同色；分果瓣淡紫红色或鲜红色，直径 4.5 ～ 5 mm，稀较大，先端的芒尖长达 2.5 mm，油点干后常凹陷；种子直径约 4 mm。花期 5 ～ 6 月，果期 8 ～ 9 月。

| 生境分布 | 生于海拔 1 000 ～ 2 200 m 的山地灌丛中。分布于湖北西部。

| 采收加工 | **根皮：** 全年均可采收，剥皮，鲜用或晒干。

| 功能主治 | 祛风散寒，活血止痛。用于风寒湿痹，胃痛，疝气痛，腰痛，跌打损伤。

芸香科 Rutaceae 花椒属 *Zanthoxylum*

梗花椒
Zanthoxylum stipitatum Huang

| 药 材 名 | 麻口皮子药。

| 形态特征 | 灌木或小乔木，高 1 ~ 3 m。刺的基部宽而扁的三角形，长达 15 mm，稍斜向上弯钩，除小叶背面基部中脉两侧有红褐色、甚短且卷曲的丛毛外，其余各部无毛，小枝干后黑褐色。叶有小叶 11 ~ 17；小叶对生，几无柄或小叶柄长 1 ~ 2 mm，披针形或卵形，长 1 ~ 3 cm，宽很少超过 1 cm，生于叶轴基部的近圆形，位于叶轴上部的 1 ~ 3 小叶明显不对称，散生，干后在叶面或两面均具凸起的油点，中脉在叶面至少下半段裂缝状凹陷，侧脉不显或甚纤细，叶缘有细裂齿，小叶背面新出叶紫红色或成长叶灰绿色，干后红褐色至暗红黑色。果轴、果柄、分果瓣均紫红色。花序顶生；花

被片 6 ～ 8，大小几相等，通常披针形，长 2 ～ 3 mm；雄花的雄蕊 5 ～ 8，药隔先端有 1 油点；雌花有心皮 3 ～ 4，花柱比子房略短，向背弯。果柄长 5 ～ 8（～ 10）mm，分果瓣长约 5 mm，宽 4 mm，干后的油点稍凸起，基部狭窄且延长 1 ～ 3 mm 的短柄状体，残存花柱长约 0.5 mm 或仅有痕迹；种子长约 4 mm，宽约 3.5 mm。花期 4 ～ 5 月，果期 7 ～ 8 月。

| 生境分布 | 生于海拔 100 ～ 800 m 的山坡或各地疏林或密林下。湖北有分布。

| 采收加工 | **根皮、树皮：**夏、秋季采收，鲜用，或切片，晒干。

| 功能主治 | 祛风湿，通经络，活血，散瘀。用于风湿骨痛，跌打肿痛。

芸香科 Rutaceae 花椒属 *Zanthoxylum*

浪叶花椒

Zanthoxylum undulatifolium Hemsl.

| 药 材 名 | 浪叶花椒。

| 形态特征 | 小乔木，高约 3 m。当年生新枝及叶轴有零星短刺或无刺及有褐锈色微柔毛。叶有 3 ~ 5（~ 7）小叶；小叶卵形或卵状披针形，长 3 ~ 8 cm，宽 1.5 ~ 3.5 cm，稀较大，顶部短或渐尖，基部宽楔形

或近圆形，叶缘波浪状，有钝或圆裂齿，齿缝处有 1 油点，中脉在叶面平坦，侧脉每边 6 ～ 10，纤细，在叶缘附近叉状分枝且延伸至裂齿缺口与油点接合，叶背无毛，叶面有松散的微柔毛，位于叶轴先端的小叶最大且有长 6 ～ 10 mm 的小叶柄，其余叶轴两侧的小叶几无柄，小叶对生，干后红褐色。顶生的伞房状聚伞花序；花被片 5 ～ 8。果柄及分果瓣红褐色，果柄长 7 ～ 14 mm，3 ～ 5 梗聚生于同一总梗顶部；单个分果瓣直径约 5 mm，先端几无芒尖，油点大，凹陷；种子直径约 4 mm。花期 4 ～ 5 月，果期 8 ～ 10 月。

| 生境分布 | 生于海拔 1 600 ～ 2 300 m 的山地林下或草木灌丛中。分布于湖北西部。

| 功能主治 | 温中散寒，除湿，止痛。用于心腹冷痛，呕吐，风寒湿痹。

苦木科 Simaroubaceae 臭椿属 Ailanthus

臭椿 *Ailanthus altissima* (Mill.) Swingle

| 药 材 名 |

臭椿。

| 形态特征 |

落叶乔木，高超过 20 m；树皮平滑而有直纹；嫩枝有髓，幼时被黄色或黄褐色柔毛，后毛脱落。叶为奇数羽状复叶，长 40 ~ 60 cm，叶柄长 7 ~ 13 cm，有小叶 13 ~ 27；小叶对生或近对生，纸质，卵状披针形，长 7 ~ 13 cm，宽 2.5 ~ 4 cm，先端长渐尖，基部偏斜，截形或稍圆，两侧各具 1 或 2 粗锯齿，齿背有腺体 1，叶面深绿色，背面灰绿色，揉碎后具臭味。圆锥花序长 10 ~ 30 cm；花淡绿色，花梗长 1 ~ 2.5 mm；萼片 5，覆瓦状排列，裂片长 0.5 ~ 1 mm；花瓣 5，长 2 ~ 2.5 mm，基部两侧被硬粗毛；雄蕊 10，花丝基部密被硬粗毛，雄花中的花丝长于花瓣，雌花中的花丝短于花瓣，花药长圆形，长约 1 mm；心皮 5，花柱黏合，柱头 5 裂。翅果长椭圆形，长 3 ~ 4.5 cm，宽 1 ~ 1.2 cm；种子位于翅的中间，扁圆形。花期 4 ~ 5 月，果期 8 ~ 10 月。

| 生境分布 |

常栽培为行道树。湖北有分布。

| 采收加工 | **树皮、根皮：**春、夏季剥取，刮去或不刮去粗皮，切块、切片或切丝，晒干。
果实：8 ~ 10 月采收，晒干。

| 功能主治 | 燥湿清热，收涩固肠。用于赤白久痢，肠风下血，带下血崩，梦遗滑精等。

苦木科 Simaroubaceae 臭椿属 Ailanthus

毛臭椿
Ailanthus giraldii Dode

| 药 材 名 | 毛臭椿。

| 形态特征 | 落叶乔木，高超过 10 m；幼枝密被灰白色或灰褐色微柔毛。叶为奇数羽状复叶，长 30 ~ 60（~ 90）cm，有小叶 9 ~ 16（~ 20）对；小叶片阔披针形或镰状披针形，长 7 ~ 15 cm，宽 2.5 ~ 5 cm，先端长渐尖或渐尖，基部楔形，偏斜，两侧各有 1 ~ 2 粗齿，齿背有 1 腺体，边缘具浅波状或波状锯齿，侧脉 14 ~ 15 对，叶面深绿色，除叶脉被微柔毛外，其余无毛，背面苍绿色，密被白色微柔毛；小叶柄长 3 ~ 7 mm，被与叶轴、叶柄相同的微柔毛。花组成圆锥花序，长 20 ~ 30 cm；花未见。翅果长 4.5 ~ 6 cm，宽 1.5 ~ 2 cm。花期 4 ~ 5 月，果期 9 ~ 10 月。

| 生境分布 | 生于山地疏林或灌木林中。

| 采收加工 | **树皮、根皮：**春、夏季剥取，刮去或不刮去粗皮，切块、切片或切丝，晒干。

果实：8 ～ 10 月采收，晒干。

| 功能主治 | 清热燥湿，收涩止带，止泻，止血。

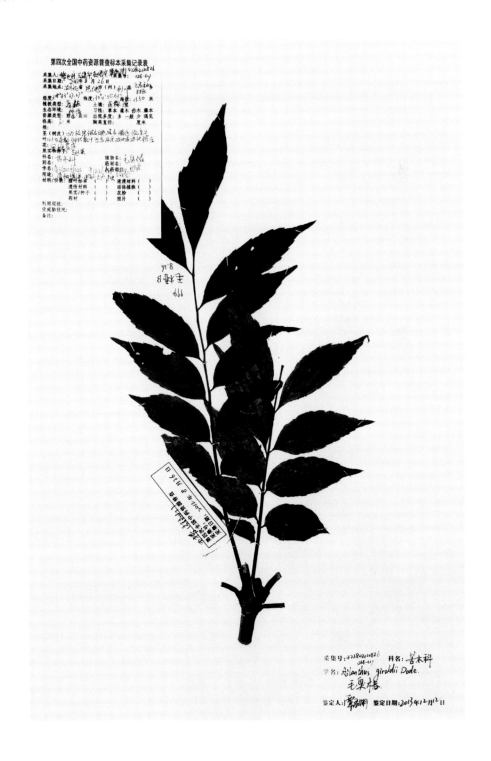

苦木科 Simaroubaceae 苦木属 Picrasma

苦木
Picrasma quassioides (D. Don) Benn

|药材名|

苦木。

|形态特征|

落叶灌木或小乔木，高 7 ~ 10 m。树皮灰黑色，幼枝灰绿色，无毛，具明显的黄色皮孔。奇数羽状复叶互生，常集生于枝端，长 20 ~ 30 cm；小叶 9 ~ 15，卵状披针形至阔卵形，长 4 ~ 10 cm，宽 2 ~ 4 cm，先端渐尖，基部阔楔形，两侧不对称，边缘具不整齐锯齿。二歧聚伞花序腋生；总花梗长达 12 cm，密被柔毛；花杂性，黄绿色；萼片 4 ~ 5，卵形，被毛；花瓣 4 ~ 5，倒卵形，比萼片长约 2 倍；雄蕊 4 ~ 5，着生于 4 ~ 5 裂的花盘基部；雌花较雄花小，子房卵形，4 ~ 5 室，花柱 4 ~ 5，彼此相拥扭转，基部连合。核果倒卵形，肉质，蓝色至红色，3 ~ 4 并生，基部具宿存花萼。花期 4 ~ 5 月，果期 8 ~ 9 月。

|生境分布|

生于海拔 2 400 m 以下的湿润而肥沃的山地、林缘、溪边、路旁等处。湖北有分布。

| 采收加工 | 枝、叶：全年均可采收，除去茎皮，洗净，切片，晒干。

| 功能主治 | 清热解毒，燥湿杀虫。用于上呼吸道感染，肺炎，急性胃肠炎，痢疾，胆道感染，疮疖，疥癣，湿疹，烫火伤，毒蛇咬伤。

苦木科 Simaroubaceae 香椿属 Toona

香椿
Toona sinensis (A. Juss.) Roem.

| 药 材 名 |

香椿。

| 形 态 特 征 |

乔木；树皮粗糙，深褐色，片状脱落。叶具长柄，偶数羽状复叶，长 30 ~ 50 cm 或更长；小叶 16 ~ 20，对生或互生，纸质，卵状披针形或卵状长椭圆形，长 9 ~ 15 cm，宽 2.5 ~ 4 cm，先端尾尖，基部一侧圆形，另一侧楔形，不对称，全缘或有疏离的小锯齿，两面均无毛，无斑点，背面常呈粉绿色，侧脉每边 18 ~ 24，平展，与中脉几成直角，背面略凸起；小叶柄长 5 ~ 10 mm。圆锥花序与叶等长或更长，被稀疏的锈色短柔毛或有时近无毛，小聚伞花序生于短的小枝上，多花；花长 4 ~ 5 mm，具短花梗；花萼 5 齿裂或呈浅波状，外面被柔毛，且有睫毛；花瓣 5，白色，长圆形，先端钝，长 4 ~ 5 mm，宽 2 ~ 3 mm，无毛；雄蕊 10，其中 5 雄蕊能育，5 雄蕊退化；花盘无毛，近念珠状；子房圆锥形，有 5 细沟纹，无毛，每室有胚珠 8，花柱比子房长，柱头盘状。蒴果狭椭圆形，长 2 ~ 3.5 cm，深褐色，有小而苍白色的皮孔，果瓣薄；种子基部通常钝，上端有膜质的长翅，下端无翅。花期

6 ~ 8 月，果期 10 ~ 12 月。

| 生境分布 | 生于海拔 2 700 m 以下的房前屋后、村边、路旁。

| 资源情况 | 野生资源较丰富。药材主要来源于野生。

| 采收加工 | **树皮、根皮：**全年均可采收，树皮可从树上剥下，鲜用或晒干；根皮须先将树根挖出，刮去外面黑色皮，以木槌轻捶之，使皮部与木部分离，再剥取，并宜仰面晒干，以免发霉发黑，亦可鲜用。

果实：8 ~ 10 月采收，晒干。

叶：4 ~ 6 月采收，多鲜用。

| 功能主治 | **树皮、根皮：**清热燥湿，止血，杀虫。用于泄泻，痢疾，吐血，复合性胃和十二指肠溃疡，肠风便血，崩漏，带下，蛔虫病，丝虫病，疮疥癣癞。

果实：祛风，散寒，止痛。用于外感风寒，风湿痹痛，胃痛，疝气痛，痢疾。

叶：祛暑化湿，解毒，杀虫。用于暑湿伤中，呕吐，泄泻，痢疾，痈疽肿毒，疥疮，白秃。

橄榄 *Canarium album* (Lour.) Raeusch.

| 药 材 名 | 橄榄。

| 形态特征 | 常绿乔木，高 10 ~ 20 m。有胶黏性芳香的树脂。树皮淡灰色，平滑；幼枝、叶柄及叶轴均被极短的柔毛，有皮孔。奇数羽状复叶

互生，长 15 ~ 30 cm；小叶 11 ~ 15，长圆状披针形，长 6 ~ 15 cm，宽 2.5 ~ 5 cm，先端渐尖，基部偏斜，全缘，秃净，网脉两面均明显，下面网脉上有小窝点，略粗糙。圆锥花序顶生或腋生，与叶等长或略短于叶；花萼杯状，3 浅裂，稀 5 裂；花瓣 3 ~ 5，白色，芳香，长约为花萼的 2 倍；雄蕊 6，插生于环状花盘外侧；雌蕊 1，子房上位。核果卵形，长约 3 cm，初时黄绿色，后变黄白色，两端锐尖。花期 5 ~ 7 月，果期 8 ~ 10 月。

| 生境分布 | 生于低海拔的杂木林中。湖北有分布。

| 采收加工 | 培育 6 ~ 7 年后在 8 ~ 9 月待果实外皮呈绿色带微黄时采摘，洗净，鲜用或微火烘干。

| 功能主治 | 清肺利咽，生津止渴，解毒。用于咳嗽痰血，咽喉肿痛，暑热烦渴，醉酒，鱼蟹中毒。

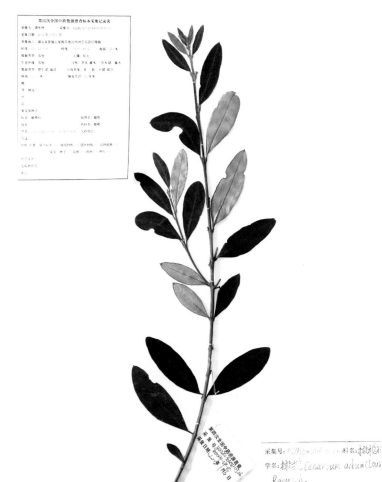

楝科 Meliaceae 楝属 Melia

楝

Melia azedarach L.

| 药 材 名 | 楝实。

| 形态特征 | 落叶乔木，高超过 10 m；树皮灰褐色，纵裂。分枝广展，小枝有叶痕。叶为二至三回奇数羽状复叶，长 20 ~ 40 cm；小叶对生，卵形、椭圆形至披针形，顶生 1 小叶通常略大，长 3 ~ 7 cm，宽 2 ~ 3 cm，先端短渐尖，基部楔形或宽楔形，多少偏斜，边缘有钝锯齿，幼时被星状毛，后两面均无毛，侧脉每边 12 ~ 16，广展，向上斜举。圆锥花序约与叶等长，无毛或幼时被鳞片状短柔毛；花芳香；花萼 5 深裂，裂片卵形或长圆状卵形，先端急尖，外面被微柔毛；花瓣淡紫色，倒卵状匙形，长约 1 cm，两面均被微柔毛，通常外面毛较密；雄蕊管紫色，无毛或近无毛，长 7 ~ 8 mm，有纵细脉，管口有

钻形、2～3 齿裂的狭裂片 10，花药 10，着生于裂片内侧，且与裂片互生，长椭圆形，先端微凸尖；子房近球形，5～6 室，无毛，每室有胚珠 2，花柱细长，柱头头状，先端具 5 齿，不伸出雄蕊管。核果球形至椭圆形，长 1～2 cm，宽 8～15 mm，内果皮木质，4～5 室，每室有种子 1；种子椭圆形。花期 4～5 月，果期 10～12 月。

| 生境分布 | 生于低海拔地区的旷野、路旁或疏林中。湖北有分布。

| 资源情况 | 野生资源较丰富。药材主要来源于野生。

| 采收加工 | **果实：** 11～12 月果皮呈浅黄色时采摘，晒干或烘干。

| 功能主治 | 疏肝行气止痛，驱虫。用于胸胁、脘腹胀痛，疝痛，虫积腹痛。

棟科 Meliaceae 棟属 *Melia*

川棟
Melia toosendan Sieb. et Zucc.

| 药 材 名 |

川楝子。

| 形态特征 |

乔木,高超过 10 m;幼枝密被褐色星状鳞片,老时无,暗红色,具皮孔,叶痕明显。二回羽状复叶长 35 ~ 45 cm,每 1 羽片有小叶 4 ~ 5 对;具长柄;小叶对生,具短柄或近无柄,膜质,椭圆状披针形,长 4 ~ 10 cm,宽 2 ~ 4.5 cm,先端渐尖,基部楔形或近圆形,两面无毛,全缘或有不明显钝齿,侧脉 12 ~ 14 对。圆锥花序聚生于小枝顶部的叶腋内,长约为叶的 1/2,密被灰褐色星状鳞片;花具梗,较密集;萼片长椭圆形至披针形,长约 3 mm,两面被柔毛,外面毛较密;花瓣淡紫色,匙形,长 9 ~ 13 mm,外面疏被柔毛;雄蕊管圆柱状,紫色,无毛而有细脉,先端有 3 裂的齿 10,花药长椭圆形,无毛,长约 1.5 mm,略凸出于管外;花盘近杯状;子房近球形,无毛,6 ~ 8 室,花柱近圆柱状,无毛,柱头不明显的 6 齿裂,包藏于雄蕊管内。核果大,椭圆状球形,长约 3 cm,宽约 2.5 cm,果皮薄,成熟后淡黄色;核稍坚硬,6 ~ 8 室。花期 3 ~ 4 月,果期 10 ~ 11 月。

生境分布	生于海拔 500 ~ 2 100 m 的杂木林和疏林内或平坝、丘陵地带湿润处。常栽培于村旁附近或公路边。湖北有分布。
资源情况	野生资源较丰富。药材主要来源于野生。
采收加工	**果实：** 冬季果实成熟时采收，除去杂质，干燥。
功能主治	泻火，止痛，杀虫。用于胃痛，虫积腹痛，疝痛，痛经等。

远志科 Polygalaceae 远志属 Polygala

荷包山桂花
Polygala arillata Buch.-Ham.

| 药 材 名 | 鸡根。

| 形态特征 | 灌木或小乔木，高 1 ~ 5 m；小枝密被短柔毛，具纵棱；叶片纸质，椭圆形、长圆状椭圆形至长圆状披针形，先端渐尖，基部楔形或钝圆，全缘，具缘毛，侧脉 5 ~ 6 对，于边缘附近网结，细脉网状。总状花序与叶对生，下垂，密被短柔毛；萼片 5，具缘毛，花后脱落，外面 3 萼片小，不等大，上面 1 萼片深兜状，侧生 2 萼片卵形，先端圆形，内萼片 2，花瓣状，红紫色，长圆状倒卵形，与花瓣几成直角着生；花瓣 3，肥厚，黄色，侧生花瓣较龙骨瓣短，2/3 以下与龙骨瓣合生，基部外侧耳状，龙骨瓣盔状，具条裂的鸡冠状附属物。蒴果阔肾形至略心形，浆果状，成熟时紫红色，先端微缺，具短尖头，

边缘具狭翅及缘毛；种子球形，棕红色。花期 5 ~ 10 月，果期 6 ~ 11 月。

| **生境分布** | 生于海拔 600 ~ 2 100 m 的山坡林下或林缘。分布于湖北五峰、长阳、鹤峰。

| **资源情况** | 野生资源较少。药材来源于野生。

| **采收加工** | **根皮**：秋、冬季采收，洗净，鲜用或切片，晒干。

| **功能主治** | 清热解毒，祛风除湿，补虚消肿。用于风湿疼痛，跌打损伤，肺痨水肿，小儿惊风，肺炎，急性肾炎，急、慢性胃肠炎，百日咳，尿路感染，早期乳腺炎，上呼吸道感染，支气管炎。

远志科 Polygalaceae 远志属 Polygala

尾叶远志
Polygala caudata Rehd. et Wils

| 药 材 名 | 水黄杨木。

| 形态特征 | 灌木，高 1 ~ 3 m；幼枝上部被黄色短柔毛，后变无毛，具纵棱槽。单叶，几绝大部分螺旋状紧密地排列于小枝顶部，叶片近革质，长圆形或倒披针形，长 3 ~ 12 cm，宽 1 ~ 3 cm，先端尾状渐尖或细尖，基部渐狭至楔形，全缘，略反卷，呈波状，两面无毛，侧脉 7 ~ 12 对，在背面凸起，于边缘处网结，网脉不明显；叶柄长 5 ~ 10 mm，上面具槽。总状花序顶生或生于顶部数个叶腋内，数个密集成伞房状花序或圆锥状花序，长 2.5 ~ 5（~ 7）cm，被紧贴短柔毛；花梗长 1 ~ 1.5 mm，无毛，基部具三角状卵形小苞片 3，早落；花长 5（~ 8）mm；萼片 5，果时早落，外面 3 萼片小，卵形，长约

2 mm，宽约 1.5 mm，先端圆形，具缘毛，外面被短柔毛，里面 2 萼片大，花瓣状，倒卵形至斜倒卵形，长 4.5（~ 6）mm，宽约 3 mm，先端钝圆，基部渐狭，具 3 脉；花瓣 3，白色、黄色或紫色，侧生花瓣与龙骨瓣于 3/4 以下合生，较龙骨瓣短，龙骨瓣长 5 mm，先端背部具 1 盾状鸡冠状附属物；雄蕊 8，花丝长约 4 mm，3/4 以下连合成鞘，花药卵形；子房倒卵形，直径约 0.8 mm，基部具杯状花盘，花柱由下向上逐渐增粗，弯曲，先端 2 浅裂，柱头生于下裂片内。蒴果长圆状倒卵形，长 8 mm，直径约 4 mm，先端微凹，基部渐狭，具杯状环，边缘具狭翅；种子广椭圆形，棕黑色，长约 1.5 mm，直径约 1 mm，密被红褐色长毛，近种脐端具一棕黑色的突起。花期 11 月至翌年 5 月，果期 5 ~ 12 月。

| 生境分布 | 生于海拔 1 000 ~ 1 800（~ 2 100）m 的石灰山林下。分布于湖北神农架。

| 资源情况 | 野生资源稀少。药材主要来源于野生。

| 采收加工 | **根**：秋、冬季采收，洗净，切片，晒干。

| 功能主治 | 止咳，平喘，清热利湿，通淋。用于咽喉肿痛，湿热黄疸，支气管炎。

远志科 Polygalaceae 远志属 *Polygala*

香港远志
Polygala hongkongensis Hemsl.

| 药 材 名 | 香港远志。

| 形态特征 | 直立草本至亚灌木，高 15 ~ 50 cm；茎枝细，疏被至密被卷曲短柔毛。单叶互生，叶片纸质或膜质，茎下部叶小，卵形，长 1 ~ 2 cm，宽 5 ~ 15 mm，先端具短尖头，上部叶披针形，长 4 ~ 6 cm，宽 2 ~ 2.2 cm，先端渐尖，基部圆形，全缘，多少反卷，叶面绿色，背面淡绿色至苍白色，两面均无毛，主脉上面稍凹，背面隆起，侧脉 3 对，不明显；叶柄长约 2 mm，被短柔毛。总状花序顶生，长 3 ~ 6 cm，花序轴及花梗被短柔毛，具疏松排列的 7 ~ 18 花；花长 7 ~ 9 mm，花梗长 1 ~ 2 mm，基部具 3 苞片，苞片钻形，花后脱落；萼片 5，宿存，具缘毛，外面 3 萼片舟形或椭圆形，内凹，长

约 4 mm，中间 1 萼片沿中脉具狭翅，内萼片花瓣状，斜卵形，长 5 ~ 8 mm，宽 3 ~ 5 mm，先端圆形，基部狭；花瓣 3，白色或紫色，侧瓣长 3 ~ 5 mm，深波状，2/5 以下与龙骨瓣合生，先端圆形，基部内侧被短柔毛，龙骨瓣盔状，长约 5 mm，先端具广泛流苏状鸡冠状附属物；雄蕊 8，花丝长约 5 mm，2/3 以下合生成鞘，鞘 1/2 以下与花瓣贴生，并具缘毛，花药棒状，顶孔开裂；子房倒卵形，长约 1.5 mm，具柄，无毛，花柱扁平，弧曲，柱头 2，间隔排列。蒴果近圆形，直径约 4 mm，具阔翅，先端具缺刻，基部具宿存萼片；种子 2，卵形，长约 2 mm，直径约 1.5 mm，黑色，被白色细柔毛，种阜 3 裂，长达种子长度的 1/2。花期 5 ~ 6 月，果期 6 ~ 7 月。

| 生境分布 | 生于海拔 500 ~ 1 400 m 的沟谷林下或灌丛中。分布于湖北神农架、鹤峰、通城。

| 资源情况 | 野生资源较少。药材来源于野生。

| 功能主治 | 安神益智，祛痰开窍，消散痈肿。用于失眠多梦，癫痫，惊风，咳嗽痰多等。

远志科 Polygalaceae 远志属 Polygala

狭叶香港远志
Polygala hongkongensis Hemsl. var. *stenophylla* (Hayata) Migo

| 药 材 名 | 狭叶香港远志。

| 形态特征 | 本变种不同于香港远志的主要特征为叶狭披针形，小，长 1.5 ~ 3 cm，宽 3 ~ 4 mm，内萼片椭圆形，长约 7 mm，宽约 4 mm，花丝 4/5 以下合生成鞘。

| **生境分布** | 生于海拔 350 ~ 1 150 m 的沟谷林下、林缘或山坡草地。分布于湖北崇阳、枣阳、神农架。

| **资源情况** | 野生资源较少。药材主要来源于野生。

| **功能主治** | 祛风。

远志科 Polygalaceae 远志属 *Polygala*

瓜子金 *Polygala japonica* Houtt.

| 药 材 名 | 瓜子金。

| 形态特征 | 多年生草本。叶厚纸质或近革质，卵形或卵状披针形，先端钝，基部宽楔形或圆形。总状花序与叶对生或于腋外生，最上花序低于茎顶；萼片宿存，外3萼片披针形，被毛，内2萼片花瓣状，卵形或长圆形；花瓣白色或紫色，龙骨瓣舟状，具流苏状附属物，侧瓣长圆形，基部合生，内侧被柔毛；花丝全部合生成鞘，1/2与花瓣贴生。蒴果球形，具宽翅；种子密被白色柔毛。花期4～5月，果期5～8月。

| 生境分布 | 生于海拔800～2100 m的山坡草地或田埂上。湖北有分布。

| **资源情况** | 野生资源丰富。药材来源于野生和栽培。 |

| **采收加工** | **全草**：春末花开时采收，除去泥沙，晒干。 |

| **功能主治** | 祛痰止咳，活血消肿，解毒止痛。用于咳嗽痰多，咽喉肿痛；外用于跌打损伤，疔疮疖肿，蛇虫咬伤。 |

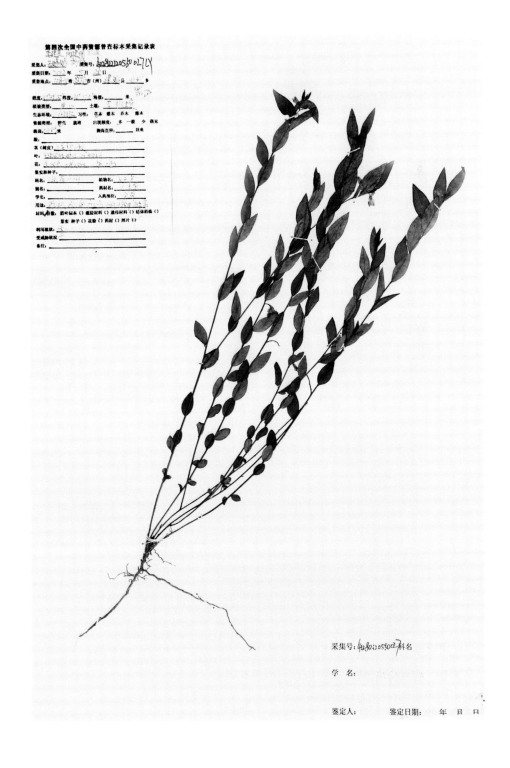

远志科 Polygalaceae 远志属 Polygala

西伯利亚远志 Polygala sibirica L.

| 药 材 名 | 远志。

| 形 态 特 征 | 多年生草本，高 10 ~ 30 cm。茎被短柔毛。叶互生，披针形或椭圆状披针形。总状花序腋外生或假顶生，通常高出茎顶，被短柔毛，具少数花；花长 6 ~ 10 mm，具 3 小苞片，钻状披针形，长约 2 mm，被短柔毛；萼片 5，宿存，背面被短柔毛，具缘毛，外面 3 萼片披针形，里面 2 萼片花瓣状；花瓣 3，蓝紫色，侧瓣 2/5 以下与龙骨瓣合生，龙骨瓣较侧瓣长，背面被柔毛，具流苏状鸡冠状附属物；雄蕊 8，花丝 2/3 以下合生成鞘，且具缘毛。蒴果近倒心形，直径约 5 mm，先端微缺，具狭翅及短缘毛。种子长圆形，扁，长约 1.5 mm，黑色，密被白色柔毛，具白色种阜。花期 4 ~ 7 月，果期

5 ～ 8 月。

| **生境分布** | 生于海拔 1 100 ～ 3 100 m 的砂质土、石砾和石灰岩山地灌丛、林缘或草地。分布于湖北罗田、红安、团风、丹江口、利川、建始、枣阳、老河口、黄陂。

| **资源情况** | 野生资源较丰富。药材来源于野生。

| **采收加工** | 春、秋季采挖，除去须根和泥沙，晒干或抽取木心晒干。

| **功能主治** | 安神益智，交通心肾，祛痰，消肿。用于心肾不交引起的失眠多梦、健忘惊悸、神志恍惚，咳痰不爽，疮疡肿毒，乳房肿痛。

远志科 Polygalaceae 远志属 Polygala

小扁豆
Polygala tatarinowii Regel

| **药 材 名** | 小扁豆。

| **形态特征** | 一年生直立草本,高5～15 cm。叶片纸质,卵形或椭圆形至阔椭圆形,长0.8～2.5 cm,宽0.6～1.5 cm,先端急尖,基部楔形下延,全缘,具缘毛,两面均绿色,疏被短柔毛,具羽状脉;叶柄长5～10 mm,稍具翅。总状花序顶生,花密,花后延长达6 cm;萼片5,绿色,花后脱落,外面3萼片小,卵形或椭圆形,长约1 mm,内面2萼片花瓣状;花瓣3,红色至紫红色,龙骨瓣先端无鸡冠状附属物。蒴果扁圆形,直径约2 mm,先端具短尖头,具翅,疏被短柔毛;种子近长圆形,黑色,被白色短柔毛,种阜小,盔形。花期8～9月,果期9～11月。

| **生境分布** | 生于海拔 600 ～ 3 100 m 的山坡草地、石灰岩及路旁草丛中。分布于湖北利川、鹤峰、郧阳、竹溪、房县、神农架。

| **资源情况** | 野生资源较少。药材来源于野生。

| **采收加工** | **全草：**夏、秋季采收，切段，晒干。

| **功能主治** | 祛风，活血止痛。用于跌打损伤，风湿骨痛。

远志科 Polygalaceae 远志属 Polygala

远志

Polygala tenuifolia Willd.

| **药 材 名** | 远志。

| **形态特征** | 多年生草本，高 15 ~ 50 cm。主根粗壮，韧皮部肉质，浅黄色。茎多数丛生，被短柔毛。单叶互生，叶片纸质，线形至线状披针形，先端渐尖，基部楔形，全缘，反卷，无毛或极疏被微柔毛，近无柄。总状花序呈扁侧状生于小枝先端，细弱，通常略俯垂，少花；苞片3，披针形，早落；萼片5，宿存，外面3萼片线状披针形，里面2萼片花瓣状，倒卵形或长圆形，带紫堇色，基部具爪；花瓣3，紫色，侧瓣斜长圆形，基部与龙骨瓣合生，基部内侧具柔毛，龙骨瓣较侧瓣长，具流苏状附属物；雄蕊8，花丝3/4以下合生成鞘，具缘毛，3/4以上两侧各3雄蕊合生。蒴果圆形，先端微凹，具狭翅，无缘毛；

种子卵形，黑色，密被白色柔毛，具发达、2 裂下延的种阜。花果期 5 ~ 9 月。

| **生境分布** | 生于海拔 900 m 左右的山坡草丛中。分布于湖北丹江口、郧西、房县、谷城、钟祥。

| **资源情况** | 野生资源一般。药材主要来源于栽培。

| **采收加工** | **根**：春、秋季采挖，除去须根和泥沙，晒干或抽取木心晒干。

| **功能主治** | 安神益智，交通心肾，祛痰，消肿。用于心肾不交引起的失眠多梦、健忘惊悸、神志恍惚，咳痰不爽，疮疡肿毒，乳房肿痛。

远志科 Polygalaceae 远志属 Polygala

长毛籽远志 *Polygala wattersii* Hance

| 药 材 名 | 木本远志。

| 形态特征 | 灌木或小乔木，高 1 ~ 4 m；小枝圆柱形，具纵棱槽，无毛。叶密集地排列于小枝顶部，叶片近革质，椭圆形、椭圆状披针形或倒披针形，长 4 ~ 10 cm，宽 1.5 ~ 3 cm，先端渐尖至尾状渐尖，基部渐狭至楔形，全缘，波状。总状花序 2 ~ 5 成簇生于小枝近先端的数个叶腋内，花黄色或先端带淡红色，长 12 ~ 20 mm；外轮萼片 3，极小，近圆形，有缘毛；内轮萼片 2，花瓣状；花瓣 3，黄色，中间龙骨瓣先端圆形或具 2 浅裂的鸡冠状附属物。蒴果倒卵形或楔形，长 10 ~ 14 mm，先端微缺；种子卵形，棕黑色，有柔毛。花期 4 ~ 6月，果期 5 ~ 7 月。

| **生境分布** | 生于海拔 1 000 ～ 1 500 （ ～ 1 700 ） m 的石灰山阔叶林下或灌丛中。分布于湖北宣恩、南漳、神农架、长阳、夷陵、竹溪。

| **资源情况** | 野生资源较丰富。药材主要来源于野生。

| **采收加工** | **根**：秋后采挖，鲜用或切片，晒干。

| **功能主治** | 清热解毒，滋补强壮，舒筋活血。用于乳痈，无名肿毒，跌打损伤。

铁苋菜 *Acalypha australis* L.

| 药 材 名 | 铁苋菜。

| 形态特征 | 一年生草本。高 30 ～ 50 cm。茎直立，分枝，被微柔毛。叶互生；叶柄长 2 ～ 5 cm；叶片卵状菱形或卵状椭圆形，长 2 ～ 7.5 cm，宽 1.5 ～ 3.5 cm，先端渐尖，基部楔形或圆形，基出脉 3，边缘有钝齿，两面均粗糙无毛。穗状花序腋生；花单性，雌雄同株；雄花序通常极短，长 2 ～ 10 mm，生于极小苞片内；雌花序生于叶状苞片内，苞片展开时呈肾形，长 1 ～ 2 cm，合时如蚌，边缘有钝锯齿，基部心形；花萼 4 裂；无花瓣；雄蕊 7 ～ 8；雌花 3 ～ 5；子房被疏柔毛，3 ～ 4 室，花柱羽状分裂至基部。蒴果小，三角状半圆形，被粗毛；种子卵形，长约 2 mm，灰褐色。花期 5 ～ 7 月，果期 7 ～ 10 月。

| 生境分布 | 生于旷野、丘陵、路边较湿润的地方。湖北有分布。

| 采收加工 | **全草：** 5 ～ 7 月采收，除去泥土，晒干或鲜用。

| 功能主治 | 清热利湿，凉血解毒，消积。用于痢疾，泄泻，吐血，衄血，尿血，便血，崩漏，疳积，痈疖疮疡，湿疹。

大戟科 Euphorbiaceae 铁苋菜属 Acalypha

裂苞铁苋菜

Acalypha brachystachya Hornem.

| 药 材 名 | 铁苋菜。

| 形态特征 | 一年生草本。高 20 ~ 80 cm。茎直立，全株被短柔毛和散生的毛。叶互生，膜质，卵形、阔卵形或菱状卵形，长 2 ~ 5.5 cm，宽 1.5 ~ 3.5 cm，先端急尖或短渐尖，基部浅心形，有时楔形，上半部边缘具圆锯齿；基出脉 3 ~ 5；叶柄细长，长 2.5 ~ 6 cm，具短柔毛；托叶披针形，长约 5 mm。雌雄花同序，花序 1 ~ 3 腋生，长 5 ~ 9 mm，花序梗几无；雌花苞片 3 ~ 5，长约 5 mm，掌状深裂，裂片长圆形，宽 1 ~ 2 mm，最外侧的裂片通常长不及 1 mm，苞腋具 1 雌花；雄花密生于花序上部，呈头状或短穗状，苞片卵形，长 0.2 mm；有时花序轴先端具 1 异形雌花；雄花花萼花蕾时呈球形，

长 0.3 mm，疏生短柔毛；雄蕊 7 ~ 8；花梗长 0.5 mm；雌花萼片 3，近长圆形，长 0.4 mm，具缘毛；子房疏生长毛和柔毛，花柱 3，长约 1.5 mm，撕裂 3 ~ 5；花梗短；异形雌花萼片 4，长约 0.5 mm；子房陀螺状，1 室，长约 1 mm，被柔毛，顶部具 1 环齿裂，膜质，花柱 1，位于子房基部，撕裂。蒴果直径 2 mm，具 3 分果爿，果皮具疏生柔毛和毛基变厚的小瘤体；种子卵状，长约 1.2 mm，种皮稍粗糙，假种阜细小。花期 5 ~ 12 月。

| 生境分布 | 生于海拔 100 ~ 1 900 m 的山坡、路旁湿润草地、溪畔或林间小道旁草地。湖北有分布。

| 采收加工 | **全草：** 5 ~ 7 月采收，除去泥土，晒干或鲜用。

| 功能主治 | 清热利湿，凉血解毒，消积。用于痢疾，泄泻，吐血，衄血，尿血，便血，崩漏，疳积，痈疖疮疡，湿疹。

红背山麻秆 *Alchornea trewioides* (Benth.) Müll. Arg.

| **药 材 名** | 红背叶。

| **形态特征** | 灌木。高 1 ～ 2 m。小枝被灰色微柔毛，后变无毛。叶薄纸质，阔卵形，长 8 ～ 15 cm，宽 7 ～ 13 cm，先端急尖或渐尖，基部浅心形或近

平截，边缘疏生具腺小齿，上面无毛，下面浅红色，仅沿脉被微柔毛，基部具斑状腺体 4；基出脉 3；小托叶披针形，长 2 ~ 3.5 mm；叶柄长 7 ~ 12 cm；托叶钻状，长 3 ~ 5 mm，具毛，凋落。雌雄异株；雄花序穗状，腋生或生于一年生小枝已落叶腋部，长 7 ~ 15 cm，具微柔毛，苞片三角形，长约 1 mm，雄花 3 ~ 15 簇生于苞腋，花梗长约 2 mm，无毛，中部具关节；雌花序总状，顶生，长 5 ~ 6 cm，具花 5 ~ 12，各部均被微柔毛，苞片狭三角形，长约 4 mm，基部具腺体 2，小苞片披针形，长约 3 mm，花梗长 1 mm；雄花花萼花蕾时呈球形，无毛，直径 1.5 mm，萼片 4，长圆形；雄蕊 7 ~ 8；雌花萼片 5（~ 6），披针形，长 3 ~ 4 mm，被短柔毛，其中 1 萼片的基部具 1 腺体；子房球形，被短绒毛，花柱 3，线状，长 12 ~ 15 mm，合生部分长不及 1 mm。蒴果球形，具 3 圆棱，直径 8 ~ 10 mm，果皮平坦，被微柔毛；种子扁卵状，长 6 mm，种皮浅褐色，具瘤体。花期 3 ~ 5 月，果期 6 ~ 8 月。

| **生境分布** | 生于路旁灌丛或林下。湖北有分布。

| **资源情况** | 药材来源于野生。

| **采收加工** | **根、叶：** 全年均可采收，除去泥土，晒干。

| **功能主治** | 解毒，除湿，止血。用于痢疾，尿路结石，子宫出血，带下，外伤出血，风疹疥癣等。

大戟科 Euphorbiaceae 五月茶属 *Antidesma*

五月茶
Antidesma bunius (L.) Spreng.

| 药 材 名 | 五月茶。

| 形态特征 | 乔木，高达 10 m。小枝有明显的皮孔；除叶背中脉、叶柄、花萼两面和退化雌蕊被短柔毛或柔毛外，其余均无毛。叶片纸质，长椭圆形、倒卵形或长倒卵形，长 8 ~ 23 cm，宽 3 ~ 10 cm，先端急尖至圆，有短尖头，基部宽楔形或楔形，叶面深绿色，常有光泽，叶背绿色；每边侧脉 7 ~ 11，在叶面扁平，干后凸起，在叶背稍凸起；叶柄长 3 ~ 10 mm；托叶线形，早落。雄花序为顶生的穗状花序，长 6 ~ 17 cm；雄花花萼杯状，先端 3 ~ 4 分裂，裂片卵状三角形；雄蕊 3 ~ 4，长 2.5 mm，着生于花盘内面；花盘杯状，全缘或不规则分裂；退化雌蕊棒状；雌花序为顶生的总状花序，长 5 ~ 18 cm，雌花花

萼和花盘与雄花的相同；雌蕊稍长于萼片，子房宽卵圆形，花柱顶生，柱头短而宽，先端微凹缺。核果近球形或椭圆形，长 8 ~ 10 mm，直径 8 mm，成熟时红色；果柄长约 4 mm。花期 3 ~ 5 月，果期 6 ~ 11 月。

| **生境分布** | 生于低海拔地区的山地灌丛中。湖北有分布。

| **采收加工** | 全年均可采收。

| **功能主治** | 收敛，止泻，止咳，生津，行气活血。用于津液缺乏，食欲不振，消化不良；外用于跌打损伤。

重阳木

Bischofia polycarpa (H. Lévl.) Airy-Shaw

| 药 材 名 | 重阳木。

| 形态特征 | 落叶乔木。高达 15 m，胸径约 50 cm，有时达 1 m。树皮褐色，厚 6 mm，纵裂。木材表面槽棱不显。树冠伞形状，大枝斜展，小枝无毛，当年生枝绿色，皮孔明显，灰白色，老枝变褐色，皮孔变锈褐色；芽小，先端稍尖或钝，具有少数芽鳞。全株均无毛。三出复叶；叶柄长 9 ～ 13.5 cm；顶生小叶通常较两侧的大，小叶纸质，卵形或椭圆状卵形，有时长圆状卵形，长 5 ～ 9（～ 14）cm，宽 3 ～ 6（～ 9）cm，先端突尖或短渐尖，基部圆或浅心形，边缘具钝细锯齿，每 1 cm 长 4 ～ 5；顶生小叶柄长 1.5 ～ 4（～ 6）cm，侧生小叶柄长 3 ～ 14 mm；托叶小，早落。花雌雄异株，春季与叶同时开

放，组成总状花序，花序通常着生于新枝的下部，花序轴纤细而下垂；雄花序长 8 ~ 13 cm；雌花序长 3 ~ 12 cm；雄花萼片半圆形，膜质，向外张开；花丝短；有明显的退化雌蕊；雌花萼片与雄花的相同，有白色膜质的边缘；子房 3 ~ 4 室，每室 2 胚珠，花柱 2 ~ 3，先端不分裂。果实浆果状，圆球形，直径 5 ~ 7 mm，成熟时褐红色。花期在 4 ~ 5 月，果期 10 ~ 11 月。

| 生境分布 |　湖北有分布。

| 资源情况 |　主要来源于野生。

| 采收加工 |　**根、皮、叶**：5 ~ 7 月间采收，除去泥土，晒干或鲜用。

| 功能主治 |　理气活血，解毒消肿。用于风湿痹痛，痢疾。

大戟科 Euphorbiaceae 虎皮楠属 Daphniphyllum

交让木 *Daphniphyllum macropodum* Miq.

|药材名|

交让木。

|形态特征|

灌木或小乔木。高 3 ~ 10 m。小枝粗壮，暗褐色，具圆形大叶痕。叶革质，长圆形至倒披针形，长 14 ~ 25 cm，宽 3 ~ 6.5 cm，先端渐尖，具细尖头，基部楔形至阔楔形，叶面具光泽，干后叶面绿色，叶背淡绿色，无乳突体，有时略被白粉，侧脉纤细而密，12 ~ 18 对，两面清晰；叶柄紫红色，粗壮，长 3 ~ 6 cm；雄花序长 5 ~ 7 cm；花梗长约 0.5 cm；花萼不育；雄蕊 8 ~ 10，花药长约 2 mm，为宽的 2 倍，花丝短，长约 1 mm，背部压扁，具短尖头；雌花序长 4.5 ~ 8 cm；花梗长 3 ~ 5 mm；花萼不育；子房基部具大小不等的不育雄蕊 10；子房卵形，长约 2 mm，多少被白粉，花柱极短，柱头 2，外弯，扩展。果实椭圆形，长约 10 mm，直径 5 ~ 6 mm，先端具宿存柱头，基部圆形，暗褐色，有时被白粉，具疣状折皱，果柄长 10 ~ 15 cm，纤细。花期 3 ~ 5 月，果期 8 ~ 10 月。

| 生境分布 | 生于海拔 1 000 ~ 1 700 m 的山谷沟边林中或灌丛中。分布于湖北咸丰、宣恩、利川、恩施、鹤峰、建始、长阳、兴山、房县。

| 采收加工 | 秋季采收，晒干或鲜用。

| 功能主治 | 清热解毒。用于疮疖肿毒。

▎大戟科▎ Euphorbiaceae ▎假奓包叶属▎ Discocleidion

假奓包叶

Discocleidion refuescens (Frsach.) Pax et Hoffm.

| 药 材 名 |　假奓包叶。

| 形态特征 |　灌木或小乔木，高 1.5 ~ 5 m。小枝、叶柄、花序均密被白色或淡黄色长柔毛。叶纸质，卵形或卵状椭圆形，长 7 ~ 14 cm，宽 5 ~ 12 cm，先端渐尖，基部圆形或近平截，稀浅心形或阔楔形，边缘具锯齿，上面被糙伏毛，下面被绒毛，叶脉上被白色长柔毛；基出脉 3 ~ 5，侧脉 4 ~ 6 对，近基部两侧具褐色斑状腺体 2 ~ 4；叶柄长 3 ~ 8 cm，先端具 2 线形小托叶，长约 3 mm，被毛，边缘具黄色小腺体。总状花序或下部多分枝成圆锥花序，长 15 ~ 20 cm，苞片卵形，长约 2 mm；雄花 3 ~ 5 簇生于苞腋，花梗长约 3 mm；花萼裂片 3 ~ 5，卵形，长约 2 mm，先端渐尖；雄蕊 35 ~ 60，花丝纤细；

腺体小，棒状圆锥形；雌花 1 ～ 2 生于苞腋，苞片披针形，长约 2 mm，疏生长柔毛，花梗长约 3 mm；花萼裂片卵形，长约 3 mm；花盘具圆齿，被毛；子房被黄色糙伏毛，花柱长 1 ～ 3 mm，外反，2 深裂至近基部，密生羽毛状突起。蒴果扁球形，直径 6 ～ 8 mm，被柔毛。花期 4 ～ 8 月，果期 8 ～ 10 月。

| 生境分布 | 生于海拔 250 ～ 1 000 m 的林中或山坡灌丛中。分布于丹江口、建始、巴东、五峰、长阳、秭归、兴山、神农架，以及襄阳。

| 采收加工 | 5 ～ 7 月采收，除去泥土，晒干或鲜用。

| 功能主治 | 杀虫祛瘀。

大戟科 Euphorbiaceae 大戟属 Euphorbia

猩猩草
Euphorbia cyathophora Murr.

| 药 材 名 |

叶象花。

| 形态特征 |

一年生或多年生草本。根圆柱状，长 30 ~ 50 cm，直径 2 ~ 7 mm，基部有时木质化。茎直立，上部多分枝，高可达 1 m，直径 3 ~ 8 mm，光滑无毛。叶互生，卵形、椭圆形或卵状椭圆形，先端尖或圆，基部渐狭，长 3 ~ 10 cm，宽 1 ~ 5 cm，边缘波状分裂或具波状齿或全缘，无毛；叶柄长 1 ~ 3 cm；总苞叶与茎生叶同形，较小，长 2 ~ 5 cm，宽 1 ~ 2 cm，淡红色或仅基部红色。花序单生，数枚聚伞状排列于分枝先端；总苞钟状，绿色，高 5 ~ 6 mm，直径 3 ~ 5 mm，边缘5裂，裂片三角形，常呈齿状分裂；腺体常1，偶2，扁杯状，近二唇形，黄色。雄花多枚，常伸出总苞之外；雌花1，子房柄明显伸出总苞处；子房三棱状球形，光滑无毛，花柱3，分离，柱头2浅裂。蒴果，三棱状球形，长 4.5 ~ 5 mm，直径 3.5 ~ 4 mm，无毛；成熟时分裂为3分果瓣；种子卵状椭圆形，长 2.5 ~ 3 mm，直径 2 ~ 2.5 mm，褐色至黑色，具不规则的小突起；无种阜。花果期 5 ~ 11 月。

| **生境分布** | 常见于公园、植物园及温室中，用于观赏。湖北有栽培。

| **采收加工** | **全草：**全年均可采收，洗净，鲜用或晒干。

| **功能主治** | 凉血调经，散瘀消肿。用于月经过多，外伤肿痛，出血，骨折。

大戟科 Euphorbiaceae 大戟属 *Euphorbia*

乳浆大戟 *Euphorbia esula* L.

| 药 材 名 | 乳浆大戟。

| 形态特征 | 多年生草本。根圆柱状，长 20 cm 以上，直径 3 ~ 5（~ 6）mm，不分枝或分枝，常曲折，褐色或黑褐色。茎单生或丛生，单生时自基部多分枝，高 30 ~ 60 cm，直径 3 ~ 5 mm；不育枝常发自基部，较矮，有时发自叶腋。叶线形至卵形，变化极不稳定，长 2 ~ 7 cm，宽 4 ~ 7 mm，先端尖或钝尖，基部楔形至平截；无叶柄；不育枝叶常为松针状，长 2 ~ 3 cm，直径约 1 mm；无柄；总苞叶 3 ~ 5，与茎生叶同形；伞幅 3 ~ 5，长 2 ~ 4（~ 5）cm；苞叶 2，常为肾形，少为卵形或三角状卵形，长 4 ~ 12 mm，宽 4 ~ 10 mm，先端渐尖或近圆，基部近平截。花序单生于二叉分枝的先端，基部无柄；总

苞钟状，高约 3 mm，直径 2.5 ~ 3 mm，边缘 5 裂，裂片半圆形至三角形，边缘及内侧被毛；腺体 4，新月形，两端具角，角长而尖或短而钝，变异幅度较大，褐色。雄花多枚，苞片宽线形，无毛；雌花 1，子房柄明显伸出总苞之外，子房光滑无毛，花柱 3，分离，柱头 2 裂。蒴果三棱状球形，长、直径均 5 ~ 6 mm，具 3 纵沟；花柱宿存；成熟时分裂为 3 分果爿；种子卵球状，长 2.5 ~ 3 mm，直径 2 ~ 2.5 mm，成熟时黄褐色；种阜盾状，无柄。花果期 4 ~ 10 月。

| 生境分布 | 生于路旁、杂草丛、山坡、林下、河沟边、荒山、沙丘及草地。湖北有分布。

| 采收加工 | **全草**：春、夏季采收，鲜用或晒干。

| 功能主治 | 利尿消肿，散结，杀虫。用于水肿，臌胀，瘰疬，皮肤瘙痒。

狼毒大戟
Euphorbia fischeriana Steud

| 药 材 名 | 狼毒。

| 形态特征 | 多年生草本，高 15 ~ 40 cm，全体含白色乳汁。根肉质肥大。茎下部叶鳞片状，膜质，淡褐色；中、上部叶 3 ~ 5 轮生，无柄；叶片长圆形或长圆状卵形，长 4 ~ 6.5 cm，宽 1 ~ 3 cm，先端钝或急尖，基部圆。杯状聚伞花序顶生，排成复伞形；伞梗 5 枝，基部轮生叶状苞片 5；每枝再生 3 枝，分枝处有 3 三角状卵形的苞片，小枝先端具 2 较小的苞片及 1 ~ 3 杯状聚伞花序；雄花多数和雌花 1 同生于杯形的总苞内，总苞先端 5 裂，腺体 5 与裂片互生；雄花仅有雄蕊 1；雌花仅有雌蕊 1，子房扁圆形，花柱 3，先端浅裂成二叉状柱头。蒴果扁球形，有 3 纵沟，褐色。花期 5 ~ 6 月，果期 6 ~ 7 月。

| 生境分布 | 生于山坡及山野的向阳处。分布于湖北随州。

| 采收加工 | **根：** 春、秋季采挖，去茎叶，泥沙，晒干。

| 功能主治 | 散结，杀虫。外用于淋巴结结核，皮癣，蛆虫滋生。

| 附　　注 | 不宜与密陀僧同用。

泽漆 *Euphorbia helioscopia* L.

| **药 材 名** | 泽漆。

| **形态特征** | 一年生草本。根纤细，长 7 ～ 10 cm，直径 3 ～ 5 mm，下部分枝。茎直立，单一或自基部多分枝，分枝斜展向上，高 10 ～ 30（～ 50）cm，直径 3 ～ 5（～ 7）mm，光滑无毛。叶互生，倒卵形或匙形，长 1 ～ 3.5 cm，宽 5 ～ 15 mm，先端具牙齿，中部以下渐狭或呈楔形；总苞叶 5，倒卵状长圆形，长 3 ～ 4 cm，宽 8 ～ 14 mm，先端具牙齿，基部略渐狭，无柄；总伞幅 5，长 2 ～ 4 cm；苞叶 2，卵圆形，先端具牙齿，基部呈圆形。花序单生，有柄或近无柄；总苞钟状，高约 2.5 mm，直径约 2 mm，光滑无毛，边缘 5 裂，裂片半圆形，边缘和内侧具柔毛；腺体 4，盘状，中部内凹，基部具短

柄，淡褐色。雄花数枚，明显伸出总苞外；雌花 1，子房柄略伸出总苞边缘。蒴果三棱状阔圆形，光滑，无毛；具明显的 3 纵沟，长 2.5 ~ 3 mm，直径 3 ~ 4.5 mm；成熟时分裂为 3 分果爿；种子卵状，长约 2 mm，直径约 1.5 mm，暗褐色，具明显的脊网；种阜扁平状，无柄。花果期 4 ~ 10 月。

| **生境分布** | 生于山沟、路旁、荒野和山坡。湖北有分布。

| **采收加工** | 全草：4 ~ 5 月开花时采收，除去根和泥沙，晒干。

| **功能主治** | 行水消肿，化痰止咳，解毒杀虫。用于水气肿满，痰饮咳喘，疟疾，细菌性痢疾，瘰疬，结核性瘘管，骨髓炎。

| 大戟科 | Euphorbiaceae | 大戟属 | Euphorbia

飞扬草 *Euphorbia hirta* L.

| 药 材 名 |　飞扬草。

| 形态特征 |　一年生草本。根纤细，长 5 ~ 11 cm，直径 3 ~ 5 mm，常不分枝，偶 3 ~ 5 分枝。茎单一，自中部向上分枝或不分枝，高 30 ~ 60（~ 70）cm，直径约 3 mm，被褐色或黄褐色的多细胞粗硬毛。叶对生，披针状长圆形、长椭圆状卵形或卵状披针形，长 1 ~ 5 cm，宽 5 ~ 13 mm，先端极尖或钝，基部略偏斜；边缘于中部以上有细锯齿，中部以下较少或全缘；叶面绿色，叶背灰绿色，有时具紫色斑，两面均具柔毛，叶背面脉上的毛较密；叶柄极短，长 1 ~ 2 mm。花序多数，于叶腋处密集成头状，基部无梗或仅具极短的柄，变化较大，且具柔毛；总苞钟状，高、直径均约 1 mm，被柔毛，边缘 5 裂，

裂片三角状卵形；腺体 4，近杯状，边缘具白色附属物；雄花数枚，微达总苞边缘；雌花 1，具短梗，伸出总苞之外，子房三棱状，被少许柔毛，花柱 3，分离；柱头 2 浅裂。蒴果三棱状，长、直径均 1 ~ 1.5 mm，被短柔毛，成熟时分裂为 3 分果爿；种子近圆状 4 棱，每个棱面有数个纵槽；无种阜。花果期 6 ~ 12 月。

| 生境分布 | 生于路旁、草丛、灌丛及山坡、砂土。湖北有分布。

| 采收加工 | **全草**：夏、秋季采收，晒干。

| 功能主治 | 清热解毒，利湿止痒，通乳。用于肺痈，乳痈，痢疾，泄泻，热淋，血尿，湿疹，足癣，皮肤瘙痒，疔疮肿毒，牙疳，产后少乳。

地锦 *Euphorbia humifusa* Willd.

| **药 材 名** | 地锦草。

| **形态特征** | 一年生草本。根纤细，长10～18 cm，直径2～3 mm，常不分枝。茎匍匐，自基部以上多分枝，稀先端斜向上伸展，基部常红色或淡红色，长达20（～30）cm，直径1～3 mm，被柔毛或疏柔毛。叶对生，矩圆形或椭圆形，长5～10 mm，宽3～6 mm，先端钝圆，基部偏斜，略渐狭，边缘常于中部以上具细锯齿；叶面绿色，叶背淡绿色，有时淡红色，两面被疏柔毛；叶柄极短，长1～2 mm。花序单生于叶腋，基部具1～3 mm的短柄；总苞陀螺状，高与直径各约1 mm，边缘4裂，裂片三角形；腺体4，矩圆形，边缘具白色或淡红色附属物。雄花数枚，近与总苞边缘等长；雌花1，子房柄

伸出至总苞边缘；子房三棱状卵形，光滑无毛；花柱 3，分离；柱头 2 裂。蒴果三棱状卵球形，长约 2 mm，直径约 2.2 mm，成熟时分裂为 3 分果爿，花柱宿存。种子三棱状卵球形，长约 1.3 mm，直径约 0.9 mm，灰色，每个棱面无横沟，无种阜。花果期 5 ～ 10 月。

| **生境分布** | 生于原野荒地、路旁、田间、沙丘、海滩、山坡等。湖北有分布。

| **采收加工** | **全草**：10 月采收，洗净，晒干或鲜用。

| **功能主治** | 清热解毒，利湿退黄，活血止血。用于痢疾，泄泻，黄疸，咯血，吐血，尿血，便血，崩漏，乳汁不下，跌打肿痛，热毒疮疡。

大戟科 Euphorbiaceae 大戟属 Euphorbia

湖北大戟
Euphorbia hylonoma Hand.-Mazz.

| 药 材 名 | 九牛造、九牛造茎叶。

| 形态特征 | 多年生草本，高 25 ~ 100 cm。根圆锥状，直径达 15 mm。茎直立，无毛或上部有柔毛。叶互生；叶柄极短；叶片倒披针形至狭卵形，长 5.5 ~ 10 cm，宽 1 ~ 2 cm，先端钝圆或微尖，基部楔形，全缘，下面淡绿色，有时被稀毛。杯状聚伞花序顶生或腋生，顶生者有细长伞梗 2 ~ 5，下部有轮生苞叶 3 ~ 5，苞叶倒披针形；腋生者伞梗细长，单生，苞叶 2 ~ 3，菱形或三角状卵形，长 1 ~ 3 cm，宽 0.5 ~ 2 cm；总苞长约 2 mm，4 裂；腺体肾状，长圆形，长约 1 mm；雄花 10 ~ 12，每朵具雄蕊 1；雌花 1，生于雄花中央，子房有短柄，花柱 2 裂。蒴果扁球形，长约 3 mm；种子长 2 mm，平滑，

靠顶部有偏向一侧的种阜。花期 5 ~ 7 月，果期 7 ~ 9 月。

| 生境分布 | 生于海拔 800 ~ 2 800 m 的山坡、山沟或灌丛、草地。湖北有分布。

| 采收加工 | 九牛造：秋季采挖，洗净，晒干。
九牛造茎叶：春、夏季采收，鲜用或晒干。

| 功能主治 | 九牛造：消积除胀，泻下逐水，破瘀定痛。用于食积臌胀，二便不通，跌打损伤。
九牛造茎叶：止血，定痛，生肌。用于外伤出血，无名肿痛。

| 附　　注 | 九牛造反乌头、甘草。孕妇及体弱者禁服。

大戟科 Euphorbiaceae 大戟属 Euphorbia

通奶草 *Euphorbia hypericifolia* L.

| **药 材 名** | 大地锦。

| **形态特征** | 一年生草本。根纤细，长 10 ~ 15 cm，直径 2 ~ 3.5 mm，常不分枝，少数由末端分枝。茎直立，自基部分枝或不分枝，高 15 ~ 30 cm，直径 1 ~ 3 mm，无毛或被少许短柔毛。叶对生，狭长圆形或倒卵形，长 1 ~ 2.5 cm，宽 4 ~ 8 mm，先端钝或圆，基部圆形，通常偏斜，不对称，全缘或基部以上具细锯齿，上面深绿色，下面淡绿色，有时略带紫红色，两面被稀疏的柔毛或上面的毛早脱落；叶柄极短，长 1 ~ 2 mm；托叶三角形，分离或合生；苞叶 2，与茎生叶同形。花序数个簇生于叶腋或枝顶，每个花序基部具纤细的柄，柄长 3 ~ 5 mm；总苞陀螺状，高、直径均约 1 mm 或稍大；边缘 5 裂，

裂片卵状三角形；腺体4，边缘具白色或淡粉色附属物；雄花数枚，微伸出总苞外；雌花1，子房柄长于总苞，子房三棱状，无毛，花柱3，分离，柱头2浅裂。蒴果三棱状，长约1.5 mm，直径约2 mm，无毛，成熟时分裂为3分果片；种子卵棱状，长约1.2 mm，直径约0.8 mm，每个棱面具数个皱纹；无种阜。花果期8～12月。

| 生境分布 | 生于旷野荒地、路旁、灌丛及田间。分布于湖北兴山、江陵、巴东，以及鄂州等。

| 采收加工 | **全草：** 春、夏季采收，鲜用或晒干。

| 功能主治 | 通乳，利尿，清热解毒。用于乳汁不通，水肿，泄泻，痢疾，皮炎，湿疹，烫火伤。

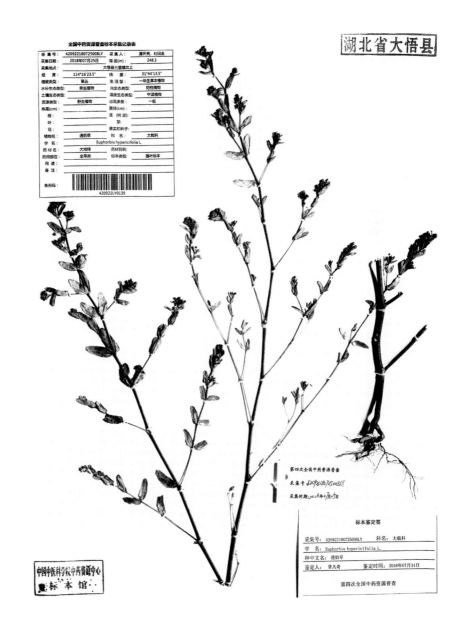

大戟科 Euphorbiaceae 大戟属 Euphorbia

甘遂 *Euphorbia kansui* T. N. Liou ex S. B. Ho

| 药 材 名 | 甘遂。

| 形态特征 | 多年生草本。根圆柱状，长 20 ~ 40 cm，末端呈念珠状膨大，直径 6 ~ 9 mm。茎自基部多分枝或仅有 1 ~ 2 分枝，每个分枝先端分枝 或不分枝，高 20 ~ 29 cm，直径 3 ~ 5 mm。叶互生，线状披针形、 线形或线状椭圆形，变化较大，长 2 ~ 7 cm，宽 4 ~ 5 mm，先端 钝或具短尖头，基部渐狭，全缘；侧脉羽状，不明显或略可见；总 苞叶 3 ~ 6，倒卵状椭圆形，长 1 ~ 2.5 cm，宽 4 ~ 6 mm，先端钝 或尖，基部渐狭；苞叶 2，三角状卵形，长 4 ~ 6 mm，宽 4 ~ 5 mm， 先端圆，基部近平截或略呈宽楔形。花序单生于二叉分枝先端，基 部具短柄；总苞杯状，高、直径均约 3 mm；边缘 4 裂，裂片半圆形，

边缘及内侧具白色柔毛；腺体 4，新月形，两角不明显，暗黄色至浅褐色；雄花多数，明显伸出总苞外；雌花 1，子房柄长 3 ~ 6 mm，子房光滑无毛，花柱 3，2/3 以下合生，花柱宿存，易脱落，柱头 2 裂，不明显。蒴果三棱状球形，长、直径均 3.5 ~ 4.5 mm；成熟时分裂为 3 分果爿；种子长球状，长约 2.5 mm，直径约 2 mm，灰褐色至浅褐色；种阜盾状，无柄。花期 4 ~ 6 月，果期 6 ~ 8 月。

| 生境分布 |　生于荒坡、沙地、田边、低山坡、路旁等。分布于湖北京山。

| 采收加工 |　**块根：**春季开花前或秋季苗枯后采挖根部，除去泥土，将根放入竹筐里，将竹筐放至流水河渠内，筐内放入碎瓦块或煤渣，用木棒搅拌，洗净外皮，晒干；或用硫黄熏后晒干。

| 功能主治 |　泄水逐饮，消肿散结。用于水肿胀满，胸腹积水，痰饮积聚，气逆咳喘，二便不利，风痰癫痫，痈肿疮毒。

大戟科 Euphorbiaceae 大戟属 Euphorbia

续随子 *Euphorbia lathylris* L.

| **药 材 名** | 千金子、续随子茎中白汁、续随子叶。

| **形态特征** | 二年生草本,全株无毛。根柱状,长 20 cm 以上,直径 3 ~ 7 mm,侧根多而细。茎直立,基部单一,略带紫红色,顶部二叉分枝,灰绿色,高可达 1 m。叶交互对生,于茎下部密集,于茎上部稀疏,线状披针形,长 6 ~ 10 cm,宽 4 ~ 7 mm,先端渐尖或尖,基部半抱茎,全缘;侧脉不明显;无叶柄;总苞叶、茎叶均为 2,卵状长三角形,长 3 ~ 8 cm,宽 2 ~ 4 cm,先端渐尖或急尖,基部近平截或半抱茎,全缘,无柄。花序单生,近钟状,高约 4 mm,直径 3 ~ 5 mm,边缘 5 裂,裂片三角状长圆形,边缘浅波状;腺体 4,新月形,两端具短角,暗褐色;雄花多数,伸出总苞边缘;雌花 1,子

房柄几与总苞近等长；子房光滑无毛，直径 3 ~ 6 mm，花柱细长，3，分离，花柱早落，柱头 2 裂。蒴果三棱状球形，长、直径均约 1 cm，光滑无毛，成熟时不开裂；种子柱状至卵球状，长 6 ~ 8 mm，直径 4.5 ~ 6 mm，褐色或灰褐色，无皱纹，具黑褐色斑点；种阜无柄，极易脱落。花期 4 ~ 7 月，果期 6 ~ 9 月。

| 生境分布 | 生于向阳山坡。湖北有分布。

| 采收加工 | 千金子：夏、秋季果实成熟时采收，除去杂质，干燥。

续随子茎中白汁：夏、秋季折断茎部，取汁液。

续随子叶：随用随采。

| 功能主治 | 千金子：泻下逐水，破血消癥。用于二便不通，水肿痰饮，积滞胀满，血瘀经闭；外用于顽癣，赘疣，癣蚀疣。

续随子茎中白汁：祛斑，解毒。用于白癜风，蛇咬伤。

续随子叶：祛斑，解毒。用于白癜风，面奸，蝎蜇。

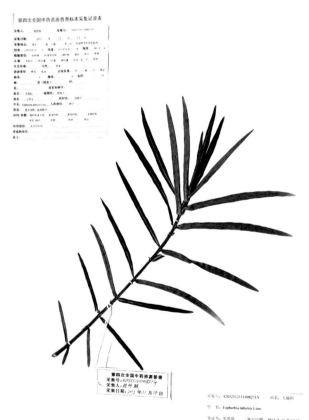

大戟科 Euphorbiaceae 大戟属 Euphorbia

斑地锦 *Euphorbia maculata* L.

| 药 材 名 |

地锦草。

| 形态特征 |

一年生草本。根纤细，长 4 ~ 7 cm，直径约 2 mm。茎匍匐，长 10 ~ 17 cm，直径约 1 mm，被白色疏柔毛。叶对生，长椭圆形至肾状长圆形，长 6 ~ 12 mm，宽 2 ~ 4 mm，先端钝，基部偏斜，不对称，略呈渐圆形，边缘中部以下全缘，中部以上常具细小疏锯齿；叶面绿色，中部常具有 1 长圆形的紫色斑点，叶背淡绿色或灰绿色，新鲜时可见紫色斑，干时不清楚，两面无毛；叶柄极短，长约 1 mm；托叶钻状，不分裂，边缘具睫毛。花序单生于叶腋，基部具短柄，梗长 1 ~ 2 mm；总苞狭杯状，高 0.7 ~ 1 mm，直径约 0.5 mm，外部具白色疏柔毛，边缘 5 裂，裂片三角状圆形；腺体 4，黄绿色，横椭圆形，边缘具白色附属物；雄花 4 ~ 5，微伸出总苞外；雌花 1，子房柄伸出总苞外，且被柔毛，子房被疏柔毛；花柱短，近基部合生；柱头 2 裂。蒴果三角状卵形，长约 2 mm，直径约 2 mm，被稀疏柔毛，成熟时易分裂为 3 分果爿；种子卵状四棱形，长约 1 mm，直径约 0.7 mm，灰色或灰棕色，每个棱面具 5 横沟；无种阜。花果期 4 ~ 9 月。

| 生境分布 | 生于平原或低山坡的路旁。湖北有分布。

| 采收加工 | **全草：** 10 月采收，洗净，晒干或鲜用。

| 功能主治 | 清热解毒，利湿退黄，活血止血。用于痢疾，泄泻，黄疸，咯血，吐血，尿血，便血，崩漏，乳汁不下，跌打肿痛，热毒疮疡。

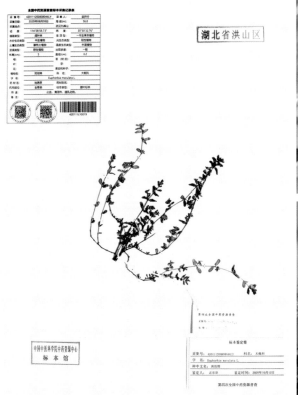

大戟科 Euphorbiaceae 大戟属 Euphorbia

大戟
Euphorbia pekinensis Rupr.

| 药 材 名 | 京大戟。

| 形态特征 | 多年生草本，全株含乳汁。茎直立，被白色短柔毛，上部分枝。叶互生，长圆状披针形至披针形，长3～8 cm，宽5～13 mm，全缘。伞形聚伞花序顶生，通常有5伞梗，腋生者多只有1伞梗，伞梗顶生1杯状聚伞花序，其基部轮生卵形或卵状披针形苞片5，杯状聚伞花序总苞坛形，先端4裂，腺体椭圆形；雄花多数，雄蕊1；雌花1，子房球形，3室，花柱3，先端2浅裂。蒴果三棱状球形，表面有疣状突起。花期4～5月，果期6～7月。

| 生境分布 | 生于山坡林下或路旁。湖北有分布。

| **采收加工** | 根：秋、冬季采挖，洗净，晒干。

| **功能主治** | 泻水逐饮。用于水肿胀满，胸腹积水，痰饮积聚，气逆喘咳，二便不利。

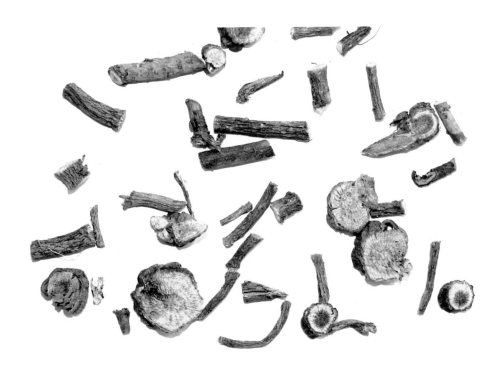

钩腺大戟

Euphorbia sieboldiana Morr. et Decne.

| 药 材 名 | 钩腺大戟。

| 形态特征 | 多年生草本。根茎较粗壮，基部具不定根，长 10 ~ 20 cm，直径 4 ~ 15 mm。茎单一或自基部多分枝，每个分枝向上再分枝，高 40 ~ 70 cm，直径 4 ~ 7 mm。叶互生，椭圆形、倒卵状披针形、长椭圆形，形状变异较大，长 2 ~ 5（~ 6）cm，宽 5 ~ 15 mm，先端钝、尖或渐尖，基部渐狭或呈狭楔形，全缘；侧脉羽状；叶柄极短或无；总苞叶 3 ~ 5，椭圆形或卵状椭圆形，长 1.5 ~ 2.5 cm，宽 4 ~ 8 mm，先端钝尖，基部近平截；伞幅 3 ~ 5，长 2 ~ 4 cm；苞叶 2，常呈肾状圆形，少为卵状三角形或半圆形，形状变异较大，长 8 ~ 14 mm，宽 8 ~ 16 mm，先端圆或略凸尖，基部近平截、微凹或近圆形。花

序单生于二叉分枝的先端，基部无梗；总苞杯状，高 3 ~ 4 mm，直径 3 ~ 5 mm，
边缘 4 裂，裂片三角形或卵状三角形，内侧具短柔毛或毛极少，腺体 4，新月
形，两端具角，角尖钝或长刺芒状，变化极不稳定，以黄褐色为主，少有褐色、
淡黄色或黄绿色；雄花多数，伸出总苞之外；雌花 1，子房柄伸出总苞边缘，
子房光滑无毛，花柱 3，分离，柱头 2 裂。蒴果三棱状球形，长 3.5 ~ 4 mm，
直径 4 ~ 5 mm，光滑，成熟时分裂为 3 分果爿；花柱宿存，且易脱落；种子近
长球状，长约 2.5 mm，直径约 1.5 mm，灰褐色，具不明显的纹饰；种阜无柄。
花果期 4 ~ 9 月。

| 生境分布 | 生于海拔 3 000 m 以下的田间、灌丛、林下、林缘、山坡、草地。分布于湖北武昌、
兴山，以及十堰。

| 功能主治 | 泻下，利尿。外用于疥疮。

| 附　　注 | 本种是国产大戟属中变异幅度较大的种之一，主要体现在叶的形态和腺体两角
的尖锐程度。经过大量的标本鉴定，本种的识别特征是粗大的根茎和不定根、
总苞叶、果实及种子。

大戟科 Euphorbiaceae 大戟属 Euphorbia

黄苞大戟
Euphorbia sikkimensis Boiss.

| **药 材 名** | 黄苞大戟。

| **形态特征** | 多年生草本。根圆柱状，长 20 ~ 40 cm，直径 3 ~ 5 mm。茎单一或丛生，上部分枝或极少分枝，高 20 ~ 80 cm，直径 3 ~ 4 mm。全株无毛。叶互生，长椭圆形，长 6 ~ 10 cm，宽 1 ~ 2 cm，先端钝圆，基部极狭，全缘；主脉于叶两面明显，侧脉不达边缘；叶柄极短或近无；总苞叶常为 5，长椭圆形至卵状椭圆形，长 4 ~ 7 cm，宽 8 ~ 12 mm，先端钝圆，基部近圆形或三角状圆形，黄色；次级总苞叶常 3，卵形，长 1 ~ 2 cm，宽 6 ~ 10 mm，先端圆，基部近平截，黄色；苞叶 2，卵形，长 1 ~ 1.3 cm，宽 1 ~ 1.2 cm，先端圆，基部圆，黄色。花序单生于分枝先端，基部具短梗，梗长 2 ~ 3 mm；

总苞钟状，高与直径均约 3.5 mm，边缘 4 裂，裂片半圆形，内侧具白色柔毛；腺体 4，半圆形，褐色；雄花多数，微伸出总苞外；雌花 1，子房柄明显伸出总苞外，子房光滑无毛，花柱 3，分离，柱头 2 裂。蒴果球状，长与直径均约 5 mm；花柱早落；种子卵球状，长约 3 mm，直径约 2 mm，灰色或深灰色，腹面具白色纹饰；种阜盾状，黄色或淡黄色，无柄。花期 4～7 月，果期 6～9 月。

| 生境分布 | 生于海拔 600～3 100 m 的山坡、疏林下或灌丛中。湖北有分布。

| 功能主治 | 泻水，清热，解毒。

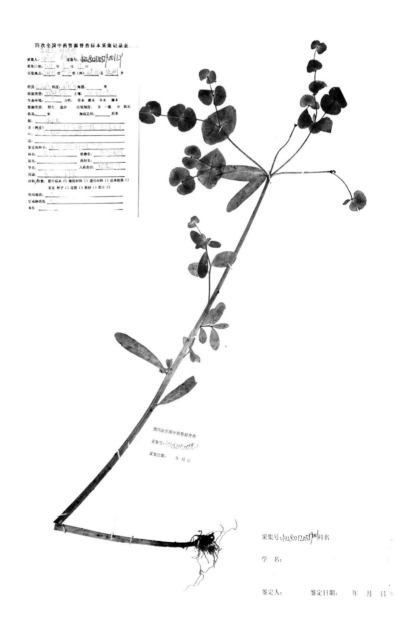

大戟科 Euphorbiaceae 大戟属 Euphorbia

千根草
Euphorbia thymifolia L.

| 药 材 名 |

小飞羊草。

| 形态特征 |

一年生草本。根纤细，长约 10 cm，具多数不定根。茎纤细，常呈匍匐状，自基部极多分枝，长 10 ~ 20 cm，直径仅 1 ~ 2（~ 3）mm，被稀疏柔毛。叶对生，椭圆形、长圆形或倒卵形，长 4 ~ 8 mm，宽 2 ~ 5 mm，先端圆，基部偏斜，不对称，呈圆形或近心形，边缘有细锯齿，稀全缘，两面常被稀疏柔毛，稀无毛；叶柄极短，长约 1 mm；托叶披针形或线形，长 1 ~ 1.5 mm，易脱落。花序单生或数个簇生于叶腋，具短梗，梗长 1 ~ 2 mm，被稀疏柔毛；总苞狭钟状至陀螺状，高约 1 mm，直径约 1 mm，外部被稀疏的短柔毛，边缘 5 裂，裂片卵形；腺体 4，被白色附属物；雄花少数，微伸出总苞边缘；雌花 1，子房柄极短，子房被贴伏的短柔毛，花柱 3，分离，柱头 2 裂。蒴果卵状三棱形，长约 1.5 mm，直径 1.3 ~ 1.5 mm，被贴伏的短柔毛，成熟时分裂为 3 分果爿；种子长卵状四棱形，长约 0.7 mm，直径约 0.5 mm，暗红色，每个棱面具 4 ~ 5 横沟；无种阜。花果期 6 ~ 11 月。

| **生境分布** | 生于路旁、屋旁、草丛、稀疏灌丛等。分布于湖北武汉，以及兴山等地。

| **采收加工** | 夏、秋季间采收，晒干或鲜用。

| **功能主治** | 清热祛湿，收敛止痒。用于痢疾，泄泻，疟疾，痈疮，湿疹。

大戟科 Euphorbiaceae **白饭树属** Flueggea

一叶萩

Flueggea suffruticosa (Pall.) Baill.

| **药 材 名** | 一叶萩。

| **形态特征** | 灌木。高 1 ~ 3 m。多分枝；小枝浅绿色，近圆柱形，有棱槽，具
不明显的皮孔。全株无毛。叶片纸质，椭圆形或长椭圆形，稀倒卵
形，长 1.5 ~ 8 cm，宽 1 ~ 3 cm，先端急尖至钝，基部钝至楔形，
全缘或间中有不整齐的波状齿或细锯齿，下面浅绿色；侧脉每边
5 ~ 8，两面凸起，网脉略明显；叶柄长 2 ~ 8 mm；托叶卵状披针
形，长 1 mm，宿存。花小，雌雄异株，簇生于叶腋；雄花 3 ~ 18
簇生；花梗长 2.5 ~ 5.5 mm；萼片通常 5，椭圆形、卵形或近圆形，
长 1 ~ 1.5 mm，宽 0.5 ~ 1.5 mm，全缘或具不明显的细齿；雄蕊
5，花丝长 1 ~ 2.2 mm，花药卵圆形，长 0.5 ~ 1 mm；花盘腺体 5；

退化雌蕊圆柱形，高 0.6 ~ 1 mm，先端 2 ~ 3 裂；雌花花梗长 2 ~ 15 mm；萼片 5，椭圆形至卵形，长 1 ~ 1.5 mm，近全缘，背部呈龙骨状凸起；花盘盘状，全缘或近全缘；子房卵圆形，（2 ~ ）3 室，花柱 3，长 1 ~ 1.8 mm，分离或基部合生，直立或外弯。蒴果三棱状扁球形，直径约 5 mm，成熟时淡红褐色，有网纹，3 片裂；果柄长 2 ~ 15 mm，基部常有宿存的萼片；种子卵形而一侧扁压状，长约 3 mm，褐色，有小疣状突起。花期 3 ~ 8 月，果期 6 ~ 11 月。

| 生境分布 | 生于海拔 1 400 m 以下的山坡灌丛中。分布于湖北巴东、神农架、郧西、武昌、罗田，以及宜昌。

| 采收加工 | **嫩枝叶：** 春末至秋末均可采收，割取连叶的绿色嫩枝，扎成小把，阴干。
根： 全年均可采挖，除去泥沙，洗净，切片晒干。

| 功能主治 | 祛风活血，益肾强筋。用于风湿腰痛，四肢麻木，阳痿，疳积，面神经麻痹，小儿麻痹症后遗症。

大戟科 Euphorbiaceae 算盘子属 Glochidion

革叶算盘子

Glochidion daltonii (Müll. Arg.) Kurz

| 药 材 名 | 蚂蚁上树。

| 形态特征 | 灌木或乔木。高 3 ~ 10 m。枝条具棱，干后褐色；小枝细，开展；除叶柄和子房外，全株均无毛。叶片纸质或近革质，披针形或椭圆形，有时呈镰状，长 3 ~ 12 cm，宽 1.5 ~ 3 cm，先端渐尖或短渐尖，基部宽楔形，上面灰绿色，下面灰白色；侧脉每边 5 ~ 7，下面凸起；叶柄长 2 ~ 4 mm，初时被微毛，后变无毛；托叶三角形，长约 1 mm。花簇生于叶腋内，基部有 2 苞片；雌花生于小枝上部，雄花生于小枝下部；雄花花梗长 5 ~ 8 mm；萼片 6，长圆形或卵状长圆形，长 2.5 ~ 3 mm，宽约 1 mm，先端钝；雄蕊 3；雌花几无花梗；萼片 6，与雄花的相同；子房扁球状，初时被微毛，后变无毛，

4 ~ 6 室，花柱合生成明显的棍棒状，先端 3 ~ 6 裂。蒴果扁球状，直径 1 ~ 1.5 cm，干后褐色，具 4 ~ 6 纵沟，基部有宿存的萼片；果柄长约 2 mm。花期 3 ~ 5 月，果期 4 ~ 10 月。

| 生境分布 | 生于海拔 200 ~ 1 700 m 的山地疏林中或山坡灌丛中。湖北有分布。

| 采收加工 | 夏、秋季果实成熟时采摘，除尽果柄及杂质，晒干。

| 功能主治 | 止咳。用于咳嗽。

毛果算盘子

Glochidion eriocarpum Champ. ex Benth.

| 药 材 名 |

漆大姑、漆大姑根。

| 形态特征 |

灌木。高达 5 m。小枝密被淡黄色、扩展的长柔毛。叶片纸质，卵形、狭卵形或宽卵形，长 4 ~ 8 cm，宽 1.5 ~ 3.5 cm，先端渐尖或急尖，基部钝、截形或圆形，两面均被长柔毛，下面的毛被较密；侧脉每边 4 ~ 5；叶柄长 1 ~ 2 mm，被柔毛；托叶钻状，长 3 ~ 4 mm。花单生或 2 ~ 4 簇生于叶腋内；雌花生于小枝上部，雄花则生于下部；雄花花梗长 4 ~ 6 mm；萼片 6，长倒卵形，长 2.5 ~ 4 mm，先端急尖，外面被疏柔毛；雄蕊 3；雌花几无花梗；萼片 6，长圆形，长 2.5 ~ 3 mm，其中 3 萼片较狭，两面均被长柔毛；子房扁球状，密被柔毛，4 ~ 5 室，花柱合生成圆柱状，直立，长约 1.5 mm，先端 4 ~ 5 裂。蒴果扁球状，直径 8 ~ 10 mm，具 4 ~ 5 纵沟，密被长柔毛，先端具圆柱状稍伸长的宿存花柱。花果期几全年。

| 生境分布 |

生于海拔 130 ~ 1 600 m 的山坡、山谷灌丛中或林缘。湖北有分布。

| 采收加工 | **漆大姑：**夏、秋季采收，鲜用或晒干。
漆大姑根：全年均可采挖，洗净，晒干。

| 功能主治 | **漆大姑：**清热解毒，祛湿止痒。用于生漆过敏，稻田性皮炎，皮肤瘙痒，荨麻疹，湿疹，烧伤，乳腺炎，急性胃肠炎，痢疾。
漆大姑根：清热解毒，祛湿止痒。用于肠炎，痢疾，牙痛，咽喉痛，乳腺炎，湿疹，烧伤，带下。

算盘子 *Glochidion puberum* (L.) Hutch.

| 药 材 名 |

算盘子、算盘子根、算盘子叶。

| 形态特征 |

直立灌木。高 1 ~ 5 m。多分枝；小枝灰褐色；小枝、叶片下面、萼片外面、子房和果实均密被短柔毛。叶片纸质或近革质，长圆形、长卵形或倒卵状长圆形，稀披针形，长 3 ~ 8 cm，宽 1 ~ 2.5 cm，先端钝、急尖、短渐尖或圆，基部楔形至钝，上面灰绿色，仅中脉被疏短柔毛或几无毛，下面粉绿色；侧脉每边 5 ~ 7，下面凸起，网脉明显；叶柄长 1 ~ 3 mm；托叶三角形，长约 1 mm。花小，雌雄同株或异株，2 ~ 5 簇生于叶腋内，雄花束常着生于小枝下部，雌花束则在上部，或雌花和雄花同生于一叶腋内；雄花花梗长 4 ~ 15 mm；萼片 6，狭长圆形或长圆状倒卵形，长 2.5 ~ 3.5 mm；雄蕊 3，合生成圆柱状；雌花花梗长约 1 mm；萼片 6，与雄花的相似，但较短而厚；子房圆球状，5 ~ 10 室，每室有 2 胚珠，花柱合生成环状，长、宽与子房几相等，与子房接连处缢缩。蒴果扁球状，直径 8 ~ 15 mm，边缘有 8 ~ 10 纵沟，成熟时带红色，先端具环状而稍伸长的宿存花柱；种子近肾形，具三棱，长约

4 mm，朱红色。花期 4 ~ 8 月，果期 7 ~ 11 月。

| 生境分布 | 生于海拔 300 ~ 2 200 m 的山坡、溪旁灌丛中或林缘。湖北有分布。

| 采收加工 | **果实：**秋季采摘，拣净杂质，晒干。

根：全年均可采挖，洗净，鲜用或晒干。

叶：夏、秋季采收，鲜用或晒干。

| 功能主治 | **果实：**清热除湿，解毒利咽，行气活血。用于痢疾，泄泻，黄疸，疟疾，淋浊，带下，咽喉肿痛，牙痛，疝痛，产后腹痛。

根：清热，利湿，行气，活血，解毒消肿。用于感冒发热，咽喉肿痛，咳嗽，牙痛，湿热泻痢，黄疸，淋浊，带下，风湿痹痛，腰痛，疝气，痛经，闭经，跌打损伤，痈肿，瘰疬，蛇虫咬伤。

叶：清热利湿，解毒消肿。用于湿热泻痢，黄疸，淋浊，带下，发热，咽喉肿痛，痈疮疖肿，漆疮，湿疹，蛇虫咬伤。

大戟科 | Euphorbiaceae | 算盘子属 | *Glochidion*

湖北算盘子

Glochidion wilsonii Hutch

| 药 材 名 | 馒头果。

| 形态特征 | 灌木。高 1 ~ 4 m。枝条具棱，灰褐色；小枝直而开展。除叶柄外，全株均无毛。叶片纸质，披针形或斜披针形，长 3 ~ 10 cm，宽 1.5 ~ 4 cm，先端短渐尖或急尖，基部钝或宽楔形，上面绿色，下面带灰白色；中脉两面凸起，侧脉每边 5 ~ 6，下面凸起；叶柄长 3 ~ 5 mm，被极细柔毛或几无毛；托叶卵状披针形，长 2 ~ 2.5 mm。花绿色，雌雄同株，簇生于叶腋内，雌花生于小枝上部，雄花生于小枝下部；雄花花梗长约 8 mm；萼片 6，长圆形或倒卵形，长 2.5 ~ 3 mm，宽约 1 mm，先端钝，边缘薄膜质；雄蕊 3，合生；雌花花梗短；萼片与雄花的相同；子房圆球状，6 ~ 8 室，花柱合生

成圆柱状，先端多裂。蒴果扁球状，直径约 1.5 cm，边缘有 6 ～ 8 纵沟，基部常有宿存的萼片；种子近三棱形，红色，有光泽。花期 4 ～ 7 月，果期 6 ～ 9 月。

| **生境分布** | 生于海拔 600 ～ 1 600 m 的山地灌丛中。湖北有分布。

| **采收加工** | 叶：夏、秋季采摘，去柄，拣净，鲜用或晒干。

| **功能主治** | 清热利湿，消滞散瘀，解毒消肿。用于湿热泻痢，咽喉肿痛，疮疖肿痛，蛇虫咬伤，跌打损伤。

大戟科 Euphorbiaceae 雀舌木属 Leptopus

雀儿舌头

Leptopus chinensis (Bunge) Pojark.

| 药材名 |

雀儿舌头。

| 形态特征 |

直立灌木，高达 3 m。茎上部和小枝条具棱；除枝条、叶片、叶柄和萼片在幼时均被疏短柔毛外，其余无毛。叶片膜质至薄纸质，卵形、近圆形、椭圆形或披针形，长 1 ~ 5 cm，宽 0.4 ~ 2.5 cm，先端钝或急尖，基部圆形或宽楔形，叶面深绿色，叶背浅绿色；侧脉每边 4 ~ 6，在叶面扁平，在叶背微凸起；叶柄长 2 ~ 8 mm；托叶小，卵状三角形，边缘被睫毛。花小，雌雄同株，单生或 2 ~ 4 花簇生于叶腋；萼片、花瓣和雄蕊均为 5；雄花花梗丝状，长 6 ~ 10 mm；萼片卵形或宽卵形，长 2 ~ 4 mm，宽 1 ~ 3 mm，浅绿色，膜质，具有脉纹；花瓣白色，匙形，长 1 ~ 1.5 mm，膜质；花盘腺体 5，分离，先端 2 深裂；雄蕊离生，花丝丝状，花药卵圆形；雌花花梗长 1.5 ~ 2.5 cm；花瓣倒卵形，长 1.5 mm，宽 0.7 mm；萼片与雄花的相同；花盘环状，10 裂至中部，裂片长圆形；子房近球形，3 室，每室有胚珠 2，花柱 3，2 深裂。蒴果圆球形或扁球形，直径 6 ~ 8 mm，基部有宿存的萼片；果柄长 2 ~ 3 cm。花期 2 ~ 8 月，果期 6 ~ 10 月。

| **生境分布** | 生于海拔 500 ~ 1 000 m 的山地灌丛、林缘、路旁、岩崖或石缝中。湖北有分布。

| **功能主治** | **枝**：用于全身瘫痪。

根：理气止痛。用于胃病，腹痛。

大戟科 Euphorbiaceae 野桐属 Mallotus

白背叶

Mallotus apelta (Lour.) Müll. Arg.

| 药 材 名 | 白背叶、白背叶根。

| 形态特征 | 灌木或小乔木。高 1 ～ 3（～ 4）m。小枝、叶柄和花序均密被淡黄色星状柔毛和散生橙黄色颗粒状腺体。叶互生，卵形或阔卵形，稀心形，长和宽均为 6 ～ 16（～ 25）cm，先端急尖或渐尖，基部平截或稍心形，边缘具疏齿，上面干后黄绿色或暗绿色，无毛或被疏毛，下面被灰白色星状绒毛，散生橙黄色颗粒状腺体；基出脉 5，最下 1 对常不明显，侧脉 6 ～ 7 对；基部近叶柄处有褐色斑状腺体 2；叶柄长 5 ～ 15 cm。花雌雄异株；雄花序为开展的圆锥花序或穗状，长 15 ～ 30 cm，苞片卵形，长约 1.5 mm，雄花多朵簇生于苞腋；雄花花梗长 1 ～ 2.5 mm；花蕾卵形或球形，长约 2.5 mm；花萼裂片 4，

卵形或卵状三角形，长约 3 mm，外面密生淡黄色星状毛，内面散生颗粒状腺体；雄蕊 50 ~ 75，长约 3 mm；雌花序穗状，长 15 ~ 30 cm，稀有分枝，花序梗长 5 ~ 15 cm，苞片近三角形，长约 2 mm；雌花花梗极短；花萼裂片 3 ~ 5，卵形或近三角形，长 2.5 ~ 3 mm，外面密生灰白色星状毛和颗粒状腺体；花柱 3 ~ 4，长约 3 mm，基部合生，柱头密生羽毛状突起。蒴果近球形，密生被灰白色星状毛的软刺，软刺线形，黄褐色或浅黄色，长 5 ~ 10 mm；种子近球形，直径约 3.5 mm，褐色或黑色，具皱纹。花期 6 ~ 9 月，果期 8 ~ 11 月。

| 生境分布 | 生于海拔 30 ~ 1 000 m 的山坡或山谷灌丛中。分布于湖北大冶、竹溪，以及武汉等地。

| 采收加工 | 叶：全年均可采收，鲜用或晒干。

根：夏、秋季采收，洗净，鲜用或切片晒干。

| 功能主治 | 叶：清热，解毒，祛湿，止血。用于蜂窝织炎，化脓性中耳炎，鹅口疮，湿疹，跌打损伤，外伤出血。

根：清热，祛湿，收涩，消瘀。用于肝炎，肠炎，淋浊，带下，脱肛，子宫脱垂，肝脾大，跌打扭伤。

大戟科 Euphorbiaceae 野桐属 Mallotus

野梧桐
Mallotus japonicus (Thunb.) Müll. Arg.

| 药 材 名 |

野梧桐。

| 形态特征 |

小乔木或灌木。高 2 ~ 4 m。树皮褐色。嫩枝具纵棱，枝、叶柄和花序轴均密被褐色星状毛。叶互生，稀小枝上部近对生，纸质，形状多变，卵形、卵圆形、卵状三角形、肾形或横长圆形，长 5 ~ 17 cm，宽 3 ~ 11 cm，先端急尖、凸尖或急渐尖，基部圆形、楔形，稀心形，全缘，不分裂或上部每侧具 1 裂片或粗齿，上面无毛，下面仅叶脉疏被星状毛或无毛，散生橙红色腺点；基出脉 3；侧脉 5 ~ 7 对，近叶柄具黑色圆形腺体 2；叶柄长 5 ~ 17 mm。花雌雄异株，花序总状或下部常具 3 ~ 5 分枝，长 8 ~ 20 cm；苞片钻形，长 3 ~ 4 mm；雄花在每苞片内 3 ~ 5，花蕾球形，先端急尖，花梗长 3 ~ 5 mm，花萼裂片 3 ~ 4，卵形，长约 3 mm，外面密被星状毛和腺点，雄蕊 25 ~ 75，药隔稍宽；雌花序长 8 ~ 15 cm，开展；苞片披针形，长约 4 mm；雌花在每苞片内 1；花梗长约 1 mm，密被星状毛；花萼裂片 4 ~ 5，披针形，长 2.5 ~ 3 mm，先端急尖，外面密被星状绒毛；子房近球形，三棱状，花柱

3 ～ 4，中部以下合生，柱头长约 4 mm，具疣状突起且密被星状毛。蒴果近扁球形或钝三棱形，直径 8 ～ 10 mm，密被有星状毛的软刺和红色腺点；种子近球形，直径约 5 mm，褐色或暗褐色，具皱纹。花期 4 ～ 6 月，果期 7 ～ 8 月。

| 生境分布 | 生于海拔 320 ～ 600 m 的林中。分布于湖北房县、兴山，以及宜昌等地。

| 采收加工 | **树皮、根、叶**：全年均可采收，鲜用或晒干。

| 功能主治 | 清热解毒，收敛止血。用于复合性胃和十二指肠溃疡，肝炎，尿血，带下，疮疡，外伤出血。

野桐

Mallotus nepalensis Müll. Arg.

| 药 材 名 |　野桐。

| 形态特征 |　灌木或小乔木。高 1.5 ~ 7 m。幼枝灰褐色，被星状绒毛，二年生枝带紫黑色，无毛。单叶互生；叶柄长 2.5 ~ 13 cm，被褐色星状毛；叶阔卵形或宽三角状圆形，长与宽均为 6 ~ 12 cm，先端短尖或渐尖，基部截形或心形，近叶柄处有腺体 2，全缘或不规则 3 浅裂，有钝齿，上面绿色，幼时被稀疏灰白色星状柔毛，老时几无毛，下面浅绿色，疏被星状粗毛，叶脉凸起。总状花序顶生，短而不分枝，长约 7 cm，密被褐色绒毛；单性异株；花小，无花瓣；雄花具短花梗，花萼 3 裂，雄蕊多数，伸出；雌花花萼 3，披针形，具星状毛，子房 3 室，有短柔毛，花柱 3。蒴果球形，直径约 1 cm，有 3 浅棱，

表面具疏长软刺，被黄褐色星状毛，有种子 3；种子近圆形，黑色，有光泽。花期 5 ~ 7 月，果期 8 ~ 10 月。

| 生境分布 | 生于山坡、丘陵、路旁灌丛中。湖北有分布。

| 采收加工 | **根或根皮、茎皮：** 全年均可采收，洗净泥土，鲜用或晒干。

| 功能主治 | 清热祛湿，收敛固涩，消瘀止痛。用于泄泻，赤白痢，脱肛，子宫脱垂，慢性肝炎，肝脾大，跌打扭伤，产后腰腹疼痛，外伤出血。

粗糠柴
Mallotus philippensis (Lam.) Müll. Arg. var. *philippensis*

| 药 材 名 | 吕宋楸毛、粗糠柴根、粗糠柴叶。

| 形态特征 | 小乔木或灌木，高 2 ~ 18 m。小枝、嫩叶和花序均密被黄褐色短星状柔毛。叶互生或小枝顶部的叶对生，近革质，卵形、长圆形或卵状披针形，长 5 ~ 18（~ 22）cm，宽 3 ~ 6 cm，先端渐尖，基部圆形或楔形，边近全缘，上面无毛，下面被灰黄色星状短绒毛，叶脉上具长柔毛，散生红色颗粒状腺体；基出脉 3，侧脉 4 ~ 6 对；近基部有褐色斑状腺体 2 ~ 4；叶柄长 2 ~ 5（~ 9）cm，两端稍增粗，被星状毛。花雌雄异株，花序总状，顶生或腋生，单生或数花簇生；雄花序长 5 ~ 10 cm，苞片卵形，长约 1 mm，雄花 1 ~ 5 簇生于苞腋，花梗长 1 ~ 2 mm；雄花花萼裂片 3 ~ 4，长圆形，长约 2 mm，密

被星状毛，具红色颗粒状腺体；雄蕊 15 ~ 30，药隔稍宽。雌花序长 3 ~ 8 cm，果序长达 16 cm，苞片卵形，长约 1 mm；雌花花梗长 1 ~ 2 mm；花萼裂片 3 ~ 5，卵状披针形，外面密被星状毛，长约 3 mm；子房被毛，花柱 2 ~ 3，长 3 ~ 4 mm，柱头密生羽毛状突起。蒴果扁球形，直径 6 ~ 8 mm，具 2（~ 3）分果爿，密被红色颗粒状腺体和粉末状毛；种子卵形或球形，黑色，具光泽。花期 4 ~ 5 月，果期 5 ~ 8 月。

| 生境分布 | 生于海拔 300 ~ 1 600 m 的灌丛、杂木林及林缘、路边。湖北有分布。

| 采收加工 | **吕宋楸毛：** 果实充分成熟时采摘，放入布袋中，摩擦搓揉抖振，擦落毛茸，拣去果实，收集毛茸，干燥即可。

粗糠柴根： 全年均可采收，洗净，切片，晒干。

粗糠柴叶： 全年均可采收，鲜用或晒干。

| 功能主治 | **吕宋楸毛：** 驱虫缓泻。用于绦虫病，蛔虫病，蛲虫病。

粗糠柴根： 清热祛湿，解毒消肿。用于湿热痢疾，咽喉肿痛。

粗糠柴叶： 清热祛湿，止血，生肌。用于湿热吐泻，风湿痹痛，外伤出血，疮疡，烫火伤。

大戟科 Euphorbiaceae 野桐属 Mallotus

石岩枫 *Mallotus repandus* (Willd.) Müll. Arg.

| 药 材 名 | 杠香藤。

| 形态特征 | 攀缘状灌木。嫩枝、叶柄、花序和花梗均密生黄色星状柔毛；老枝无毛，常有皮孔。叶互生，纸质或膜质，卵形或椭圆状卵形，长3.5 ~ 8 cm，宽2.5 ~ 5 cm，先端急尖或渐尖，基部楔形或圆形，全缘或波状，嫩叶两面均被星状柔毛，成长叶仅下面叶脉腋部被毛和散生黄色颗粒状腺体；基出脉3，有时稍离基，侧脉4 ~ 5对；叶柄长2 ~ 6 cm。花雌雄异株，总状花序或下部有分枝；雄花序顶生，稀腋生，长5 ~ 15 cm；苞片钻状，长约2 mm，密生星状毛，苞腋有花2 ~ 5；花梗长约4 mm；花萼裂片3 ~ 4，卵状长圆形，长约3 mm，外面被绒毛；雄蕊40 ~ 75，花丝长约2 mm，花药长

圆形，药隔狭；雌花序顶生，长 5 ~ 8 cm；苞片长三角形；花梗长约 3 mm；花萼裂片 5，卵状披针形，长约 3.5 mm，外面被绒毛，具颗粒状腺体；花柱 2（~ 3），柱头长约 3 mm，被星状毛，密生羽毛状突起。蒴果具 2（~ 3）分果爿，直径约 1 cm，密生黄色粉末状毛和颗粒状腺体；种子卵形，直径约 5 mm，黑色，有光泽。花期 3 ~ 5 月，果期 8 ~ 9 月。

| 生境分布 | 生于海拔 250 ~ 300 m 的山地疏林中或林缘。分布于湖北竹溪、丹江口、兴山。

| 功能主治 | 祛风除湿，活血通络，解毒消肿，驱虫止痒。

大戟科 Euphorbiaceae 野桐属 Mallotus

杠香藤

Mallotus repandus (Willd.) Müll. Arg. var. *chrysocarpus* (Pamp.) S. M. Hwang

| 药 材 名 |

杠香藤。

| 形态特征 |

灌木或乔木，有时藤本状。高 4 ～ 10 m。枝柔弱，无毛，红褐色，小枝密被锈色星状绒毛。单叶互生；叶柄长 2 ～ 4 cm，密被黄色星状绒毛；叶片膜质，卵形、长圆形或菱状卵形，长 3.5 ～ 9 cm，宽 2 ～ 7 cm，先端渐尖或急尖，基部圆、平截或稍呈心形，全缘或波状，幼时两面均被黄色星状毛，老时上面无毛而有微点及腺体，下面被毛及黄色透明小腺点；基出脉 3。花单性异株；雄花序为总状或圆锥状，单一或分枝，腋生或顶生，长 5 ～ 15 cm，密被锈色星状毛；花梗长 4 mm，每苞片内有花 1 ～ 5；雄花萼片3 ～ 4 裂，卵状长圆形，密被锈色绒毛；雄蕊 40 ～ 75；雌花序总状，顶生或腋生，不分枝或分枝，较雄花序略短；雌花萼片 3 ～ 5裂；子房球形，被锈色短绒毛及腺点，通常2 ～ 3 室，花柱 3，分离，柱头羽状，3 裂。蒴果球形，通常有 3 分果爿，高约 5 mm，直径 8 ～ 12 mm，被锈色星状短绒毛；种子近球形，腹面稍平，黑色，微有光泽。花期4 ～ 6 月，果期 7 ～ 9 月。

| **生境分布** | 生于路旁、河边及灌丛中。湖北有分布。

| **采收加工** | **根、茎**：全年均可采收，洗净，切片，晒干。

叶：夏、秋季采收，鲜用或晒干。

| **功能主治** | 祛风除湿，活血通络，解毒消肿，驱虫止痒。用于风湿痹痛，腰腿疼痛，口眼歪斜，跌打损伤，痈肿疮疡，绦虫病，湿疹，顽癣，蛇犬咬伤。

| **附　　注** | 大叶石岩枫 *Mallotus repandus* (Willd.) Müll. Arg. var. *megaphyllus* Croiz. 亦作杠香藤药用。

大戟科 Euphorbiaceae 木薯属 Manihot

木薯 *Manihot esculenta* Crantz

| 药 材 名 |

木薯。

| 形态特征 |

直立灌木。高 1.5 ~ 3 m。块根圆柱状。叶纸质，近圆形，长 10 ~ 20 cm，掌状深裂几达基部，裂片 3 ~ 7，倒披针形至狭椭圆形，长 8 ~ 18 cm，宽 1.5 ~ 4 cm，先端渐尖，全缘，侧脉（5 ~ ）7 ~ 15；叶柄长 8 ~ 22 cm，稍盾状着生，具不明显细棱；托叶三角状披针形，长 5 ~ 7 mm，全缘或具 1 ~ 2 刚毛状细裂。圆锥花序顶生或腋生，长 5 ~ 8 cm，苞片条状披针形；花萼带紫红色且有白粉霜；雄花花萼长约 7 mm，裂片长卵形，近等大，长 3 ~ 4 mm，宽 2.5 mm，内面被毛；雄蕊长 6 ~ 7 mm，花药顶部被白色短毛。雌花花萼长约 10 mm，裂片长圆状披针形，长约 8 mm，宽约 3 mm；子房卵形，具 6 纵棱，柱头外弯，折扇状。蒴果椭圆状，长 1.5 ~ 1.8 cm，直径 1 ~ 1.5 cm，表面粗糙，具 6 狭而波状的纵翅；种子长约 1 cm，多少具 3 棱，种皮硬壳质，具斑纹，光滑。花期 9 ~ 11 月。

| **生境分布** | 生于山地疏林中。栽培于庭院间。湖北有栽培。

| **采收加工** | **根**：全年均可采收。

叶：夏、秋季采收，鲜用。

| **功能主治** | 解毒消肿。用于疮疡肿毒，疥癣。

大戟科 Euphorbiaceae 山靛属 Mercurialis

山靛
Mercurialis leiocarpa Sieb. & Zucc.

| 药 材 名 | 山靛。

| 形态特征 | 草本。高 0.3 ~ 1 m。根茎平卧。茎直立，不分枝。叶对生，干后膜质，卵状长圆形或卵状披针形，长 3 ~ 13 cm，宽 2 ~ 5.5 cm，先端渐尖，基部钝或楔形，具疏毛，边缘具浅圆锯齿；叶柄长 1.5 ~ 4.5 cm；托叶披针形，长约 2.5 mm，反折。雌雄同株；雄花序穗状，长 5 ~ 12 cm，无毛，雄花 5 ~ 11 排成团伞花序，在花序轴上稀疏排列，苞片卵形，长 1.5 mm；雌花序总状，长 3 ~ 9 cm，具雌花 3 ~ 5，花梗长 1 ~ 2 mm，雌花两侧常有数朵雄花；雄花花萼裂片 3，卵形，长约 2 mm；雄蕊 12 ~ 20，花丝长约 2 mm。雌花萼片 3，卵形，长约 2 mm；腺体 2，线状，长约 2 mm，花后稍伸长；子房近球形，

直径 1.5 mm，脊线两侧具 2 ～ 4 小瘤或疏生小刚毛，花柱 2，长约 1 mm，近基部合生，开展，具乳头状突起。蒴果双球形，直径 5 ～ 6 mm，分果爿背部具 2 ～ 4 小瘤或短刺；种子球形，直径 2.5 mm，种皮具小孔穴。花期 12 月至翌年 4 月，果期翌年 4 ～ 7 月。

| 生境分布 |　生于海拔 300 ～ 600 m 或 1 300 ～ 2 850 m 的山地密林下或山谷水沟边。湖北有分布。

| 功能主治 |　**全草：**用于发热，腹泻，水肿，黄疸等。

大戟科 Euphorbiaceae 叶下珠属 Phyllanthus

落萼叶下珠

Phyllanthus flexuosus (Sieb. & Zucc.) Müll. Arg.

| 药 材 名 | 落萼叶下珠。

| 形态特征 | 灌木。高达 3 m。枝条弯曲，小枝长 8 ~ 15 cm，褐色；全株无毛。叶片纸质，椭圆形至卵形，长 2 ~ 4.5 cm，宽 1 ~ 2.5 cm，先端渐尖或钝，基部钝至圆，下面稍带白绿色；侧脉每边 5 ~ 7；叶柄长 2 ~ 3 mm；托叶卵状三角形，早落。数朵雄花和 1 雌花簇生于叶腋；雄花花梗短；萼片 5，宽卵形或近圆形，长约 1 mm，暗紫红色；花盘腺体 5；雄蕊 5，花丝分离，花药 2 室，纵裂；花粉粒球形或近球形，具 3 孔沟，沟细长，内孔圆形。雌花直径约 3 mm；花梗长约 1 cm；萼片 6，卵形或椭圆形，长约 1 mm；花盘腺体 6；子房卵圆形，3 室，花柱 3，先端 2 深裂。蒴果浆果状，扁球形，直径约 6 mm，

3 室，每室具 1 种子，基部萼片脱落；种子近三棱形，长约 3 mm。花期 4 ～ 5 月，果期 6 ～ 9 月。

| **生境分布** | 生于海拔 700 ～ 1 500 m 的山地疏林下、沟边、路旁或灌丛中。湖北有分布。

| **采收加工** | **全株**：全年均可采收，鲜用或晒干。

| **功能主治** | 清热解毒，祛风除湿。用于过敏性皮炎，小儿夜啼，蛇咬伤，风湿病。

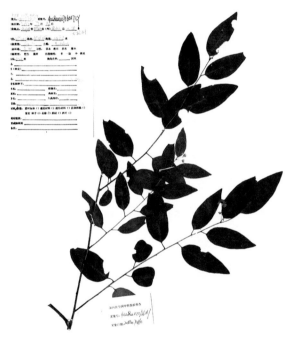

大戟科 Euphorbiaceae 叶下珠属 Phyllanthus

青灰叶下珠 Phyllanthus glaucus Wall. ex Müll. Arg.

| 药 材 名 | 青灰叶下珠。

| 形态特征 | 灌木。高达 4 m。枝条圆柱形，小枝细柔；全株无毛。叶片膜质，椭圆形或长圆形，长 2.5 ~ 5 cm，宽 1.5 ~ 2.5 cm，先端急尖，有小尖头，基部钝至圆，下面稍苍白色；侧脉每边 8 ~ 10；叶柄长 2 ~ 4 mm；托叶卵状披针形，膜质。花直径约 3 mm，数朵簇生于叶腋；花梗丝状，先端稍粗；雄花花梗长约 8 mm；萼片 6，卵形；花盘腺体 6；雄蕊 5，花丝分离，药室纵裂；花粉粒圆球形，具 3 孔沟，沟细长，内孔圆形；通常 1 雌花与数朵雄花同生于叶腋；花梗长约 9 mm；萼片 6，卵形；花盘环状；子房卵圆形，3 室，每室具 2 胚珠，花柱 3，基部合生。蒴果浆果状，直径约 1 cm，紫黑色，基部有宿

存的萼片；种子黄褐色。花期 4 ～ 7 月，果期 7 ～ 10 月。

| **生境分布** | 生于海拔 200 ～ 1 000 m 的山地灌丛中或疏林下。湖北有分布。

| **采收加工** | **根**：夏、秋季采挖，切片，晒干。

| **功能主治** | 祛风除湿，健脾消积。用于风湿痹痛，疳积。

大戟科 Euphorbiaceae 叶下珠属 *Phyllanthus*

叶下珠

Phyllanthus urinaria L.

| 药 材 名 | 叶下珠。

| 形态特征 | 一年生草本。高 10 ~ 60 cm。茎通常直立，基部多分枝，枝倾卧而后上升，具翅状纵棱，上部被 1 纵列疏短柔毛。叶片纸质，因叶柄扭转而呈羽状排列，长圆形或倒卵形，长 4 ~ 10 mm，宽 2 ~ 5 mm，先端圆、钝或急尖而有小尖头，下面灰绿色，近边缘或边缘有 1 ~ 3 列短粗毛；侧脉每边 4 ~ 5，明显；叶柄极短；托叶卵状披针形，长约 1.5 mm。花雌雄同株，直径约 4 mm；雄花 2 ~ 4 簇生于叶腋，通常仅上面 1 花开花，下面的花很小；花梗长约 0.5 mm，基部有苞片 1 ~ 2；萼片 6，倒卵形，长约 0.6 mm，先端钝；雄蕊 3，花丝全部合生成柱状；花粉粒长球形，通常具 5 孔沟，少数具 3、4 或

6 孔沟，内孔横长椭圆形；花盘腺体 6，分离，与萼片互生。雌花单生于小枝中下部的叶腋内；花梗长约 0.5 mm；萼片 6，近相等，卵状披针形，长约 1 mm，边缘膜质，黄白色；花盘圆盘状，全缘；子房卵状，有鳞片状突起，花柱分离，先端 2 裂，裂片弯卷。蒴果圆球状，直径 1 ~ 2 mm，红色，表面具小凸刺，有宿存的花柱和萼片，开裂后轴柱宿存；种子长 1.2 mm，橙黄色。花期 4 ~ 6 月，果期 7 ~ 11 月。

| **生境分布** | 生于海拔 500 m 以下的旷野平地、旱田、山地路旁或林缘。分布于湖北武昌、兴山、秭归，以及宜昌。

| **采收加工** | **全草**：夏、秋季采收，除去杂质，鲜用或晒干。

| **功能主治** | 清热解毒，利水消肿，明目，消积。用于痢疾，泄泻，黄疸，水肿，热淋，石淋，目赤，夜盲症，疳积，痈肿，毒蛇咬伤。

大戟科 Euphorbiaceae 叶下珠属 *Phyllanthus*

蜜甘草
Phyllanthus ussuriensis Rupr. & Maxim.

| 药 材 名 | 蜜甘草。

| 形态特征 | 一年生草本。高达60 cm。茎直立，常基部分枝，枝条细长；小枝具棱。全株无毛。叶片纸质，椭圆形至长圆形，长5～15 mm，宽3～6 mm，先端急尖至钝，基部近圆，下面白绿色；侧脉每边5～6；叶柄极短或几无；托叶卵状披针形。花雌雄同株，单生或数朵簇生于叶腋；花梗长约2 mm，丝状，基部有数枚苞片；雄花萼片4，宽卵形；花盘腺体4，分离，与萼片互生；雄蕊2，花丝分离，药室纵裂；雌花萼片6，长椭圆形，果时反折；花盘腺体6，长圆形；子房卵圆形，3室，花柱3，先端2裂。蒴果扁球状，直径约2.5 mm，平滑；果柄短；种子长约1.2 mm，黄褐色，具褐色疣点。花期4～7月，果

期 7 ~ 10 月。

| **生境分布** | 生于山坡或路旁草地。湖北有分布。

| **采收加工** | **全草**：夏、秋季采收，鲜用或晒干。

| **功能主治** | 清热利湿，清肝明目。用于黄疸，泄泻，水肿，淋病，疳积，目赤肿痛，痔疮，毒蛇咬伤。

大戟科 Euphorbiaceae 叶下珠属 Phyllanthus

黄珠子草 *Phyllanthus virgatus* Forst. f.

| 药 材 名 | 黄珠子草。

| 形态特征 | 一年生草本。通常直立，高达 60 cm。茎基部具窄棱，或有时主茎不明显；枝条通常自茎基部发出，上部扁平而具棱。全株无毛。叶片近革质，线状披针形、长圆形或狭椭圆形，长 5 ~ 25 mm，宽 2 ~ 7 mm，先端钝或急尖，有小尖头，基部圆而稍偏斜；几无叶柄；托叶膜质，卵状三角形，长约 1 mm，褐红色。通常 2 ~ 4 雄花和 1 雌花同簇生于叶腋；雄花直径约 1 mm；花梗长约 2 mm；萼片 6，宽卵形或近圆形，长约 0.5 mm；雄花 3，花丝分离，花药近球形；花粉粒圆球形，直径为 23 μm，具多合沟孔；花盘腺体 6，长圆形；雌花花梗长约 5 mm；花萼 6 深裂，裂片卵状长圆形，长约 1 mm，

紫红色，外折，边缘鞘膜质；花盘圆盘状，不分裂；子房圆球形，3 室，具鳞
片状突起，花柱分离，2 深裂几达基部，反卷。蒴果扁球形，直径 2 ~ 3 mm，
紫红色，有鳞片状突起；果柄丝状，长 5 ~ 12 mm；萼片宿存；种子小，长
0.5 mm，具细疣点。花期 4 ~ 5 月，果期 6 ~ 11 月。

| 生境分布 | 生于平原至海拔 1 350 m 的山地草坡、沟边草丛或路旁灌丛中。分布于湖北房县，
以及宜昌、武汉等地。

| 采收加工 | **全草：** 夏、秋季采收，鲜用或晒干。

| 功能主治 | 健脾消积，利尿通淋，清热解毒。用于疳积，痢疾，淋病，乳痈，牙疳，毒蛇
咬伤。

蓖麻 *Ricinus communis* L.

| **药 材 名** | 蓖麻子、蓖麻油、蓖麻叶、蓖麻根。

| **形态特征** | 一年生粗壮草本或草质灌木。高达 5 m。小枝、叶和花序通常被白霜，茎多液汁。叶近圆形，长和宽达 40 cm 或更大，掌状 7 ~ 11 裂，裂缺几达中部，裂片卵状长圆形或披针形，先端急尖或渐尖，边缘具锯齿；掌状脉 7 ~ 11，网脉明显；叶柄粗壮，中空，长可达 40 cm，先端具 2 盘状腺体，基部具盘状腺体；托叶长三角形，长 2 ~ 3 cm，早落。总状花序或圆锥花序，长 15 ~ 30 cm 或更长；苞片阔三角形，膜质，早落；雄花花萼裂片卵状三角形，长 7 ~ 10 mm；雄蕊束众多；雌花萼片卵状披针形，长 5 ~ 8 mm，凋落；子房卵状，直径约 5 mm，密生软刺或无刺，花柱红色，长约 4 mm，顶部 2 裂，

密生乳头状突起。蒴果卵球形或近球形，长 1.5 ～ 2.5 cm，果皮具软刺或平滑；种子椭圆形，微扁平，长 8 ～ 18 mm，平滑，斑纹淡褐色或灰白色；种阜大。花期几全年或 6 ～ 9 月。

| 生境分布 | 生于海拔 20 ～ 500 m 的村旁疏林或河流两岸冲积地。分布于湖北武昌、大冶，以及武汉等地。

| 功能主治 | **种子：**消肿拔毒，泻下导滞，通络利窍。用于痈疽肿毒，瘰疬，乳痈，喉痹，疥癣癫疮，烫伤，水肿胀满，大便燥结，口眼歪斜，跌打损伤。

蓖麻油：滑肠，润肤。用于肠内积滞，腹胀，便秘，疥癣癫疮，烫伤。

叶：祛风除湿，拔毒消肿。用于脚气，风湿痹痛，痈疮肿毒，疥癣瘙痒，子宫脱垂，脱肛，咳嗽痰喘。

根：祛风解痉，活血消肿。用于破伤风，癫痫，风湿痹痛，痈肿瘰疬，跌打损伤，脱肛，子宫脱垂。

大戟科 Euphorbiaceae **美洲柏属** Sapium

山乌桕
Sapium discolor (Champ. ex Benth.) Müll. Arg.

| **药 材 名** | 山乌桕根、山乌桕叶。

| **形态特征** | 乔木或灌木。高3～12 m，罕有达20 m者。各部均无毛。小枝灰褐色，有皮孔。叶互生，纸质，嫩时呈淡红色，叶片椭圆形或长卵形，长4～10 cm，宽2.5～5 cm，先端钝或短渐尖，基部短狭或楔形，背面近缘常有数个圆形的腺体；中脉在两面均凸起，于背面尤著，侧脉纤细，8～12对，互生或有时近对生，略呈弧状上升，离缘1～2 mm弯拱网结，网脉很柔弱，通常明显；叶柄纤细，长2～7.5 cm，先端具2毗连的腺体；托叶小，近卵形，长约1 mm，易脱落。花单性，雌雄同株，密集成长4～9 cm的顶生总状花序，雌花生于花序轴下部，雄花生于花序轴上部，有时整个花序全为雄花；雄花花梗

丝状，长 1 ~ 3 mm；苞片卵形，长约 1.5 mm，宽近 1 mm，先端锐尖，基部两侧各具一长圆形或肾形、长约 2 mm、宽近 1 mm 的腺体，每苞片内有 5 ~ 7 花；小苞片小，狭，长 1 ~ 1.2 mm；花萼杯状，具不整齐的裂齿；雄蕊 2，少有 3，花丝短，花药球形；雌花花梗粗壮，圆柱形，长约 5 mm；苞片与雄花的相似，每苞片内仅有 1 花；花萼 3 深裂几达基部，裂片三角形，长 1.8 ~ 2 mm，宽约 1.2 mm，先端短尖，边缘有疏细齿；子房卵形，3 室，花柱粗壮，柱头 3，外反。蒴果黑色，球形，直径 1 ~ 1.5 cm，分果爿脱落后而中轴宿存；种子近球形，长 4 ~ 5 mm，直径 3 ~ 4 mm，外薄被蜡质的假种皮。花期 4 ~ 6 月。

| 生境分布 | 生于山谷或山坡混交林中。湖北有分布。

| 采收加工 | **根**：秋后采挖，洗净，晒干或鲜用。
叶：夏、秋季采收，鲜用或晒干。

| 功能主治 | **根**：利水通便，消肿散瘀，解蛇虫毒。用于二便不通，水肿，腹水，白浊，疮痈，湿疹，跌打损伤，毒蛇咬伤。
叶：活血，解毒，利湿。用于跌打损伤，毒蛇咬伤，湿疹，过敏性皮炎，蛇串疮，乳痈。

| 附　注 | 本种的叶背面靠近边缘处亦常有数个圆形的小腺体。笔者怀疑 *Sapium eugeniaefolium* Hamilt. ex Hook. f.即为本种。现未见印度标本，无法进行比较，暂不作归并。

大戟科 Euphorbiaceae 美洲柏属 Sapium

白木乌桕

Sapium japonicum (Sieb. et Zucc.) Pax et Hoffm.

| 药 材 名 |

白乳木。

| 形态特征 |

灌木或乔木。高 1 ~ 8 m。各部均无毛。枝纤细，平滑。带灰褐色。叶互生，纸质，卵形、卵状长方形或椭圆形，长 7 ~ 16 cm，宽 4 ~ 8 cm，先端短尖或凸尖，基部钝、平截或有时呈微心形，两侧常不等，全缘，背面中上部常于近边缘的脉上有散生的腺体，基部靠近中脉之两侧亦具 2 腺体；中脉在背面显著凸起，侧脉 8 ~ 10 对，斜上举，离缘 3 ~ 5 mm 弯拱网结，网状脉明显，网眼小；叶柄长 1.5 ~ 3 cm，两侧薄，呈狭翅状，先端无腺体；托叶膜质，线状披针形，长约 1 cm。花单性，雌雄同株常同序，聚集成顶生、长 4.5 ~ 11 cm 的纤细总状花序，雌花数朵生于花序轴基部，雄花数朵生于花序轴上部，有时整个花序全为雄花；雄花花梗丝状，长 1 ~ 2 mm；苞片在花序下部的比花序上部的略长，卵形至卵状披针形，长 2 ~ 2.5 mm，宽 1 ~ 1.2 mm，先端短尖至渐尖，边缘有不规则的小齿，基部两侧各具 1 近长圆形的腺体，每苞片内有 3 ~ 4 花；花萼杯状，3 裂，裂片有不规则的小齿；雄

蕊 3，稀 2，常伸出于花萼之外，花药球形，略短于花丝；雌花花梗粗壮，长
6 ~ 10 mm；苞片 3 深裂几达基部，裂片披针形，长 2 ~ 3 mm，通常中间的裂
片较大，两侧的裂片边缘各具 1 腺体；萼片 3，三角形，长和宽近相等，先端
短尖或有时钝；子房卵球形，平滑，3 室，花柱基部合生，柱头 3，外卷。蒴果
三棱状球形，直径 10 ~ 15 mm；分果爿脱落后无宿存中轴；种子扁球形，直径
6 ~ 9 mm，无蜡质的假种皮，有雅致的棕褐色斑纹。花期 5 ~ 6 月。

| 生境分布 | 生于林中湿润处或溪涧边。湖北有分布。

| 采收加工 | **根皮**：全年均可采收，洗净，去木心，切碎，晒干。
叶：春、夏季采摘，鲜用或晒干。

| 功能主治 | 散瘀血，强腰膝。用于劳伤腰膝酸痛。

| 附　　注 | 《中华本草》中正名为白乳。

大戟科 Euphorbiaceae 美洲柏属 Sapium

乌桕

Sapium sebifera (L.) Roxb.

| 药 材 名 | 乌桕木根皮、乌桕叶、乌桕子、桕油。

| 形态特征 | 乔木。高可达 15 m。各部均无毛而具乳状汁液。树皮暗灰色，有纵
裂纹。枝广展，具皮孔。叶互生，纸质，菱形、菱状卵形或稀有菱
状倒卵形，长 3 ~ 8 cm，宽 3 ~ 9 cm，先端骤然紧缩，具长短不等
的尖头，基部阔楔形或钝，全缘；中脉两面微凸起，侧脉 6 ~ 10 对，
纤细，斜上升，离缘 2 ~ 5 mm 弯拱网结，网状脉明显；叶柄纤细，
长 2.5 ~ 6 cm，先端具 2 腺体；托叶先端钝，长约 1 mm。花单性，
雌雄同株，聚集成顶生、长 6 ~ 12 cm 的总状花序，雌花通常生于
花序轴最下部，罕有在雌花下部着生少数雄花，雄花生于花序轴上
部，有时整个花序全为雄花；雄花花梗纤细，长 1 ~ 3 mm，向上渐

粗；苞片阔卵形，长和宽均约 2 mm，先端略尖，基部两侧各具 1 近肾形的腺体，每苞片内具 10 ～ 15 花；小苞片 3，不等大，边缘撕裂状；花萼杯状，3 浅裂，裂片钝，具不规则的细齿；雄蕊 2，罕有 3，伸出于花萼之外，花丝分离，与球状花药近等长；雌花花梗粗壮，长 3 ～ 3.5 mm；苞片 3 深裂，裂片渐尖，基部两侧的腺体与雄花的相同，每苞片内仅 1 雌花，间有 1 雌花和数雄花同聚生于苞腋内；花萼 3 深裂，裂片卵形至卵状披针形，先端短尖至渐尖；子房卵球形，平滑，3 室，花柱 3，基部合生，柱头外卷。蒴果梨状球形，成熟时黑色，直径 1 ～ 1.5 cm，具 3 种子，分果爿脱落后中轴宿存；种子扁球形，黑色，长约 8 mm，宽 6 ～ 7 mm，外被白色、蜡质的假种皮。花期 4 ～ 8 月。

| 生境分布 | 生于旷野、塘边或疏林中。湖北大悟有栽培。

| 采收加工 | **根皮**：全年均可采收，将皮剥下，除去栓皮，晒干。

叶：全年均可采摘，鲜用或晒干。

种子：果实成熟时采摘，取出种子，鲜用或晒干。

| 功能主治 | **根皮**：泻下逐水，消肿散结，解蛇虫毒。用于水肿，癥瘕积聚，臌胀，二便不通，痈疮肿毒，湿疹，疥癣，毒蛇咬伤。

叶：泻下逐水，消肿散瘀，解毒杀虫。用于水肿，二便不利，腹水，湿疹，疥癣，痈疮肿毒，跌打损伤，毒蛇咬伤。

种子：拔毒消肿，杀虫止痒。用于湿疹，癣疮，皮肤皲裂，水肿，便秘。

桕油：杀虫，拔毒，利尿，通便。用于疥疮，脓疱疮，水肿，便秘。

| 大戟科 | Euphorbiaceae | 地构叶属 | Speranskia |

广东地构叶

Speranskia cantonensis (Hance) Pax et Hoffm.

| 药 材 名 | 蛋不老。

| 形态特征 | 草本。高 50 ~ 70 cm。茎少分枝，上部稍被伏贴柔毛。叶纸质，卵形或卵状椭圆形至卵状披针形，长 2.5 ~ 9 cm，宽 1 ~ 4 cm，先端急尖，基部圆形或阔楔形，边缘具圆齿或钝锯齿，齿端有黄色腺体，两面均被短柔毛；侧脉 4 ~ 5 对；叶柄长 1 ~ 3.5 cm，被疏长柔毛，先端常有黄色腺体。总状花序长 4 ~ 8 cm，果时长约 15 cm，通常上部有雄花 5 ~ 15，下部有雌花 4 ~ 10，位于花序中部的雌花两侧有时有雄花 1 ~ 2；苞片卵形或卵状披针形，长 1 ~ 2 mm，被疏毛；雄花 1 ~ 2 生于苞腋；花梗长 1 ~ 2 mm；花萼裂片卵形，长约 1.5 mm，先端渐尖，外面被疏柔毛；花瓣倒心形或倒卵形，长

不及 1 mm，无毛，膜质；雄蕊 10 ～ 12，花丝无毛；花盘有离生腺体 5；雌花花梗长约 1.5 mm，花后长达 6 mm；花萼裂片卵状披针形，长 1 ～ 1.5 mm，先端急渐尖，外面疏被柔毛，无花瓣；子房球形，直径约 2 mm，具疣状突起和疏柔毛，花柱 3，各 2 深裂，裂片呈羽状撕裂。蒴果扁球形，直径约 7 mm，具瘤状突起；种子球形，直径约 2 mm，稍具小突起，灰褐色或暗褐色。花期 2 ～ 5 月，果期 10 ～ 12 月。

| 生境分布 | 生于海拔 1 000 ～ 2 600 m 的草地或灌丛中。湖北有分布。

| 采收加工 | **全草：**全年均可采收，洗净，鲜用或晒干。

| 功能主治 | 祛风湿，通经络，破瘀止痛。用于风湿痹痛，癥瘕积聚，瘰疬，疔疮肿毒，跌打损伤。

| 附　　注 | 《中华本草》中正名为蛋不老。

大戟科 Euphorbiaceae 地构叶属 Speranskia

地构叶
Speranskia tuberculata (Bunge) Baill.

| 药 材 名 | 透骨草。

| 形态特征 | 多年生草本。茎直立，高 25 ～ 50 cm，分枝较多，被贴伏短柔毛。叶纸质，披针形或卵状披针形，长 1.8 ～ 5.5 cm，宽 0.5 ～ 2.5 cm，先端渐尖，稀急尖，尖头钝，基部阔楔形或圆形，边缘具疏离的圆齿或有深裂，齿端具腺体，上面疏被短柔毛，下面被柔毛或仅叶脉被毛；叶柄长不及 5 mm 或近无柄；托叶卵状披针形，长约 1.5 mm。总状花序长 6 ～ 15 cm，上部有雄花 20 ～ 30，下部有雌花 6 ～ 10，位于花序中部的雌花的两侧有时具雄花 1 ～ 2；苞片卵状披针形或卵形，长 1 ～ 2 mm；雄花 2 ～ 4 生于苞腋，花梗长约 1 mm；花萼裂片卵形，长约 1.5 mm，外面疏被柔毛；花瓣倒心形，具爪，长约

0.5 mm，被毛；雄蕊 8 ~ 12（~ 15），花丝被毛；雌花 1 ~ 2 生于苞腋，花梗长约 1 mm，果时长达 5 mm，且常下弯；花萼裂片卵状披针形，长约 1.5 mm，先端渐尖，疏被长柔毛，花瓣与雄花相似，但较短，疏被柔毛和缘毛，具脉纹；花柱 3，各 2 深裂，裂片呈羽状撕裂。蒴果扁球形，长约 4 mm，直径约 6 mm，有柔毛和瘤状突起；种子卵形，长约 2 mm，先端急尖，灰褐色。花果期 5 ~ 9 月。

| 生境分布 | 生于海拔 800 ~ 1 900 m 的山坡草丛或灌丛中。湖北有分布。

| 采收加工 | 5 ~ 6 月开花结实时采收，除去杂质，鲜用或晒干。

| 功能主治 | 祛风除湿，舒筋活血，散瘀消肿，解毒止痛。用于风湿痹痛，筋骨挛缩，寒湿脚气，腰部扭伤，瘫痪，闭经，阴囊湿疹，疮疖肿毒。

滑桃树
Trewia nudiflora L.

| 药 材 名 | 滑桃树。

| 形态特征 | 乔木。嫩枝被灰黄色绒毛或长柔毛。叶纸质，卵形或长圆形，先端渐尖，基部心形或平截，稀钝圆，近全缘，嫩叶两面均密生灰黄色长柔毛，成长叶上面沿叶脉被毛，下面被长柔毛；基出脉 3 ~ 5，侧脉 4 ~ 5 对，近基部有斑状腺体 2 ~ 4；叶柄长 3 ~ 12 cm，被毛；托叶线形，长约 5 mm，密被毛，早落。雄花序长 6 ~ 18 cm，密被浅黄色长柔毛；苞片卵状披针形，长约 3 mm，每苞腋内有雄花 2 ~ 3；雄花花蕾球形，直径约 4 mm；花梗长 3 ~ 6 mm，通常中部具关节，稍被柔毛；花萼裂片椭圆形，长约 5 mm，外面稍被毛；花丝长约 3 mm，花药长圆形，长约 1.2 mm；雌花常单生或 2 ~ 4

排成总状花序；花序梗长 2 ~ 3 cm，稍被毛；花梗长 2 ~ 30 mm；花萼长约 5 mm，柱头长约 2 cm。果实近球形，直径 2.5 ~ 3 cm，被绒毛或无毛；种子近球形。花期 12 月至翌年 3 月，果期 6 ~ 12 月。

| 生境分布 | 生于海拔 100 ~ 800 m 的山谷、溪边疏林中。湖北有分布。

| 功能主治 | **叶**：用于疥疮。

种子：用于恶性肿瘤。

大戟科 Euphorbiaceae 油桐属 Vernicia

油桐
Vernicia fordii (Hemsl.) Airy Shaw

| 药 材 名 |　油桐子、桐油、气桐子、桐子花、油桐叶、油桐根。

| 形态特征 |　落叶乔木。高达 10 m。树皮灰色，近光滑。枝条粗壮，无毛，具明显皮孔。叶卵圆形，长 8 ~ 18 cm，宽 6 ~ 15 cm，先端短尖，基部平截至浅心形，全缘，稀 1 ~ 3 浅裂，嫩叶上面被很快脱落微柔毛，下面被渐脱落棕褐色微柔毛，成长叶上面深绿色，无毛，下面灰绿色，被贴伏微柔毛；掌状脉 5（~ 7）；叶柄与叶片近等长，几无毛，先端有 2 扁平、无柄腺体。花雌雄同株，先叶或与叶同时开放；花萼长约 1 cm，2（~ 3）裂，外面密被棕褐色微柔毛；花瓣白色，有淡红色脉纹，倒卵形，长 2 ~ 3 cm，宽 1 ~ 1.5 cm，先端圆形，基部爪状；雄花雄蕊 8 ~ 12，2 轮；外轮离生，内轮花丝中部以下合生；

雌花子房密被柔毛，3 ~ 5（~ 8）室，每室有 1 胚珠，花柱与子房室同数，2 裂。核果近球状，直径 4 ~ 6（~ 8）cm，果皮光滑；种子 3 ~ 4（~ 8），种皮木质。花期 3 ~ 4 月，果期 8 ~ 9 月。

| 生境分布 | 通常栽培于丘陵山地。湖北有分布。

| 采收加工 | **种子**：秋季果实成熟时采收，将其堆积于潮湿处，泼水，覆以干草，经 10 天左右，待外壳腐烂，除去外皮，收集种子，晒干。

果实：收集未熟而早落的果实，除净杂质，鲜用或晒干。

花：4 ~ 5 月收集凋落的花，晒干。

叶：秋季采集，鲜用或晒干。

根：全年均可采挖，洗净，鲜用或晒干。

| 功能主治 | **种子**：吐风痰，消肿毒，利二便。用于风痰喉痹，痰火瘰疬，食积腹胀，二便不通，丹毒，疥癣，烫伤，急性软组织炎症，寻常疣。

桐油：涌吐痰涎，清热解毒，收湿杀虫，润肤生肌。用于喉痹，痈疡，疥癣，臁疮，烫伤，冻疮，皲裂。

果实：行气消食，清热解毒。用于疝气，食积，月经不调，疔疮疖肿。

花：清热解毒，生肌。用于新生儿湿疹，白秃疮，热毒疮，天疱疮，烫火伤。

叶：清热消肿，解毒杀虫。用于肠炎，痢疾，痈肿，臁疮，疥癣，漆疮，烫伤。

根：下气消积，利水化痰，驱虫。用于食积痞满，水肿，哮喘，瘰疬，蛔虫病。

| 附　注 | 同属植物木油桐 *Vernicia montana* Lour 的种子亦供药用，功效与油桐子基本相同。分布于长江以南各地。

| 黄杨科 | Buxaceae | 黄杨属 | Buxus |

雀舌黄杨
Buxus bodinieri H. Lév.

| 药 材 名 |

雀舌黄杨。

| 形态特征 |

灌木，高 3 ～ 4 m。枝圆柱形；小枝四棱形，被短柔毛，后变无毛。叶薄革质，通常匙形，亦有狭卵形或倒卵形，大多数中部以上最宽，长 2 ～ 4 cm，宽 8 ～ 18 mm，先端圆或钝，往往有浅凹口或小尖凸头，基部狭长楔形，有时急尖，叶面绿色，光亮，叶背苍灰色，中脉在两面凸出，侧脉极多，在两面或仅在叶面显著，与中脉成 50° ～ 60° 角，叶面中脉下半段大多被微细毛；叶柄长 1 ～ 2 mm。花序腋生，头状，长 5 ～ 6 mm，花密集，花序轴长约 2.5 mm；苞片卵形，背面无毛或有短柔毛；雄花约 10，花梗长仅 0.4 mm，萼片卵圆形，长约 2.5 mm，雄蕊连花药长 6 mm，不育雌蕊有柱状柄，末端膨大，高约 2.5 mm，和萼片近等长或稍超出萼片；雌花外萼片长约 2 mm，内萼片长约 2.5 mm，受粉期间，子房长 2 mm，无毛，花柱长 1.5 mm，略扁，柱头倒心形，下延达花柱 1/3 ～ 1/2 处。蒴果卵形，长 5 mm，宿存花柱直立，长 3 ～ 4 mm。花期 2 月，果期 5 ～ 8 月。

| **生境分布** | 生于海拔 400 ~ 2 700 m 的平地或山坡林下。湖北有分布。 |

采收加工	**根：**全年均可采挖，洗净，切片，晒干。
	叶：全年均可采摘，鲜用或晒干。
	花：春季采摘，晒干。

| **功能主治** | 止咳，止血，清热解毒。用于咳嗽，咯血，疮疡肿毒。 |

匙叶黄杨

Buxus harlandii Hance

| 药 材 名 |

匙叶黄杨。

| 形态特征 |

小灌木，高 0.5 ~ 1 m。枝近圆柱形；小枝近四棱形，纤细，直径约 1 mm，被轻微的短柔毛，节间长 1 ~ 2 cm。叶薄革质，匙形，稀狭长圆形，长 2 ~ 3.5（~ 4）cm，宽 5 ~ 8（~ 9）mm，先端稍狭；顶圆或钝，或有浅凹口，基部楔形，叶面光亮，中脉在两面凸出，侧脉和细脉在叶面细密、显著，侧脉与中脉约成 30° ~ 35° 角，在叶背不甚分明，叶面中脉下半段常被微细毛；无明显的叶柄。花序腋生兼顶生，头状，花密集，花序轴长 3 ~ 4 mm；苞片卵形，尖头；雄花 8 ~ 10，花梗长 1 mm，萼片阔卵形或阔椭圆形，长约 2 mm，雄蕊连花药长 4 mm，不育雌蕊具极短柄，末端甚膨大，高约 1 mm，为萼片长的 1/2；雌花萼片阔卵形，长约 2 mm，边缘干膜质，受粉期间花柱长稍超过子房，子房无毛，花柱直立，下部扁阔，柱头倒心形，下延达花柱 1/4 处。蒴果近球形，长 7 mm，无光，平滑，宿存花柱长 3 mm，末端稍外曲。花期 5 月，果期 10 月。

| 生境分布 | 生于海拔 400 ～ 2 700 m 的平地或山坡林下。湖北有分布。

| 采收加工 | 根：全年均可采挖，洗净，切片，晒干。

叶：全年均可采摘，鲜用或晒干。

花：春季采摘，晒干。

| 功能主治 | 根、叶：疏风镇痛，活血消肿。用于胃痛，胁痛，关节痛，腰痛，目赤肿痛等。

花：用于跌打损伤，感冒发热，疔肿。

黄杨科 Buxaceae 黄杨属 Buxus

大花黄杨 *Buxus henryi* Mayr

| **药 材 名** | 棵丁。

| **形态特征** | 灌木。高约 3 m。枝圆柱形；小枝四棱形（多少外方相对两侧面边缘延伸成纵棱），无毛，稀末梢的 1 ~ 2 小枝内方两侧面稍被微细毛，节间长 1.5 ~ 3 cm。叶薄革质，披针形、长圆状披针形或卵状长圆形，长 4 ~ 7 cm，宽 1.5 ~ 2.5（~ 3.5） cm，先端钝或微急尖，基部楔形或急尖，边缘下曲，中脉两面均凸出，侧脉不分明，或叶面侧脉分明；叶柄长 1 ~ 2 mm。花序腋生，长 1 ~ 1.5 cm，宽 7 ~ 10 mm，花密集；基部苞片卵形，长 3 ~ 4 mm，带灰棕色，上部苞片倒卵状长圆形，长约 6 mm；雄花约 8；花梗长 2 ~ 4 mm，无毛；萼片长圆形或倒卵状长圆形，长 4.5 ~ 5 mm，干膜质，无毛；

雄蕊连花药长 11 mm；不育雌蕊具细瘦柱状梗，末端稍膨大，高 1 ～ 1.5 mm；雌花外萼片长圆形，长约 6 mm，内萼片卵形，长约 3 mm，均干膜质，无毛；子房长 2 ～ 2.5 mm，花柱狭长，扁平，长 6 ～ 8 mm，先端向外弯曲，柱头线状倒心形，下延达花柱近基部，几覆盖花柱内侧的全面。蒴果近球形，长 6 mm，宿存花柱基部直立，上部向外向下成弧形，果柄长 3 mm，残留苞片多片。花期 4 月，果期 7 月。

| 生境分布 | 生于海拔 600 ～ 1 650 m 的山坡灌丛中或山沟石缝处。分布于湖北鹤峰、恩施、秭归、兴山、神农架、郧西。

| 功能主治 | **全株**：止血散血。

根皮：用于牙痛。

根、叶：活血祛瘀，消肿解毒。用于风火牙痛。

黄杨科 Buxaceae 黄杨属 Buxus

大叶黄杨
Buxus megistophylla H. Lév.

| 药 材 名 | 大叶黄杨。

| 形态特征 | 灌木或小乔木，高 0.6 ~ 2 m，胸径 5 cm。小枝四棱形（或在末梢的小枝亚圆柱形，具钝棱和纵沟），光滑，无毛。叶革质或薄革质，卵形、椭圆状或长圆状披针形至披针形，长 4 ~ 8 cm，宽 1.5 ~ 3 cm（稀披针形，长达 9 cm，或菱状卵形，宽达 4 cm），先端渐尖，顶钝或锐，基部楔形或急尖，边缘下曲，叶面光亮，中脉在两面均凸出，侧脉多条，与中脉成 40° ~ 50° 角，通常两面均明显，仅叶面中脉基部及叶柄被微细毛，其余均无毛；叶柄长 2 ~ 3 mm。花序腋生，花序轴长 5 ~ 7 mm，有短柔毛或近无毛；苞片阔卵形，先端急尖，背面基部被毛，边缘狭，干膜质；雄花 8 ~ 10，花梗长约 0.8 mm，

外萼片阔卵形，长约 2 mm，内萼片圆形，长 2 ～ 2.5 mm，背面均无毛，雄蕊连花药长约 6 mm，不育雌蕊高约 1 mm，雌花萼片卵状椭圆形，长约 3 mm，无毛；子房长 2 ～ 2.5 mm，花柱直立，长约 2.5 mm，先端微弯曲，柱头倒心形，下延达花柱的 1/3 处。蒴果近球形，长 6 ～ 7 mm，宿存花柱长约 5 mm，斜向挺出。花期 3 ～ 4 月，果期 6 ～ 7 月。

| 生境分布 | 生于海拔 500 ～ 1 400 m 的山地、山谷、河岸或山坡林下。湖北有分布。

| 功能主治 | 祛风湿，强筋骨，活血止血。用于风湿痹痛，腰膝酸软，跌打损伤，骨折，吐血。

黄杨科 Buxaceae 黄杨属 Buxus

尖叶黄杨

Buxus sinica (Rehd. et Wils.) M. Cheng subsp. *aemulans* (Rehd. et Wils.) M. Cheng

| 药 材 名 | 尖叶黄杨。

| 形态特征 | 叶呈椭圆状披针形或披针形，长 2 ~ 3.5 cm，宽 1 ~ 1.3 cm，两端均渐尖，先端尖锐或稍钝，中脉在两面均凸出，叶面侧脉多而明显，叶背平滑或干后稍有皱纹。蒴果一般长 3 mm，宿存花柱长 3 mm。

| 生境分布 |　生于海拔 600 ～ 2 000 m 的溪边岩上或灌丛中。湖北有分布。

| 功能主治 |　祛风除湿，理气，止痛。用于风湿痹痛，胸腹气痛，疝气痛，跌打损伤，牙痛。

黄杨

Buxus sinica (Rehd. et Wils.) M. Cheng

| 药 材 名 | 黄杨。

| 形态特征 | 常绿灌木。高 1 ~ 3 m。小枝黄绿色，四棱，有短柔毛。叶对生，革质，倒卵形至卵圆状倒卵形，长 1 ~ 3 cm，宽 7 ~ 12 mm，先端微缺，有时圆或有短急尖，基部楔形，全缘，上面黄绿色，中脉基部有粗柔毛，下面较黄，无毛，无显著侧脉；叶柄极短，有微柔毛。雄花的萼片 4，长 2 ~ 2.5 mm；雄蕊长为萼片长的 2 倍。蒴果长圆状卵形，长 1 cm，黄绿色，3 裂，先端有 2 长角状突起；种子长 4 mm。花期 4 ~ 5 月，果期 6 ~ 8 月。

| 生境分布 | 生于海拔 2 500 m 以下的山坡灌丛或树林中。分布于湖北宣恩、鹤

峰、恩施、巴东、五峰、秭归、兴山、神农架、竹溪、罗田，以及武汉。

| 采收加工 | **茎枝**：全年均可采收，鲜用或晒干。

叶：全年均可采摘，鲜用或晒干。

果实：5 ~ 7 月果实成熟时采收，鲜用或晒干。

根：全年均可采挖，洗净鲜用或切片晒干。

| 功能主治 | **茎枝**：祛风除湿，理气，止痛。用于风湿痹痛，胸腹气胀，疝气疼痛，牙痛，跌打伤痛。

叶：清热解毒，消肿散结。用于疮疖肿毒，风火牙痛，跌打伤痛。

果实：清暑热，解疮毒。用于暑热，疮疖。

根：祛风止咳，清热除湿。用于风湿痹痛，伤风咳嗽，湿热黄疸。

黄杨科 Buxaceae 板凳果属 Pachysandra

板凳果 *Pachysandra axillaris* Franch.

| 药 材 名 | 板凳果。

| 形态特征 | 常绿亚灌木。高 30 ~ 50 cm。下部匍匐，生须状不定根，上部直立。上半部生叶，下半部裸出，仅有稀疏、脱落性小鳞片。根茎长，枝上被极匀细短柔毛。叶互生；叶柄长 2 ~ 4 cm，被细毛；叶形状不一，卵形、椭圆状卵形，较阔，基部浅心形、截形，或为长圆形、卵状长圆形，较狭，基部圆形，一般长 5 ~ 8 cm，宽 3 ~ 5 cm，先端急尖，边缘中部以上有粗齿，中脉在叶面平坦，叶背凸出，有极细的乳头，密被细短柔毛。花单性，雌雄同序，穗状花序腋生，长 1 ~ 2 cm，直立，未开放前往往下垂，花轴及苞片均被短柔毛；花白色或蔷薇色；雄花 5 ~ 10，无花梗，几占花序轴全部；雌花

1 ～ 3，生花序轴基部；雄花苞片卵形；萼片椭圆形或长圆形，长 2 ～ 3 mm；花药长椭圆形，受粉后向下弓曲，不育雌蕊短柱状，先端膨大；雌花连梗长近 4 mm；萼片覆瓦状排列，卵状披针形或长圆状披针形，长 2 ～ 3 mm；无毛；花柱受粉后伸出花外甚长，上端旋卷。蒴果近球形，成熟时黄色或红色，和宿存花柱各长 1 cm。花期 2 ～ 5 月，果期 9 ～ 10 月。

| 生境分布 | 生于海拔 1 800 ～ 2 500 m 的岩脚、沟边、林下或灌丛中湿润处。湖北有分布。

| 采收加工 | 全年均可采收，洗净，切段，阴干或晒干。

| 功能主治 | 祛风除湿，活血止痛。用于风湿痹痛，肢体麻木，劳伤腰痛，跌打损伤。

黄杨科 Buxaceae 板凳果属 Pachysandra

顶花板凳果

Pachysandra terminalis Sieb. et Zucc.

| 药 材 名 | 雪山林。

| 形态特征 | 常绿亚灌木。茎稍粗壮，被极细毛，下部根茎状，长约30 cm，横卧，屈曲或斜上，布满长须状不定根，上部直立，高约30 cm，茎肉质，有分枝。叶互生；在茎上每间隔2～4 cm，有4～6叶接近着生，似簇生状；叶片菱状倒卵形，长2.5～9 cm，宽1.5～6 cm，上部边缘有粗锯齿，基部楔形，渐狭成长1～3 cm的叶柄，叶面脉上有微毛。花单性，雌雄同序，穗状花序顶生，长1～4 cm，直立，花序轴及苞片均无毛；花白色；萼片4或更多，无花瓣；雄花数超过15，几占花序轴的全部，无花梗，苞片及萼片均阔卵形，苞片较小，萼片长2.5～3.5 mm，雄蕊4～6，花丝肥厚，长约7 mm，不育雌

蕊高约 0.6 mm；雌花 1 ～ 2，生于花序轴基部，有时最上 1 ～ 2 叶的叶腋，又各生 1 雌花，连梗长达 4 mm，苞片及萼片均卵形，覆瓦状排列，子房 2 ～ 3 室，花柱受粉后伸出花外甚长，上端旋曲。浆果状核果卵形，长 5 ～ 6 mm，稍带白色，具 3 角，花柱宿存，粗而反曲，长 5 ～ 10 mm。花期 4 ～ 5 月，果期 7 ～ 10 月。

| 生境分布 | 生于海拔 800 ～ 2 600 m 的山区林下阴湿地。湖北有分布。

| 采收加工 | 全年均可采收，洗净，切段，鲜用或晒干。

| 功能主治 | 祛风湿，舒筋活血，通经止带。用于风湿热痹，小腿转筋，月经不调，带下。

■黄杨科■ Buxaceae ■野扇花属■ Sarcococca

双蕊野扇花
Sarcococca hookeriana Baill. var. *digyna* Franch.

| 药 材 名 | 黄八爪。

| 形态特征 | 小灌木。幼枝被柔毛。叶亚革质，披针形或近卵状披针形，长 3 ～ 7 cm，宽 1 ～ 1.8 cm，两端急尖，浓绿色，上面除中脉外近基部被乳头状粉，无毛，向 4 ～ 6 mm 长的柄下延。花团集，6 花，花时下垂，苞片卵形；雄花萼片 4，宽卵形，或内部的为宽椭圆形，长 3.5 ～ 4 mm，钝头，雄蕊 4，花丝长 6 mm；雌花萼片 4 或 8，卵形，长 2 mm，柱头 2 或 3。浆果球形，黑色，直径 7 ～ 8 mm。花期 3 ～ 5 月，果期 7 ～ 11 月。

| **生境分布** | 生于海拔 300 ～ 1 850 m 的沟边密林或灌丛中。分布于湖北来凤、宣恩、利川、恩施、巴东、兴山、神农架、通城、崇阳、阳新。

| **功能主治** | **根：** 接骨，补肾。用于外伤，跌打损伤，腰痛。

■ 黄杨科 ■ Buxaceae ■ 野扇花属 ■ Sarcococca

长叶柄野扇花

Sarcococca longipetiolata M. Cheng

|药材名| 长叶柄野扇花。

|形态特征| 灌木,高1~3m。小枝有纵棱,无毛。叶革质或薄革质,披针形、长圆状披针形或狭披针形,稀卵状披针形,长5~12cm,宽1.5~2.5cm,先端长渐尖,基部渐狭或楔形,叶面中脉明显,脉上无毛或近基部被少量微细毛,中脉下方的1对较大侧脉从离叶基1~5mm处出发上升,成离基三出脉,其余侧脉在叶面稍明显,背面无侧脉或有1~2对不明显的侧脉;叶柄长10~15mm。花序腋生兼顶生,总状或近头状以至复总状,长1~1.5cm,花序轴被微细毛;苞片卵形,长1.5mm,具渐尖头;雄花4~8,生花序轴上半部,雌花2~4,生花序轴下部;雄花花梗长1mm,粗壮,具

2 小苞，小苞阔卵形，长约 2 mm，萼片阔卵形或椭圆形，长约 3 mm，花丝长 5 mm，花药长 1 mm；雌花连柄长 3 ～ 4 mm，小苞卵形，长 1.5 ～ 2 mm，覆瓦状排列，萼片和末梢的小苞形状相似。果实球形，直径 8 mm，成熟时棕色、红色或带紫色，宿存花柱 2。花期 9 月（或至翌年 3 月），果期 12 月。

| 生境分布 | 生于海拔 350 ～ 800 m 的山谷溪边林下。湖北有分布。

| 采收加工 | 全年均可采收，洗净，切段，鲜用或晒干。

| 功能主治 | 凉血散瘀，解毒敛疮。用于跌打损伤，外伤出血，无名肿毒，腮腺炎，黄疸。

| 黄杨科 | Buxaceae | 野扇花属 | *Sarcococca*

野扇花
Sarcococca ruscifolia Stapf

| **药 材 名** | 野扇花。

| **形态特征** | 灌木。高 1 ~ 4 m。分枝较密，有一主轴及发达的纤维状根系；小枝被密或疏的短柔毛。叶阔椭圆状卵形、卵形、椭圆状披针形、披针形或狭披针形，较小的长 2 ~ 3 cm、宽 7 ~ 12 mm，较狭的长 4 ~ 7 cm、宽 7 ~ 14 mm，较大的长 6 ~ 7 cm、宽 2.5 ~ 3 cm，变化很大，但常见的为卵形或椭圆状披针形，长 3.5 ~ 5.5 cm、宽 1 ~ 2.5 cm。先端急尖或渐尖，基部急尖、渐狭或圆，一般中部或中部以下较宽，叶面亮绿，叶背淡绿，叶面中脉凸出，无毛，稀被微细毛，大多数中脉近基部有一对互生或对生的侧脉，多少成离基三出脉，叶背中脉稍平或凸出，无毛，全面平滑，侧脉不显；叶柄

长 3 ～ 6 mm。花序短总状，长 1 ～ 2 cm，花序轴被微细毛；苞片披针形或卵状披针形；花白色，芳香；雄花 2 ～ 7，占花序轴上方的大部，雌花 2 ～ 5，生花序轴下部，通常下方雄花有长约 2 mm 的花梗，具 2 小苞片，小苞片卵形，长为萼片的 1/3 ～ 2/3，上方雄花近无梗，有的无小苞片；雄花萼片通常 4，亦有 3 或 5，内方的阔椭圆形或阔卵形，先端圆，有小尖凸头，长 3 mm，外方的卵形，渐尖头，长 3 mm；雄蕊连花药长约 7 mm；雌花连梗长 6 ～ 8 mm，梗上小苞多片，狭卵形，覆瓦状排列；萼片长 1.5 ～ 2 mm。果实球形，直径 7 ～ 8 mm，成熟时猩红色至暗红色，宿存花柱 3 或 2，长 2 mm。花果期 10 月至翌年 2 月。

| 生境分布 | 生于海拔 200 ～ 900 m 的山坡林下灌丛中。分布于湖北宣恩、恩施、巴东、兴山、神农架、保康、崇阳。

| 采收加工 | **果实**：秋、冬、春季采收果实，鲜用或晒干。

| 功能主治 | **果实**：养肝安神。用于头晕，目花，心悸，夜眠不安。

馬桑科 Coriariaceae 馬桑属 Coriaria

马桑 *Coriaria nepalensis* Wall.

| 药 材 名 |　马桑。

| 形态特征 |　落叶灌木。有时高达6 m。枝条斜展，幼枝有棱或成四狭翅，无毛，常带紫色，老枝具圆形突起的皮孔。单叶对生；叶柄短，长1~3 mm，通常紫色，基部具垫状突起物；叶片纸质至薄革质，椭圆至宽椭圆形，长2.5~8 cm，宽1.5~4 cm，先端急尖，基部近圆形，全缘，两面无毛或仅下面沿脉有细毛；基出脉3。总状花序侧生于前年生枝上，花单性同株；雄花序长1.5~2 cm，先叶开放，花序轴被腺状微柔毛，萼片及花瓣各5，雄蕊10，不育雌蕊存在；雌花序与叶同出，长4~6 cm，带紫色，萼片与雄花同，花瓣肉质，龙骨状，心皮5，分离，具小疣体，柱头上部外弯。浆果状瘦果5，成

熟时由红色变紫黑色，直径约 6 mm，外被肉质花瓣所包。花期 3 ~ 4 月，果期 5 ~ 6 月。

| 生境分布 | 生于海拔 1 500 m 以下的山坡及沟边灌丛中。分布于湖北来凤、宣恩、鹤峰、咸丰、建始、利川、巴东、兴山、神农架，以及宜昌。

| 采收加工 | **叶**：4 ~ 5 月采收，鲜用或晒干。

根：秋、冬季采挖，除净泥土，晒干。

| 功能主治 | **叶**：清热解毒，消肿止痛，杀虫。用于痈疽肿毒，疥癣，黄水疮，烫火伤，痔疮，跌打损伤。

根：祛风除湿，清热解毒。用于风湿麻木，痈疮肿毒，风火牙痛，痞块，瘰疬，痔疮，急性结膜炎，烫火伤，跌打损伤。

██ 漆树科 ██ Anacardiaceae ██ 南酸枣属 ██ *Choerospondias*

南酸枣

Choerospondias axillaris (Roxb.) Burtt et Hill.

| 药 材 名 | 南酸枣、五眼果树皮。

| 形态特征 | 落叶乔木。高 8 ~ 20 m。树干挺直，树皮灰褐色，纵裂，呈片状剥落。小枝粗壮，暗紫褐色，无毛，具皮孔。奇数羽状复叶互生，长 25 ~ 40 cm；小叶柄长 3 ~ 5 mm；小叶 7 ~ 15，对生，膜质至纸质，卵状椭圆形或长椭圆形，长 4 ~ 12 cm，宽 2 ~ 5 cm，先端尾状长渐尖，基部偏斜，全缘，两面无毛或稀叶背脉腋被毛；侧脉 8 ~ 10 对。花杂性，异株；雄花和假两性花紫红色，排列成顶生或腋生的聚伞状圆锥花序，长 4 ~ 10 cm。雌花单生于上部叶腋内；萼片、花瓣各 5；子房 5 室；花柱 5，分离，长约 0.5 mm。核果椭圆形或倒卵形，长 2 ~ 3 cm，直径约 2 cm，成熟时黄色，中果皮肉浆状，

果核长 2 ~ 2.5 cm，直径 1.2 ~ 1.5 cm，先端具 5 小孔。花期 4 月，果期 8 ~ 10 月。

| 生境分布 | 生于山坡、丘陵或沟谷林中。湖北有分布。

| 采收加工 | **果实或果核：** 9 ~ 10 月果实成熟时采收，鲜用，或取果核晒干。

树皮： 全年均可采收，晒干或熬膏。

| 功能主治 | **果实或果核：** 行气活血，养心安神，清积，解毒。用于气滞血瘀，胸痛，心悸气短，神经衰弱，失眠，支气管炎，食滞腹满，疝气，烫火伤。

树皮： 清热解毒，祛湿，杀虫。用于疮疡，烫火伤，阴囊湿疹，痢疾，带下，疥癣。

漆树科 Anacardiaceae 黄栌属 Cotinus

黄栌

Cotinus coggygria Scop.

| 药 材 名 | 黄栌。

| 形态特征 | 小乔木。高达 8 m。嫩枝被毛。叶互生，宽卵形、近圆形或宽倒卵形，长 3 ~ 8 cm，宽 2.5 ~ 6 cm，先端微凹或钝，基部圆或宽楔形，全缘，无毛或仅下面脉上有短柔毛，秋后变为红色；叶柄细长，长约 1.5 cm。花小，黄绿色，组成大形顶生圆锥花序；花杂性，直径约 3 mm；萼片、花瓣及雄蕊各 5；子房具 2 ~ 3 枝侧生的短花柱。果序长 5 ~ 20 cm，不育花花梗宿存，紫绿色，细长羽毛状；核果小，肾形，直径 3 ~ 4 mm，成熟时红色。

| 生境分布 | 生于海拔 700 ~ 2 400 m 的小山森林、灌丛中。湖北有分布。

| **采收加工** | **根**：全年均可采挖，洗净，切段晒干。
| | **叶**：夏、秋季采收，扎成把，晒干。

| **功能主治** | **根**：清热利湿，散瘀，解毒。用于黄疸性肝炎，跌打瘀痛，皮肤瘙痒，赤眼，丹毒，烫火伤，漆疮。
| | **叶**：清热解毒，活血止痛。用于黄疸性肝炎，丹毒，漆疮，烫火伤，结膜炎，跌打瘀痛。

漆树科 Anacardiaceae 厚皮树属 Lannea

厚皮树 *Lannea coromandelica* (Houtt.) Merr.

药材名

厚皮树。

形态特征

落叶乔木，高 5 ~ 10 m。树皮灰白色，厚，小枝密被锈色星状毛。奇数羽状复叶，互生，常集中于小枝先端，长 10 ~ 33 cm，小叶 7 ~ 9，对生；小叶柄长 1 ~ 3 mm，被锈色星状毛；小叶卵形或长圆状卵形，长 5.5 ~ 9 cm，宽 2.4 ~ 4 cm，先端长渐尖，基部稍偏斜，全缘，上面无毛，下面沿脉上被星状毛和极稀疏微柔毛；侧脉 6 ~ 10 对；小叶膜质或薄纸质。总状花序顶生，分枝或不分枝；花小，黄色或带紫色，单性同株或异株；雄花序长 15 ~ 30 cm，分枝；雌花序较短，簇生于小枝先端，被锈色星状毛；花萼无毛，裂片卵形或阔卵形，长约 1 mm；花瓣卵状长圆形，长约 2.7 mm，宽约 1.5 mm，无毛，先端和边缘外卷；雄蕊与花瓣等长或略超过花瓣，雄蕊在雌花中极短，不育；花盘无毛；子房无毛，卵形，4 室，通常仅 1 室发育，花柱 3 ~ 4，柱头盾状。核果卵形，略压扁，成熟时紫红色，长 8 ~ 10 mm，宽约 0.5 mm，无毛。花期 3 ~ 4 月。

| **生境分布** | 生于海拔 130 ~ 1 800 m 的山坡、溪边或旷野林中。湖北有分布。

| **采收加工** | 全年均可采收粗皮，鲜用或晒干。

| **功能主治** | 接骨，解毒。用于骨折，河豚、木薯、菠萝中毒。

漆树科 Anacardiaceae 黄连木属 Pistacia

黄连木

Pistacia chinensis Bunge

| 药 材 名 | 黄楝树。

| 形态特征 | 落叶乔木。高达 20 m 以上。树皮暗褐色，呈鳞片状剥落。幼枝灰棕色，具细小皮孔，疏被柔毛或近无毛；冬芽红色，有特殊气味。偶数羽状复叶互生，小叶 5 ~ 7 对；小叶柄长 1 ~ 2 mm；小叶对生或近对生，纸质，披针形、卵状披针形或线状披针形，长 5 ~ 10 cm，宽 1.5 ~ 2.5 cm，先端渐尖或长渐尖，基部偏斜，全缘，两面主脉间有细微柔毛。圆锥花序顶生；花单性，雌雄异株；雄花排成密集总状花序，长 5 ~ 8 cm，花的基部具小苞片 2，萼片 1 ~ 2，雄蕊 3 ~ 5，花丝短，长不到 0.5 mm，花药长圆形，大，长约 2 mm；雌花排成疏散圆锥花序，长 18 ~ 20 cm，花小，无花瓣，子房上位，球形，

无毛，直径约 0.5 mm，花柱极短，柱头 3，厚肉质，红色。核果倒卵状球形，略压扁，直径约 5 mm，成熟时紫红色，干后具纵向细条纹，先端细尖。花期 3 ~ 4 月，果期 9 ~ 11 月。

| **生境分布** | 生于海拔较低的丘陵或平原地区。分布于湖北鹤峰、巴东、兴山、神农架、竹溪、红安、麻城、崇阳、阳新，以及宜昌、武汉。

| **采收加工** | **叶芽：**春季采集，鲜用。

叶：夏、秋季采摘，鲜用或晒干。

根、树皮：全年均可采，洗净，切片，晒干。

| **功能主治** | 清暑，生津，解毒，利湿。用于暑热口渴，咽喉肿痛，口舌糜烂，吐泻，痢疾，淋证，无名肿毒，疮疹。

| 漆树科 Anacardiaceae | 盐肤木属 Rhus

盐肤木 *Rhus chinensis* Mill.

| **药 材 名** | 盐肤子。

| **形态特征** | 落叶小乔木或灌木。高 2 ~ 10 m。小枝棕褐色，被锈色柔毛，具圆形小皮孔。奇数羽状复叶互生，叶轴及叶柄常有翅；小叶 5 ~ 13，无柄，纸质，多形，常为卵形、椭圆状卵形或长圆形，长 6 ~ 12 cm，宽 3 ~ 7 cm，先端急尖，基部圆形，边缘具粗锯齿或圆齿，叶面暗绿色，叶背粉绿色，被白粉，叶面沿中脉疏被柔毛或近无毛，叶背被锈色柔毛。圆锥花序宽大，顶生，多分枝，雄花序长 30 ~ 40 cm，雌花序较短，密被绣色柔毛；花小，杂性，黄白色；雄花花萼裂片长卵形，长约 1 mm，花瓣倒卵状长圆形，长约 2 mm，开花时外卷，雄蕊伸出，花丝线形，花药卵形；雌花花

萼裂片较短，长约 0.6 mm，花瓣椭圆状卵形，长约 1.6 mm，花盘无毛，子房卵形，长约 1 mm，密被白色微柔，花柱 3，柱头头状。核果球形，略压扁，直径 4 ~ 5 mm，被具节柔毛和腺毛，成熟时红色，果核直径 3 ~ 4 mm。花期 8 ~ 9 月，果期 10 月。

| **生境分布** | 生于海拔 350 ~ 2 300 m 的石灰山灌丛、疏林中。湖北有分布。

| **采收加工** | **果实**：10 月果实成熟时采摘，鲜用或晒干。

叶：夏、秋季采收，随采随用。

幼嫩枝苗：春季采收，晒干或鲜用。

花：8 ~ 9 月采摘，鲜用或晒干。

根：全年均可采挖，鲜用或切片晒干。

去掉栓皮的根皮：全年均可采挖根，洗净，剥取根皮，鲜用或晒干。

| **功能主治** | **果实**：生津润肺，降火化痰，敛汗，止痢。用于痰嗽，喉痹，黄疸，盗汗，痢疾，顽癣，痈毒，头风白屑。

叶：止咳，止血，收敛，解毒。用于痰嗽，便血，血痢，盗汗，痈疽，疮疡，湿疹，蛇虫咬伤。

幼嫩枝苗：解毒利咽。用于咽痛喉痹。

花：清热解毒，敛疮。用于疮疡久不收口、小儿鼻下两旁生疮、色红瘙痒、渗液浸淫糜烂。

根：祛风湿，利水消肿，活血散毒。用于风湿痹痛，水肿，咳嗽，跌打损伤，乳痈，癣疮。

根皮：清热利湿，解毒散瘀。用于黄疸，水肿，风湿痹痛，疳积，疮疡肿毒，跌打损伤，毒蛇咬伤。

盐肤木皮：清热解毒，活血止痢。用于血痢，疮肿，疮疥，蛇犬咬伤。

漆树科 Anacardiaceae 盐肤木属 Rhus

青麸杨
Rhus potaninii Maxim.

| 药 材 名 | 青麸杨。

| 形态特征 | 落叶乔木。高 5 ~ 8 m。树皮灰褐色，小枝无毛。奇数羽状复叶互生，叶轴圆筒形，有时在上部的小叶间有狭翅；小叶 7 ~ 11，具短柄，卵状长圆形或长圆状披针形，长 5 ~ 10 cm，宽 2 ~ 4 cm，先端渐尖，基部多少偏斜，近圆形，全缘，两面沿中脉被微柔毛或近无毛。圆锥花序顶生，长 10 ~ 20 cm，被微柔毛；苞片钻形，长约 1 mm，被微柔毛；花白色，直径 2.5 ~ 3 mm；花梗长约 1 mm，被微柔毛；花萼外面被微柔毛，裂片卵形，长约 1 mm，两面被微柔毛，边缘具细睫毛，开花时先端外卷；花丝线形，长约 2 mm，在雌花中较短；花药卵形；花盘厚，无毛；子房球形，直径约 0.7 mm，密被白色柔毛。

果序下垂，核果近球形，直径 3 ~ 4 mm，密被具节柔毛和腺毛，成熟时红色，内含种子 1。

| 生境分布 | 生于海拔 900 ~ 2 500 m 的山坡疏林或灌丛中。湖北有分布。

| 采收加工 | 夏、秋季采挖，洗净，除去表皮，留取韧皮部，晒干。

| 功能主治 | 祛风解毒。用于小儿缩阴症，瘰疬。

漆树科 Anacardiaceae 盐肤木属 *Rhus*

红麸杨

Rhus punjabensis Stewart var. *sinica* (Diels) Rehd. et Wils.

| **药 材 名** | 红麸杨。

| **形态特征** | 落叶乔木或小乔木。高 4 ~ 15 m。树皮灰褐色，小枝被微柔毛。奇
数羽状复叶互生，叶轴上部有狭翅，具小叶 7 ~ 13，无柄或近无柄，
卵状长圆形或长圆形，长 5 ~ 12 cm，宽 2 ~ 4.5 cm，先端渐尖或
长渐尖，基部圆形或近心形，全缘，下面沿脉有细毛。圆锥花序顶生，
长 15 ~ 20 cm，密被微绒毛；花小，杂性，白色；萼裂片狭三角形，
花瓣长圆形，开花时先端外卷；花丝线形；花卵形；花盘厚，紫红
色，无毛；子房球形，直径约 1 mm，1 室，花柱 3。果序下垂，核
果近球形，略压扁，直径约 4 mm，成熟时暗紫红色，被具节柔毛和
腺毛；种子小。花期 5 月，果期 9 ~ 10 月。

| 生境分布 | 生于海拔 460 ～ 3 000 m 的石灰山灌丛或密林中。湖北有分布。

| 采收加工 | 秋季采挖，洗净，切片，晒干。

| 功能主治 | 涩肠止泻。用于痢疾，泄泻。

漆树科 Anacardiaceae 漆属 Toxicodendron

野漆
Toxicodendron succedaneum (L.) O. Kuntze

| **药 材 名** | 野漆树。

| **形态特征** | 落叶乔木或小乔木。高达 10 m。小枝粗壮，无毛；顶芽大，紫褐色，外面近无毛。奇数羽状复叶互生，常集生于小枝先端，无毛，长 25 ～ 35 cm，有小叶 9 ～ 15，叶轴和叶柄圆柱形；叶柄长 6 ～ 9 cm；小叶对生或近对生，小叶柄长 2 ～ 5 mm，叶片长圆状椭圆形、阔披针形或卵状披针形，长 5 ～ 10 cm，宽 2 ～ 5.5 cm，先端渐尖或长渐尖，基部多少偏斜，圆形或阔楔形，全缘，两面无毛，叶背常具白粉；侧脉 15 ～ 22 对，弧形上升，两面略突。圆锥花序长 7 ～ 15 cm，为叶长的一半，多分枝，无毛；花小，单性异株，黄绿色，直径约 2 mm；花梗长约 2 mm；花萼裂片阔卵形，先端钝，

长约 1 mm；花瓣 5，长圆形，先端钝，长约 2 mm，中部具不明显的羽状脉；雄蕊 5，伸出，花丝线形，长约 2 mm，花药卵形，长约 1 mm；花盘 5 裂；子房球形，直径约 0.8 mm，无毛，花柱 1，短，柱头 3 裂，褐色。核果大，偏斜，直径 7 ~ 10 mm，压扁，先端偏离中心，外果皮薄，淡黄色，无毛，中果皮厚，蜡质，白色，果核坚硬，压扁，干时有皱纹。

| 生境分布 | 生于海拔 150 ~ 2500 m 的林中。分布于湖北秭归、长阳，以及宜昌等地。

| 采收加工 | 叶：春季采收嫩叶，鲜用或晒干。
根：全年均可采挖，洗净，鲜用，或切片晒干。

| 功能主治 | 叶：散瘀止血，解毒。用于咯血，吐血，外伤出血，毒蛇咬伤。
根：散瘀止血，解毒。用于咯血，吐血，尿血，血崩，外伤出血，跌打损伤，疮毒疥癣，毒蛇咬伤。

漆树科 Anacardiaceae 漆属 Toxicodendron

毛漆树

Toxicodendron trichocarpum (Miq.) Kuntze

| 药 材 名 |

毛漆树。

| 形态特征 |

落叶乔木或灌木。小枝灰色，具褐色长圆形凸起的皮孔，幼枝被黄褐色微硬毛；顶芽大，密被黄色绒毛。奇数羽状复叶互生，有小叶 4 ~ 7 对，叶轴圆柱形，上面具槽，稀最上部具不明显狭翅，叶轴和叶柄被黄褐色微硬毛；叶柄长 5 ~ 7 cm，基部膨大，上面平；小叶纸质，卵形或倒卵状长圆形或椭圆形，自下而上逐渐增大，长 4 ~ 10 cm，宽 2.5 ~ 4.5 cm，先端渐尖，具钝头，基部略偏斜，圆形至截形，全缘，稀边缘具粗齿，叶面沿脉上被卷曲的微柔毛，其余疏被平伏柔毛或近无毛，叶背沿中侧脉密被黄色柔毛，其余疏被毛，边缘具缘毛，侧脉在叶背凸起；小叶无柄或近无柄。圆锥花序长 10 ~ 20 cm，密被黄褐色微硬毛，为叶长之半，分枝总状花序式，长 1.5 ~ 3 cm；苞片狭线形，长约 1 mm；花黄绿色；花梗长约 1.5 mm，被毛；花萼无毛，裂片狭三角形，长约 0.8 mm，无毛，先端钝；花瓣倒卵状长圆形，长约 2 mm，无毛，先端开花时外卷，花丝线形，长约 1.5 mm，花药卵形，大，

长约 0.8 mm；花盘 5 浅裂，无毛。核果扁圆形，长 5 ~ 6 mm，宽 7 ~ 8 mm，外果皮薄，黄色，疏被短刺毛；中果皮蜡质，具纵向褐色树脂道条纹，果核坚硬，长 4 ~ 5 mm，宽约 6 mm。花期 6 月，果期 7 ~ 9 月。

| 生境分布 | 生于海拔 900 ~ 2 500 m 的山坡密林或灌丛中。湖北有分布。

| 功能主治 | 平喘解毒，散瘀消肿，止痛止血。用于哮喘，肝炎，胃痛，跌打损伤；外用于骨折，创伤出血。

漆树科 Anacardiaceae 漆属 Toxicodendron

漆 *Toxicodendron vernicifluum* (Stokes) F. A. Barkley

| 药 材 名 | 漆子、漆叶、漆树根、漆树皮、漆树木心。

| 形态特征 | 落叶乔木，高达 20 m。树皮灰白色，粗糙，呈不规则纵裂；小枝粗壮，被棕色柔毛；冬芽生枝顶，大而显著，被棕黄色绒毛。奇数羽状复叶螺旋状，互生，长 22 ~ 75 cm；叶柄长 7 ~ 14 cm，被微柔毛，近基部膨大，半圆形，上面平，小叶 4 ~ 6 对，小叶柄长 4 ~ 7 mm，卵形、卵状椭圆形或长圆形，长 6 ~ 13 cm，宽 3 ~ 6 cm，先端渐尖或急尖，基部偏斜，圆形或阔楔形，全缘，上面无毛或中脉被微毛，下面初有细毛，老时沿脉密被淡褐色柔毛；侧脉 10 ~ 15 对，两面略凸，膜质至薄纸质。圆锥花序长 15 ~ 30 cm，被灰黄色微柔毛；花杂性或雌雄异株，黄绿色；雄花花萼 5，卵形，长约 0.8 mm；花

瓣 5，长圆形，开花时外卷；雄蕊 5，长约 2.5 mm，着生于花盘边缘，花丝线形，花药长圆形；子房球形，1 室，直径约 1.5 mm，花柱 3。果序稍下垂，核果肾形或椭圆形，不偏斜，略压扁，长 5 ～ 6 mm，宽 7 ～ 8 mm，外果皮黄色，无毛，具光泽，成熟后不裂，中果皮蜡质，具树脂状条纹，果核棕色，与果同形，长约 3 mm，宽约 5 mm，坚硬。花期 5 ～ 6 月，果期 7 ～ 10 月。

| 生境分布 | 生于海拔 800 ～ 2 800（～ 3 100）m 的向阳山坡林内。湖北有分布。

| 采收加工 | **漆子**：9 ～ 10 月果实成熟时采摘种子，除去果柄，晒干。

漆叶：夏、秋季采收，随采随用，鲜用。

漆树根：全年均可采挖，洗净，切片，鲜用或晒干。

漆树皮：全年均可采剥树皮，或挖根，洗净，剥取根皮，鲜用。

漆树木心：全年均可采收，将木材砍碎，晒干。

| 功能主治 | **漆子**：活血止血，温经止痛。用于出血夹瘀的便血、尿血、崩漏，瘀滞腹痛，闭经。

漆叶：活血解毒，杀虫敛疮。用于紫云疯，面部紫肿，外伤瘀肿出血，疮疡溃烂，疥癣，漆中毒。

漆树根：活血散瘀，通经止痛。用于跌打瘀肿疼痛，经闭腹痛。

漆树皮：接骨。用于骨折。

漆树木心：行气活血止痛。用于气滞血瘀所致胸胁胀痛，脘腹气痛。

五列木科 Pentaphylacaceae 杨桐属 Adinandra

杨桐
Adinandra millettii (Hook. et Arn.) Benth. et Hook. f. ex Hance

| 药 材 名 | 杨桐。

| 形态特征 | 灌木或小乔木。高 2 ~ 10 m，胸径 10 ~ 20 cm。树皮灰褐色，枝圆筒形，小枝褐色，无毛，一年生新枝淡灰褐色，初时被灰褐色平伏短柔毛，后变无毛，顶芽被灰褐色平伏短柔毛。叶互生，革质，长圆状椭圆形，长 4.5 ~ 9 cm，宽 2 ~ 3 cm，先端短渐尖或近钝形，稀渐尖，基部楔形，全缘，极少沿上半部疏生细锯齿，上面亮绿色，无毛，下面淡绿色或黄绿色，初时疏被平伏短柔毛，迅即柔毛脱落变无毛或几无毛；侧脉 10 ~ 12 对，两面隐约可见；叶柄长 3 ~ 5 mm，疏被短柔毛或几无毛。花单朵腋生，花梗纤细，长约 2 cm，疏被短柔毛或几无毛；小苞片 2，早落，线状披针形，长 2 ~ 3 mm，

宽约 1 mm；萼片 5，卵状披针形或卵状三角形，长 7 ～ 8 mm，宽 4 ～ 5 mm，先端尖，边缘具纤毛和腺点，外面疏被平伏短柔毛或几无毛；花瓣 5，白色，卵状长圆形至长圆形，长约 9 mm，宽 4 ～ 5 mm，先端尖，外面全无毛；雄蕊约 25，长 6 ～ 7 mm，花丝长约 3 mm，分离或几分离，着生于花冠基部，无毛或仅上半部被毛；花药线状长圆形，长 1.5 ～ 2.5 mm，被丝毛，先端有小尖头；子房圆球形，被短柔毛，3 室，胚珠每室多数，花柱单一，长 7 ～ 8 mm，无毛。果实圆球形，疏被短柔毛，直径约 1 cm，成熟时黑色，宿存花柱长约 8 mm；种子多数，深褐色，有光泽，表面具网纹。花期 5 ～ 7 月，果期 8 ～ 10 月。

| 生境分布 | 生于海拔 90 ～ 1 200 m 的山地林荫处或水边。分布于湖北通山。

| 资源情况 | 野生资源较少，栽培资源丰富。

| 采收加工 | **根：**全年均可采挖，晒干或鲜用。

嫩叶：夏、秋季采收，鲜用。

| 功能主治 | **根：**用于鼻衄，睾丸炎，腮腺炎。

嫩叶：凉血止血，消肿解毒。用于衄血，尿血，病毒性肝炎，腮腺炎，疖肿，蛇虫咬伤，恶性肿瘤。

五列木科 Pentaphylacaceae 柃属 Eurya

翅柃
Eurya alata Kobuski

| **药 材 名** | 翅柃。

| **形 态 特 征** | 灌木。高 1 ~ 3 m，全株均无毛。嫩枝具显著 4 棱，淡褐色，小枝灰褐色，常具明显 4 棱；顶芽披针形，渐尖，长 5 ~ 8 mm，无毛。叶革质，长圆形或椭圆形，长 4 ~ 7.5 cm，宽 1.5 ~ 2.5 cm，先端窄缩呈短尖，尖头钝，或偶有为长渐尖，基部楔形，边缘密生细锯齿，上面深绿色，有光泽，下面黄绿色，中脉在上面凹下，在下面凸起，侧脉 6 ~ 8 对，在上面不甚明显，偶有稍凹下，在下面通常略隆起；叶柄长约 4 mm。花 1 ~ 3 簇生于叶腋，花梗长 2 ~ 3 mm，无毛。雄花小苞片 2，卵圆形；萼片 5，膜质或近膜质，卵圆形，长约 2 mm，先端钝；花瓣 5，白色，倒卵状长圆形，长 3 ~ 3.5 mm，

基部合生；雄蕊约 15，花药不具分格，退化子房无毛。雌花的小苞片和萼片与雄花同；花瓣 5，长圆形，长约 2.5 mm；子房圆球形，3 室，无毛，花柱长约 1.5 mm，先端 3 浅裂。果实圆球形，直径约 4 mm，成熟时蓝黑色。花期 10 ～ 11 月，果期翌年 6 ～ 8 月。

| 生境分布 | 生于海拔 300 ～ 1 600 m 的山地沟谷、溪边密林中或林下路旁阴湿处。分布于湖北恩施、通山、保康、通城。

| 功能主治 | 理气活血，散瘀消肿，止痛。用于跌打损伤，肿痛。

五列木科 Pentaphylacaceae 柃属 Eurya

微毛柃
Eurya hebeclados Ling

| 药 材 名 | 微毛柃。

| 形态特征 | 灌木或小乔木。高 1.5 ~ 5 m，树皮灰褐色，稍平滑。嫩枝圆柱形，黄绿色或淡褐色，密被灰色微毛，小枝灰褐色，无毛或几无毛；顶芽卵状披针形，渐尖，长 3 ~ 7 mm，密被微毛。叶革质，长圆状椭圆形、椭圆形或长圆状倒卵形，长 4 ~ 9 cm，宽 1.5 ~ 3.5 cm，先端急窄缩呈短尖，尖头钝，基部楔形，边缘除先端和基部外均有浅细齿，齿端紫黑色，上面浓绿色，有光泽，下面黄绿色，两面均无毛，中脉在上面凹下，下面凸起，侧脉 8 ~ 10 对，纤细，在离叶缘处弧曲且联结，在上面不明显，有时可稍明显，下面略隆起，网脉不明；叶柄长 2 ~ 4 mm，被微毛。花 4 ~ 7 簇生于叶腋，花梗

长约 1 mm，被微毛；雄花小苞片 2，极小，圆形；萼片 5，近圆形，膜质，长 2.5 ~ 3 mm，先端圆，有小突尖，外面被微毛，边缘有纤毛；花瓣 5，长圆状倒卵形，白色，长约 3.5 mm，无毛，基部稍合生；雄蕊约 15，花药不具分格，退化子房无毛；雌花的小苞片和萼片与雄花同，但较小；花瓣 5，倒卵形或匙形，长约 2.5 mm；子房卵圆形，3 室，无毛，花柱长约 1 mm，先端 3 深裂。果实圆球形，直径 4 ~ 5 mm，成熟时蓝黑色，宿存萼片几无毛，边有纤毛；种子每室 10 ~ 12，肾形，稍扁而有棱，种皮深褐色，表面具细蜂窝状网纹。花期 12 月至翌年 1 月，果期 8 ~ 10 月。

| **生境分布** | 生于山谷、溪边、灌丛中。分布于湖北通城、梁子湖、兴山、江夏、黄梅。

| **采收加工** | **全株：** 全年均可采收，鲜用或切段晒干。

| **功能主治** | 祛风，消肿，解毒，止血。用于风湿性关节炎，肝炎，无名肿毒，烫伤，跌打损伤，外伤出血，蛇咬伤。

柃木
Eurya japonica Thunb.

| 药材名 | 柃木。

| 形态特征 | 灌木。高 1 ~ 3.5 m，全株无毛。嫩枝黄绿色或淡褐色，具 2 棱，小枝灰褐色或褐色；顶芽披针形，长 4 ~ 8 mm，无毛。叶厚革质或革质，倒卵形、倒卵状椭圆形至长圆状椭圆形，长 3 ~ 7 cm，宽 1.5 ~ 3 cm，先端钝或近圆形，有时急尖而尖顶钝，有微凹，基部楔形，边缘具疏的粗钝齿，上面深绿色，有光泽，下面淡绿色，两面无毛，中脉在上面凹下，下面凸起，侧脉 5 ~ 7 对，通常在上面明显下凹，在下面凸起；叶柄长 2 ~ 3 mm，无毛。花 1 ~ 3 腋生，花梗长约 2 mm；雄花小苞片 2，近圆形，长约 0.5 mm，无毛；萼片 5，卵圆形或近圆形，先端圆，有小突尖，无毛；花瓣 5，白色，长

圆状倒卵形，长约 4 mm；雄蕊 12 ～ 15，花药不具分格，退化子房无毛；雌花小苞片 2，近圆形，极微小；萼片 5，卵形，长约 1.5 mm；花瓣 5，长圆形，长 2.5 ～ 3 mm；子房圆球形，无毛，3 室，花柱长约 1.5 mm，先端 3 浅裂。果实圆球形，无毛，宿存花柱长 1 ～ 1.5 mm，先端 3 浅裂。花期 2 ～ 3 月，果期 9 ～ 10 月。

| 生境分布 | 生于山坡阴湿处。分布于湖北通城、大冶、宣恩、崇阳、远安、浠水、英山、南漳、枝江。

| 采收加工 | 全年均可采收枝叶，8 月采收果实，鲜用或晒干。

| 功能主治 | 祛风清热，利水消肿，止血生肌。用于风湿痹痛，腹水膨胀，发热口干，疮肿，跌打肿痛，创伤出血。

五列木科 Pentaphylacaceae 柃属 Eurya

细枝柃
Eurya loquaiana Dunn

| 药 材 名 | 细枝柃。

| 形态特征 | 灌木或小乔木。高 2 ～ 10 m。树皮灰褐色或深褐色，平滑。枝纤细，嫩枝圆柱形，黄绿色或淡褐色，密被微毛，小枝褐色或灰褐色，无毛或几无毛；顶芽狭披针形，除密被微毛外，其基部和芽鳞背部的中脉上还被短柔毛。叶薄革质，窄椭圆形或长圆状窄椭圆形，有时为卵状披针形，长 4 ～ 9 cm，宽 1.5 ～ 2.5 cm，先端长渐尖，基部楔形，有时为阔楔形，上面暗绿色，有光泽，无毛，下面干后常变为红褐色，除沿中脉被微毛外，其余无毛，中脉在上面凹下，下面凸起，侧脉约 10 对，纤细，两面均稍明显；叶柄长 3 ～ 4 mm，被微毛。花 1 ～ 4 簇生于叶腋，花梗长 2 ～ 3 mm，被微毛；雄花小苞

片 2，极小，卵圆形，长约 1 mm；萼片 5，卵形或卵圆形；长约 2 mm，先端钝或近圆形，外面被微毛或偶有近无毛；花瓣 5，白色，倒卵形；雄蕊 10 ~ 15，花药不具分格，退化子房无毛；雌花的小苞片和萼片与雄花同；花瓣 5，白色，卵形，长约 3 mm；子房卵圆形，无毛，3 室，花柱长 2 ~ 3 mm，先端 3 裂。果实圆球形，成熟时黑色，直径 3 ~ 4 mm；种子肾形，稍扁，暗褐色，有光泽，表面具细蜂窝状网纹。花期 10 ~ 12 月，果期翌年 7 ~ 9 月。

| 生境分布 | 生于山坡林中。分布于湖北通山、通城、神农架。

| 采收加工 | **茎、叶**：全年均可采收，鲜用或晒干。

| 功能主治 | 祛风通络，活血止痛。用于风湿痹痛，跌打损伤。

五列木科 Pentaphylacaceae 柃属 Eurya

格药柃
Eurya muricata Dunn

| 药 材 名 | 格药柃。

| 形态特征 | 灌木或小乔木。高 2 ~ 6 m，全株无毛。树皮黑褐色或灰褐色，平滑。嫩枝圆柱形，粗壮，黄绿色，小枝灰褐色或褐色，连同顶芽均无毛；顶芽长锥形。叶革质，稍厚，长圆状椭圆形或椭圆形，长 5.5 ~ 11.5 cm，宽 2 ~ 4.3 cm，先端渐尖，基部楔形，有时近阔楔形，边缘有细钝锯齿，上面深绿色，有光泽，下面黄绿色或淡绿色，两面均无毛，中脉在上面凹下，下面隆起，侧脉 9 ~ 11 对，两面均不甚明显或在上面稍明显；叶柄长 4 ~ 5 mm。花 1 ~ 5 簇生叶腋，花梗长 1 ~ 1.5 mm，无毛；雄花小苞片 2，近圆形，长约 1 mm；萼片 5，革质，近圆形，长 2 ~ 2.5 mm，先端圆而有小尖头或微凹，外面

无毛，边缘有时有纤毛；花瓣 5，白色，长圆形或长圆状倒卵形，长 4 ～ 5 mm；雄蕊 15 ～ 22，花药具多分格，退化子房无毛；雌花的小苞片和萼片与雄花同；花瓣 5，白色，卵状披针形，长约 3 mm；子房圆球形，3 室，无毛，花柱长约 1.5 mm，先端 3 裂。果实圆球形，直径 4 ～ 5 mm，成熟时紫黑色；种子肾圆形，稍扁，红褐色，有光泽，表面具密网纹。花期 9 ～ 11 月，果期翌年 6 ～ 8 月。

| 生境分布 |　生于海拔 350 ～ 1 300 m 的山坡林中或林缘灌丛中。分布于湖北黄梅、咸安、通山。

| 功能主治 |　祛风除湿，消肿止血。用于风湿痹痛，跌打损伤。

五列木科 Pentaphylacaceae 柃属 Eurya

细齿叶柃
Eurya nitida Korthals

| 药 材 名 | 细齿叶柃。

| 形态特征 | 灌木或小乔木。高 2 ~ 5 m，全株无毛。树皮灰褐色或深褐色，平滑。嫩枝稍纤细，具 2 棱，黄绿色，小枝灰褐色或褐色，有时具 2 棱；顶芽线状披针形，长达 1 cm，无毛。叶薄革质，椭圆形、长圆状椭圆形或倒卵状长圆形，长 4 ~ 6 cm，宽 1.5 ~ 2.5 cm，先端渐尖或短渐尖，尖头钝，基部楔形，有时近圆形，边缘密生锯齿或细钝齿，上面深绿色，有光泽，下面淡绿色，两面无毛，中脉在上面稍凹下，在下面凸起，侧脉 9 ~ 12 对，在上面不明显，在下面稍明显；叶柄长约 3 mm。花 1 ~ 4 簇生于叶腋，花梗较纤细，长约 3 mm；雄花小苞片 2，萼片状，近圆形，长约 1 mm，无毛；萼片 5，几膜质，

近圆形，长 1.5 ～ 2 mm，先端圆，无毛；花瓣 5，白色，倒卵形，长 3.5 ～ 4 mm，基部稍合生；雄蕊 14 ～ 17，花药不具分格，退化子房无毛；雌花的小苞片和萼片与雄花同；花瓣 5，长圆形，长 2 ～ 2.5 mm，基部稍合生；子房卵圆形，无毛，花柱细长，长约 3 mm，先端 3 浅裂。果实圆球形，直径 3 ～ 4 mm，成熟时蓝黑色；种子肾形或圆肾形，亮褐色，表面具细蜂窝状网纹。花期 11 月至翌年 1 月，果期翌年 7 ～ 9 月。

| 生境分布 | 生于海拔 200 ～ 1 700 m 的山坡林中、林缘以及路旁灌丛中。分布于湖北鹤峰、丹江口、宜都。

| 采收加工 | **全株**：全年均可采收，鲜用或晒干。

| 功能主治 | 祛风除湿，解毒敛疮，止血。用于风湿痹痛，泄泻，无名肿毒，疮疡溃烂，外伤出血。

五列木科 Pentaphylacaceae 厚皮香属 Ternstroemia

厚皮香
Ternstroemia gymnanthera (Wight et Arn.) Beddome

| **药 材 名** | 厚皮香。

| **形态特征** | 灌木或小乔木。高 1.5 ~ 10 m，有时达 15 m，胸径 30 ~ 40 cm。全株无毛。树皮灰褐色，平滑。嫩枝浅红褐色或灰褐色，小枝灰褐色。叶革质或薄革质，通常聚生于枝端，呈假轮生状，椭圆形、椭圆状倒卵形至长圆状倒卵形，长 5.5 ~ 9 cm，宽 2 ~ 3.5 cm，先端短渐尖或急窄缩成短尖，尖头钝，基部楔形，全缘，稀有上半部疏生浅疏齿，齿尖具黑色小点，上面深绿色或绿色，有光泽，下面浅绿色，干后常呈淡红褐色，中脉在上面稍凹下，在下面隆起，侧脉 5 ~ 6 对，两面均不明显，少有在上面隐约可见；叶柄长 7 ~ 13 mm。花两性或单性，开花时直径 1 ~ 1.4 cm，通常生于当年生无叶的小枝

上或生于叶腋，花梗长约 1 cm，稍粗壮；两性花小苞片 2，三角形或三角状卵形，长 1.5 ~ 2 mm，先端尖，边缘具腺状齿突；萼片 5，卵圆形或长圆卵形，长 4 ~ 5 mm，宽 3 ~ 4 mm，先端圆，边缘通常疏生线状齿突，无毛；花瓣 5，淡黄白色，倒卵形，长 6 ~ 7 mm，宽 4 ~ 5 mm，先端圆，常有微凹；雄蕊约 50，长 4 ~ 5 mm，长短不一，花药长圆形，远较花丝为长，无毛；子房圆卵形，2 室，胚珠每室 2，花柱短，先端 2 浅裂。果实圆球形，长 8 ~ 10 mm，直径 7 ~ 10 mm，小苞片和萼片均宿存，果柄长 1 ~ 1.2 cm，宿存花柱长约 1.5 mm，先端 2 浅裂；种子肾形，每室 1，成熟时肉质，假种皮红色。花期 5 ~ 7 月，果期 8 ~ 10 月。

| 生境分布 | 生于海拔 200 ~ 1 400 m 的山地林中、林缘路边或近山顶疏林中。分布于湖北利川、长阳、鹤峰。

| 采收加工 | **全株或叶**：全年均可采收，切碎，晒干或鲜用。

| 功能主治 | 清热解毒，散瘀消肿。用于疮痈肿毒，乳痈。

冬青科 Aquifoliaceae　冬青属 *Ilex*

刺叶冬青

Ilex bioritsensis Hayta

| 药 材 名 |　刺叶冬青。

| 形态特征 |　常绿灌木或小乔木，高 1.5 ～ 10 m。小枝近圆形，灰褐色，疏被微柔毛或渐无毛，平滑，皮孔不明显；顶芽圆锥形，先端急尖，被微柔毛，芽鳞具缘毛。叶生于一至四年生枝上，叶片革质，卵形至菱形，长 2.5 ～ 5 cm，宽 1.5 ～ 2.5 cm，先端渐尖，且具一长 3 mm 的刺，基部圆形或截形，边缘波状，具 3 或 4 对硬刺齿，叶面深绿色，具光泽，背面淡绿色，无毛，主脉在叶面凹陷，被微柔毛，在背面隆起，无毛，侧脉 4 ～ 6 对，上面明显凹入，背面不明显或稍凸起，细网脉两面均不明显；叶柄长约 3 mm，被短柔毛；托叶小，卵形，急尖。花簇生于二年生枝的叶腋内，花梗长约 2 mm，小苞片

卵形，具缘毛；花 2 ~ 4 基数，淡黄绿色。雄花花梗长 2 mm，无毛，近顶部具 2 卵形小苞片；花萼盘状，直径约 3 mm，裂片宽三角形，具缘毛；花瓣阔椭圆形，长约 3 mm，基部稍合生；雄蕊长于花瓣，花药长圆形；不育子房卵球形，直径约 1 mm。雌花花梗长约 2 mm，近基部具 2 小苞片，无毛；花萼与雄花的相似，花瓣分离；退化雄蕊长为花瓣的 1/2，败育花药心形；子房长圆状卵形，长 2 ~ 3 mm，柱头薄盘状。果椭圆形，长 8 ~ 10 mm，直径约 7 mm，成熟时红色，宿存花萼平展，宿存柱头盘状；分核 2，背腹扁，卵形或近圆形，长 5 ~ 6 mm，宽 4 ~ 5 mm，背部稍凸，具掌状棱和 7 ~ 8 浅沟，腹面具条纹，内果皮木质。花期 4 ~ 5 月，果期 8 ~ 10 月。

| **生境分布** | 生于山地常绿阔叶林或杂木林中。分布于湖北鹤峰、南漳、竹溪。

| **功能主治** | 滋阴补肾，清热，止血，活血。用于骨蒸潮热。

冬青科 Aquifoliaceae 冬青属 Ilex

华中枸骨

Ilex centrochinensis S. Y. Hu

| 药 材 名 | 华中枸骨。

| 形态特征 | 常绿灌木。高 1.5 ~ 3 m。小枝细弱，褐色或灰褐色，具纵棱及沟，被微柔毛或变无毛，无皮孔；顶芽圆锥形，细瘦急尖，被微柔毛或变无毛，芽鳞具缘毛。叶片革质，椭圆状披针形，稀卵状椭圆形，长 4 ~ 9 cm，宽 1.5 ~ 2.8 cm，先端渐尖，具刺状尖头，基部宽楔形或近圆形，边缘具 3 ~ 10 对刺状牙齿，长 2 ~ 4 mm，齿尖黄褐色或变黑色，叶面深绿色，具光泽，背面淡绿色，无光泽，主脉在叶面稍凹陷，在近基部附近被微柔毛，在背面隆起，无毛，侧脉 6 ~ 8 对，上面模糊，稀明显，背面略凸起或不明显；叶柄长 5 ~ 8 mm，上面具浅槽，无毛或疏被微柔毛，下面具皱纹。雄花序簇生于二年

生的叶腋内，花 4 基数，黄色，花梗长 1 ~ 2 mm，被微柔毛，中部具 2 小苞片，三角形，具缘毛；花萼盘状，直径约 2.5 mm，深裂，裂片卵形或三角形，常被微柔毛，具缘毛；花冠辐状，直径约 6 mm，花瓣长圆形，长约 3 mm，上部具缘毛，基部稍合生；雄蕊与花瓣互生，较花瓣长，花药长圆状卵形；退化子房近球形，先端圆形。雌花未见。果实每束 1 ~ 3，生于叶腋内；果柄长约 2 mm，被微柔毛，近基部具 2 具缘毛的小苞片；果实球形，直径 6 ~ 7 mm，基部具平展的宿存花萼，四角形，裂片具缘毛，先端具宿存的薄盘状、4 裂的柱头；分核 4，轮廓长圆状三棱形，长约 6 mm，背部宽约 3 mm，具 1 中央纵脊，侧面具皱纹和洼穴，内果皮石质。花期 3 ~ 4 月，果期 8 ~ 9 月。

| 生境分布 | 生于路旁、溪边的灌丛中或林缘。分布于湖北南漳、保康、崇阳、建始、兴山、恩施、房县、利川、巴东、神农架、竹溪，以及随州、宜昌。

| 采收加工 | 叶：夏、秋季采收，晒干或鲜用。

| 功能主治 | 祛风除湿。用于风湿关节痛。

冬青科 Aquifoliaceae 冬青属 Ilex

冬青
Ilex chinensis Sims

| 药 材 名 | 四季青。

| 形态特征 | 常绿乔木。高达 13 m。树皮灰黑色。当年生小枝浅灰色，圆柱形，具细棱；二至多年生枝具不明显的小皮孔，叶痕新月形，凸起。叶片薄革质至革质，椭圆形或披针形，稀卵形，长 5 ~ 11 cm，宽 2 ~ 4 cm，先端渐尖，基部楔形或钝，边缘具圆齿，或有时在幼叶为锯齿，叶面绿色，有光泽，干时深褐色，背面淡绿色，主脉在叶面平，背面隆起，侧脉 6 ~ 9 对，在叶面不明显，叶背明显，无毛，或有时在雄株幼枝顶芽、幼叶叶柄及主脉上有长柔毛；叶柄长 8 ~ 10 mm，上面平或有时具窄沟。雄花花序具 3 ~ 4 回分枝，每分枝具花 7 ~ 24；总花梗长 7 ~ 14 mm，二级轴长 2 ~ 5 mm，

花梗长 2 mm，无毛；花淡紫色或紫红色，4～5 基数；花萼浅杯状，裂片阔卵状三角形，具缘毛；花冠辐状，直径约 5 mm，花瓣卵形，长 2.5 mm，宽约 2 mm，开放时反折，基部稍合生；雄蕊短于花瓣，长 1.5 mm，花药椭圆形；退化子房圆锥状，长不足 1 mm；雌花花序具 1～2 回分枝，具花 3～7，总花梗长 3～10 mm，扁，二级轴发育不好，花梗长 6～10 mm；花萼和花瓣同雄花，退化雄蕊长约为花瓣的 1/2，败育花药心形；子房卵球形，柱头具不明显的 4～5 裂，厚盘形。果实长球形，成熟时红色，长 10～12 mm，直径 6～8 mm；分核 4～5，狭披针形，长 9～11 mm，宽约 2.5 mm，背面平滑，凹形，断面呈三棱形，内果皮厚革质。花期 4～6 月，果期 7～12 月。

| 生境分布 | 生于山坡常绿阔叶林中或林缘。分布于湖北巴东、利川、兴山、宣恩、鹤峰、建始，以及武汉、襄阳。

| 采收加工 | 秋、冬季采收叶，晒干。

| 功能主治 | 清热解毒，消肿祛瘀。用于肺热咳嗽，咽喉肿痛，痢疾，胁痛，热淋；外用于烫火伤，皮肤溃疡。

珊瑚冬青
Ilex corallina Franch.

| 药 材 名 | 珊瑚冬青。

| 形态特征 | 常绿灌木或乔木，高 3 ~ 10 m。小枝圆柱形，细瘦，具纵棱，淡褐色，无毛或被微柔毛，三年生枝具小的皮孔及稍凸起的狭三角形叶痕；顶芽小，卵形，无毛或被微柔毛。叶生于一至三年生枝上，叶片革质，卵形、卵状椭圆形或卵状披针形，长 4 ~ 10（~ 13）cm，宽 1.5 ~ 3（~ 5）cm，先端渐尖或急尖，基部圆或钝，边缘波状，具圆齿状锯齿，稀具尖刺状齿，叶面深绿色，背面淡绿色，两面无毛或叶面沿主脉疏被微柔毛，主脉在叶面凹陷，背面隆起，侧脉每边 7 ~ 10，在两面均凸起，网状脉在两面明显；叶柄长 4 ~ 10 mm，紫红色，上面具浅槽，无毛或被微柔毛，下面具横皱纹。花序簇生

于二年生枝的叶腋内，总花梗几无，苞片卵状三角形，具缘毛；花黄绿色，4 基数。雄花单个聚伞花序具 1 ~ 3 花，总花梗长约 1 mm，花梗长约 2 mm，其基部具 2 卵形、具缘毛的小苞片；花萼盘状，直径约 2 mm，4 深裂，裂片卵状三角形，具缘毛；花冠直径 6 ~ 7 mm，花瓣长圆形，长约 3 mm，宽约 1.5 mm，基部合生；雄蕊与花瓣等长，花药长圆形，长约 1 mm；退化子房近球形，先端圆，微 4 裂。雌花单花簇生于二年生枝叶腋内，几无总梗，花梗长 1 ~ 2 mm，基部具 2 卵状三角形小苞片；花萼裂片圆形，具缘毛；花瓣分离，卵形，长约 2 mm，宽约 1.2 mm；不育雄蕊长约为花瓣的 2/3，败育花药箭头形；子房卵球形，长约 1.5 mm，直径约 1 mm，先端近截形，柱头薄盘状。果实近球形，直径 3 ~ 4 mm，成熟时紫红色，宿存柱头薄盘状，4 裂；宿存花萼平展；分核 4，椭圆状三棱形，长 2 ~ 2.5 mm，背部宽约 1.5 mm，背面具不明显的掌状纵棱及浅沟，侧面具皱纹。花期 4 ~ 5 月，果期 9 ~ 10 月。

| 生境分布 | 生于山坡灌丛或杂木林中。分布于湖北宣恩、来凤、咸丰、鹤峰、利川、建始、巴东、秭归、兴山、五峰。

| 功能主治 | 清热解毒，活血止痛。用于劳伤疼痛，小儿头疼等。

冬青科 Aquifoliaceae 冬青属 Ilex

枸骨

Ilex cornuta Lindl. et Paxt.

药 材 名

枸骨叶。

形态特征

常绿灌木或小乔木。高（0.6～）1～3 m。幼枝具纵脊及沟，沟内被微柔毛或变无毛，二年生枝褐色，三年生枝灰白色，具纵裂缝及隆起的叶痕，无皮孔。叶片厚革质，二型，四角状长圆形或卵形，长4～9 cm，宽2～4 cm，先端具3尖硬刺齿，中央刺齿常反曲，基部圆形或近截形，两侧各具1～2刺齿，有时全缘（此情况常出现在卵形叶），叶面深绿色，具光泽，背淡绿色，无光泽，两面无毛，主脉在上面凹下，背面隆起，侧脉5或6对，于叶缘附近网结，在叶面不明显，在背面凸起，网状脉两面不明显；叶柄长4～8 mm，上面具狭沟，被微柔毛；托叶胼胝质，宽三角形。花序簇生于二年生枝的叶腋内，基部宿存鳞片近圆形，被柔毛，具缘毛；苞片卵形，先端钝或具短尖头，被短柔毛和缘毛；花淡黄色，4基数；雄花花梗长5～6 mm，无毛，基部具1～2阔三角形的小苞片；花萼盘状，直径约2.5 mm，裂片膜质，阔三角形，长约0.7 mm，宽约1.5 mm，疏被微柔毛，具缘毛；花冠辐状，直径约 7 mm；花瓣长圆状卵形，长 3～4 mm，反折，基部合生；雄蕊与花瓣近等长或稍长，花药长圆状卵形，长约 1 mm；退化子房近球形，先端钝或圆形，不明显的 4 裂；雌花花梗长 8～9 mm，果期长达 13～14 mm，无毛，基部具 2 小的阔三角形苞片；花萼与花瓣像雄花；退化雄蕊长为花瓣的 4/5，略长于子房，败育花药卵状箭头形；子房长圆状卵球形，长 3～4 mm，直径 2 mm，柱头盘状，4 浅裂。果实球形，直径 8～10 mm，成熟时鲜红色，基部具四角形宿存花萼，先端宿存柱头盘状，明显 4 裂；果柄长 8～14 mm；分核 4，倒卵形或椭圆形，长 7～8 mm，背部宽约 5 mm，遍布皱纹和皱纹状纹孔，背部中央具 1 纵沟，内果皮骨质。花期 4～5 月，果期 10～12 月。

| 生境分布 | 生于山坡、丘陵等的灌丛中、疏林中以及路边、溪旁和村舍附近。分布于湖北南漳、竹溪等。

| 采收加工 | 秋季采收叶，除去杂质，晒干。

| 功能主治 | 清热养阴，益肾，平肝。用于肺痨咯血，骨蒸潮热，头晕目眩。

大别山冬青

Ilex dabieshanensis K. Yao et M. P. Deng

| 药 材 名 | 大别山冬青。

| 形态特征 | 常绿小乔木，高5m，全株无毛。树皮灰白色，平滑。小枝粗壮，圆柱形，干时黄褐色或栗褐色，具纵裂缝及近圆形、凸起的叶痕，当年生幼枝具纵棱角；顶芽卵状圆锥形，芽鳞卵形，中肋凸起，渐尖，全缘或具齿。叶生于一至二年生枝上，叶片厚革质，卵状长圆形、卵形或椭圆形，长5.5～8cm，宽2～4cm，先端三角状急尖，末端终于1刺尖，基部近圆或钝，边缘稍反卷，具4～8对刺齿，刺长约2mm，叶面干时具光泽，榄绿色或褐绿色，背面无光泽，两面透净无毛，主脉在叶面稍凹陷，在背面隆起，侧脉4～6对，与主脉呈45°夹角弯拱上升，在叶缘附近分叉并网结，在两面明显凸

起，网状脉两面不明显；叶柄粗壮，长 5 ~ 8 mm，干后黄褐色或栗褐色，上面具浅纵槽或近平坦，具皱纹；托叶近三角形，微小。雄花序呈密团状簇生于一至二年生枝的叶腋内，花梗长 1 ~ 1.5 mm，无毛；花 4 基数，黄绿色；花萼近盘状，裂片近圆形，具缘毛；花瓣倒卵形，长约 2 mm，基部稍合生；雄蕊长约为花瓣的 2/3，花药长圆形；退化子房卵球形，直径约 0.75 mm，先端钝。雌花未见。果簇生于叶腋内，中轴长约 3 mm，粗壮，无毛，单个分枝具 1 果，果柄长约 2 cm，无毛，基部具 2 卵状长圆形小苞片，小苞片无毛；果实近球形或椭圆形，长 5 ~ 7 mm，直径 4 ~ 5 mm，具纵棱沟，干时暗褐色，宿存花萼 4 裂，裂片卵状三角形，宿存柱头厚盘状；分核 3，卵状椭圆形，长约 5 mm，背面宽约 3 mm，具掌状纵棱及沟，内果皮革质。花期 3 ~ 4 月，果期 10 月。

| 生境分布 |　生于山坡路边及沟边。湖北有栽培。

| 功能主治 |　消炎，降脂。

冬青科 Aquifoliaceae 冬青属 Ilex

厚叶冬青

Ilex elmerrilliana S. Y. Hu

药材名

厚叶冬青。

形态特征

常绿灌木或小乔木，高 2 ~ 7 m。树皮灰褐色。当年生幼枝红褐色，具纵棱脊，无毛；二年生、三年生枝灰褐色，具纵裂缝，皮孔椭圆形，多而不明显，叶痕半圆形，稍隆起；顶芽狭圆锥形，芽鳞疏松，无毛，具缘毛。叶生于一年生至三年生枝上，叶片厚革质，椭圆形或长圆状椭圆形，长 5 ~ 9 cm，宽 2 ~ 3.5 cm，先端渐尖，基部楔形或钝，全缘，上面深绿色，具光泽，下面淡绿色，无光泽，两面无毛，主脉在上面凹陷，在下面隆起，侧脉及网状脉在两面均不明显；叶柄长 4 ~ 8 mm，上面具狭槽，无毛；托叶微小，三角形，长约 0.75 mm，无毛。花序簇生于二年生枝的叶腋或当年生枝的鳞片腋内；苞片卵形，无毛；雄花序单个分枝具 1 ~ 3 花，花梗长 5 ~ 10 mm，无毛，近基部具 2 小苞片，花 5 ~ 8 基数，白色，花萼盘状，直径约 3.5 mm，裂片三角形，无缘毛，花冠辐状，直径 6 ~ 7 mm，花瓣长圆形，长约 3.5 mm，宽约 2.5 mm，无缘毛，基部合生，雄蕊与花瓣近等长，花药卵状长圆形，退化子房圆锥形，先端具不明显的分裂；雌花序由具单花的分枝簇生而成，花梗长 4 ～ 6 mm，无毛或被微柔毛，近基部具小苞片，花萼同雄花，花冠直立，花瓣长圆形，长约 2 mm，基部分离，退化雄蕊长约为花瓣的 1/2，败育花药箭头状，子房近球形，直径约 1 mm，花柱明显，柱头头状。果实球形，直径约 5 mm，成熟后红色；果柄长 5 ～ 6 mm，无毛或被微柔毛；宿存花萼平展，直径约 4 mm，裂片急尖；宿存花柱明显，长约 0.5 mm，柱头头状；分核 6 或 7，长圆体形，长约 3.5 mm，宽约 1.5 mm，平滑，背部具一纤细的脊，脊的末端稍分枝，内果皮革质。花期 4 ～ 5 月，果期 7 ～ 11 月。

| **生境分布** | 生于山地常绿阔叶林中、灌丛中或林缘。分布于湖北崇阳、利川。

| **功能主治** | 清热解毒，凉血止血，敛疮。用于烫伤，溃疡久不愈合，血栓闭塞性脉管炎，急、慢性支气管炎，肺炎，尿路感染，细菌性痢疾，外伤出血，冻疮，皲裂。

冬青科 Aquifoliaceae 冬青属 Ilex

长叶枸骨
Ilex georgei Comber

| 药 材 名 | 长叶枸骨。

| 形态特征 | 常绿灌木至小乔木，高 1 ~ 5（~ 8）m。小枝圆柱形，灰黄色，具
浅的纵棱槽，密被短柔毛；顶芽圆锥形，被短柔毛。叶片厚革质，
披针形、卵状披针形，稀卵形，长 1.8 ~ 4.5 cm，宽 0.7 ~ 1.5 cm，
先端渐尖，具一长 3 mm、黄色的刺，基部圆形或心形，边缘增厚，
稍反卷，近全缘或每边具 2 ~ 3 刺齿，叶面深绿色，具光泽，背面
淡绿色，无毛，主脉在叶面稍凹陷，被短柔毛，在背面隆起，侧脉
5 ~ 7 对，在叶面不明显，在叶背明显，网状脉两面均不明显；叶
柄长 1 ~ 2 mm，上面具槽，被短柔毛；托叶小，阔卵形，急尖。花
序簇生于二年生的小枝叶腋内，雄花序的单个分枝具 1 ~ 3 花，单

花的花梗长 2 ~ 4 mm，3 花的总花梗和花梗长均为 1 mm，均疏被微小柔毛；苞片膜质，卵形，具缘毛；小苞片 2，着生于花梗的近中部，被短柔毛；花 4 基数，花萼直径约 2 mm，4 裂，裂片卵形，先端钝或圆，具缘毛；花冠辐状，花瓣长约 2 mm，具疏缘毛，基部合生；雄蕊较花瓣长，花药长圆形；退化子房近球形或卵状球形，先端钝或偶 2 裂。雌花未见。果 2 ~ 3 簇生于二年生枝叶腋内，通常双生，倒卵状椭圆形，长 4 ~ 7 mm，直径 3 ~ 4 mm，成熟时红色；果柄长约 2 mm，被短柔毛；宿存花萼平展，4 浅裂，裂片阔三角形，疏被微柔毛，宿存柱头盘状，中央微凹；分核 1 ~ 2，倒卵状长圆形，长 4 ~ 5 mm，宽 2.5 ~ 3 mm，背面具掌状条纹和浅沟槽，内果皮木质。花期 4 ~ 5 月，果期 10 月。

| 生境分布 | 生于山地疏林和路旁灌丛中。湖北有分布。

| 功能主治 | 清热解毒，润肺止咳。用于肺热咳嗽，咯血，咽喉肿痛，角膜云翳等。

冬青科 Aquifoliaceae 冬青属 Ilex

光叶细刺枸骨

Ilex hylonoma Hu et Tang var. *glabra* S. Y. Hu

| 药 材 名 | 光叶细刺枸骨。

| 形态特征 | 常绿乔木，高 4 ～ 10 m。小枝圆柱形，栗褐色，略具棱角，无毛或渐无毛。叶片薄革质，椭圆形或长圆状椭圆形，长 6 ～ 12.5 cm，宽 2.5 ～ 4.5 cm，先端短渐尖，具很小的短尖头，基部急尖、钝或楔形，边缘具粗而尖的锯齿，有时齿尖为弱刺，叶面深绿色，背面淡绿色，主脉在叶面凹陷，疏被柔毛或近无毛，在背面隆起，无毛，侧脉 9 ～ 10 对，上面微凹，背面凸起，明显，于叶缘附近网结，细脉网状，略明显；叶柄长 8 ～ 14 mm，上面具沟槽及微柔毛，下面多皱；托叶三角形，微小，长约 1 mm，急尖。雄花序由 3 花组成的聚伞花序簇生于二年生枝的叶腋内，总花梗长约 1 mm，基部具 1 苞片，苞

片三角形，具缘毛；花梗长约 3 mm，基部具 2 具缘毛的小苞片；花萼盘状，直径约 1.8 mm，无毛，4 裂，裂片阔三角形，长 0.5 mm，宽 0.5 ~ 1 mm，先端钝，具缘毛；花冠辐状，淡黄色，花瓣 4，倒卵状椭圆形，长 3 ~ 3.5 mm，宽约 1.5 mm，基部稍合生；雄蕊 4，与花瓣互生，并短于花瓣，花药卵球形；退化子房近球形。雌花未见。果序常 2 ~ 5 簇生于叶腋内；果实近球形，直径 10 ~ 12 mm，成熟时红色，在干时多皱，宿存花萼平展，直径约 3 mm，先端具厚盘状或乳头状宿存柱头；果柄长 3 ~ 4 mm，基部具 2 小苞片；分核 4，倒卵形，横切面三棱形，先端斜微凹，长 6 ~ 9 mm，背部宽 3 ~ 4 mm，具不规则的皱纹及孔，中央具 1 纵脊；内果皮石质。花期 3 ~ 5 月，果期 10 ~ 11 月。

| 生境分布 | 生于山地常绿阔叶林或杂木林中。湖北有分布。

| 采收加工 | 夏、秋季采收，晒干或鲜用。

| 功能主治 | 消肿止痛。用于跌打损伤，风湿痹痛，关节痛。

██ 冬青科 ██ Aquifoliaceae ██ 冬青属 ██ Ilex

大叶冬青 *Ilex latifolia* Thunb.

| 药 材 名 | 大叶冬青。

| 形态特征 | 常绿大乔木，高达 20 m，胸径 60 cm，全体无毛。树皮灰黑色；分枝粗壮，具纵棱及槽，黄褐色或褐色，光滑，具明显隆起、阔三角形或半圆形的叶痕。叶生于一至三年生枝上，叶片厚革质，长圆形或卵状长圆形，长 8 ~ 19（~ 28）cm，宽 4.5 ~ 7.5（~ 9）cm，先端钝或短渐尖，基部圆形或阔楔形，边缘具疏锯齿，齿尖黑色，叶面深绿色，具光泽，背面淡绿色，中脉在叶面凹陷，在背面隆起，侧脉每边 12 ~ 17，在叶面明显，在背面不明显；叶柄粗壮，近圆柱形，长 1.5 ~ 2.5 cm，直径约 3 mm，上面微凹，背面具皱纹；托叶极小，宽三角形，急尖。由聚伞花序组成的假圆锥花序生于二

年生枝的叶腋内，无总梗；主轴长 1 ~ 2 cm，基部具宿存的圆形、覆瓦状排列的芽鳞，内面的膜质，较大。花淡黄绿色，4 基数。雄花假圆锥花序的每个分枝具 3 ~ 9 花，呈聚伞花序状，总花梗长 2 mm；苞片卵形或披针形，长 5 ~ 7 mm，宽 3 ~ 5 mm；花梗长 6 ~ 8 mm，小苞片 1 ~ 2，三角形；花萼近杯状，直径约 3.5 mm，4 浅裂，裂片圆形；花冠辐状，直径约 9 mm，花瓣卵状长圆形，长约 3.5 mm，宽约 2.5 mm，基部合生；雄蕊与花瓣等长，花药卵状长圆形，长为花丝的 2 倍；不育子房近球形，柱头稍 4 裂。雌花花序的每个分枝具 1 ~ 3 花，总花梗长约 2 mm，单花之花梗长 5 ~ 8 mm，具 1 ~ 2 小苞片；花萼盘状，直径约 3 mm；花冠直立，直径约 5 mm；花瓣 4，卵形，长约 3 mm，宽约 2 mm；退化雄蕊长为花瓣的 1/3，败育花药小，卵形；子房卵球形，直径约 2 mm，柱头盘状，4 裂。果实球形，直径约 7 mm，成熟时红色，宿存柱头薄盘状，基部宿存花萼盘状，伸展，外果皮厚，平滑；分核 4，长圆状椭圆形，长约 5 mm，宽约 2.5 mm，具不规则的皱纹和尘穴，背面具明显的纵脊，内果皮骨质。花期 4 月，果期 9 ~ 10 月。

| 生境分布 | 生于山坡常绿阔叶林中、灌丛中或竹林中。分布于湖北来凤、兴山、黄梅、英山、麻城，以及随州等。

| 功能主治 | 清热利湿，消肿止痛。用于感冒发热，扁桃体炎，咽喉肿痛，急性胃肠炎，复合性胃和十二指肠溃疡，跌打损伤，风湿病。

冬青科 Aquifoliaceae 冬青属 Ilex

大果冬青
Ilex macrocarpa Oliv.

药 材 名

大果冬青。

形态特征

落叶乔木。高 5 ~ 10（~ 17）m。小枝栗褐色或灰褐色，具长枝和短枝，长枝皮孔圆形，明显，无毛。叶在长枝上互生，在短枝上为 1 ~ 4 簇生，叶片纸质至坚纸质，卵形、卵状椭圆形，稀长圆状椭圆形，长 4 ~ 13（~ 15）cm，宽（3 ~）4 ~ 6 cm，先端渐尖至短渐尖，基部圆形或钝，边缘具细锯齿，叶面深绿色，背面浅绿色，两面无毛，或叶面幼时疏被短的微柔毛，主脉在叶面平或下陷，疏被细小微柔毛或无毛，背面隆起，无毛或有时疏被细小微柔毛，侧脉 8 ~ 10 对，在叶面平坦或稍凸起，在背面凸起，于叶缘附近网结，网状脉两面明显；叶柄长 1 ~ 1.2 cm，上面具狭沟，疏被细小微柔毛；托叶胼胝质，很小，不明显。雄花序单花或 2 ~ 5 花的聚伞花序，单生或簇生于当年生或二年生枝的叶腋内，或生于短枝的鳞片腋内或叶腋内，总花梗长 2 ~ 3 mm，花梗长 3 ~ 7 mm，均无毛；花白色，5 ~ 6 基数；花萼盘状，5 ~ 6 浅裂，裂片三角状卵形，具缘毛；花冠辐状，直径约 7 mm，花瓣倒卵状长圆形，长约 3 mm，宽 1.5 ～ 2 mm，基部稍连合；雄蕊与花瓣互生，近等长，花药长圆形；退化子房垫状，先端稍凹；雌花单生于叶腋或鳞片腋内，花梗长 6 ～ 18 mm，无毛，基部具 2 卵状小苞片；花 7 ～ 9 基数；花萼盘状，直径约 5 mm，7 ～ 9 浅裂，裂片卵状三角形，先端钝或圆形，具缘毛；花冠辐状，直径 1 ～ 1.2 cm，花瓣长 4 ～ 5 mm，基部稍连合；退化雄蕊与花瓣互生，长为其 2/3，败育花药箭头形，先端钝；子房圆锥状卵形，基部直径约 3 mm，花柱明显，柱头圆柱形，无毛。果实球形，直径 10 ～ 14 mm，成熟时黑色，基部具平展的宿存花萼，先端具圆柱形宿存柱头，具分核 7 ～ 9；分核长圆形，两侧扁，背部具 3 棱 2 沟，侧面具网状棱沟，内果皮坚硬，石质。花期 4 ～ 5 月，果期 10 ～ 11 月。

| 生境分布 | 生于山坡或沟边、溪边杂木林中。分布于湖北竹溪。

| 采收加工 | **枝、叶**：夏、秋季采收，晒干。

| 功能主治 | 清热解毒，清肝明目，消肿止痒，润肺止咳。用于肺热咳嗽，咽喉肿痛，目赤翳障。

具柄冬青
Ilex pedunculosa Miq.

| 药 材 名 | 具柄冬青。

| 形态特征 | 常绿灌木或乔木，高 2 ~ 10（~ 15）m。幼枝近圆柱形，具纵棱角，淡褐色或栗色，无毛或节上被微小的微柔毛。叶可见于三年生枝上，叶片薄革质，卵形、长圆状椭圆形或椭圆形，长 4 ~ 9 cm，宽 2 ~ 3 cm，先端渐尖，基部钝或圆，全缘或近先端常具少数疏而不明显的锯齿，叶面绿色，具光泽，干时栗黑色，背面淡绿色，干时褐色，两面无毛，主脉在叶面平坦或稍凹入，在背面隆起，侧脉 8 ~ 9 对，两面不明显；叶柄纤细，长 1.5 ~ 2.5 cm，上面具纵槽，背面具皱纹。聚伞花序单生于当年生枝的叶腋内，花 4 或 5 基数，白色或黄白色。雄花序为一至二回二叉分枝，具 3 ~ 9 花，

总花梗长约 2.5 cm，二级轴长约 3 mm，花梗长 2 ～ 4 mm，小苞片披针形，长 1 ～ 1.5 mm，被微柔毛；花萼盘状，直径约 1.5 mm，4 或 5 裂，裂片三角形，急尖，无毛；花瓣 4 或 5，卵形，长 1.5 ～ 1.8 mm，基部稍合生；雄蕊短于花瓣，花药卵球形；退化子房卵球形。雌花单生于当年生枝叶腋内，稀为具 3 花的聚伞花序，花梗细而长，长 1 ～ 1.5 cm，其中部具 2 钻形小苞片；花萼直径约 3 mm，4 或 5 裂，裂片具缘毛；花冠直径约 5 mm，花瓣 4 或 5，卵形，长约 2 mm，退化雄蕊短于花瓣，不育花药卵形；子房阔圆锥状，直径约 2 mm，柱头乳头状。单花的果柄长 2.5 ～ 4 cm，少数 1 ～ 3 果的果柄长约 4.5 cm；果实球形，直径 7 ～ 8 mm，成熟时红色，宿存花萼裂片三角形，具缘毛，宿存柱头厚盘状，凸起；分核 4 ～ 6，椭圆形，长约 6 mm，背部宽约 2.5 mm，平滑，沿背部中线具单条纹，内果皮革质。花期 6 月，果期 7 ～ 11 月。

| **生境分布** | 生于山地阔叶林中、灌丛中或林缘。分布于湖北神农架、长阳、房县、竹溪、通城、罗田、兴山、建始、宣恩、利川、咸丰、巴东、秭归、五峰、鹤峰。

| **采收加工** | 叶：全年均可采收，晒干。

| **功能主治** | 祛风除湿，散瘀止血。用于风湿痹痛，外伤出血，跌打损伤，皮肤皲裂，瘢痕。

猫儿刺
Ilex pernyi Franch.

| **药 材 名** | 猫儿刺。

| **形态特征** | 常绿灌木或乔木。高 1 ~ 5（~ 8）m。树皮银灰色，纵裂。幼枝黄褐色，具纵棱槽，被短柔毛，二至三年生小枝圆形或近圆形，密被污灰色短柔毛；顶芽卵状圆锥形，急尖，被短柔毛。叶片革质，卵形或卵状披针形，长 1.5 ~ 3 cm，宽 5 ~ 14 mm，先端三角形渐尖，渐尖头长达 12 ~ 14 mm，终于一长 3 mm 的粗刺，基部截形或近圆形，边缘具深波状刺齿 1 ~ 3 对，叶面深绿色，具光泽，背面淡绿色，两面均无毛，中脉在叶面凹陷，在近基部被微柔毛，背面隆起，侧脉 1 ~ 3 对，不明显；叶柄长 2 mm，被短柔毛；托叶三角形，急尖。花序簇生于二年生枝的叶腋内，多为 2 ~ 3 花聚生成簇，每分

枝仅具 1 花；花淡黄色，全部 4 基数；雄花花梗长约 1 mm，无毛，中上部具 2 近圆形、具缘毛的小苞片；花萼直径约 2 mm，4 裂，裂片阔三角形或半圆形，具缘毛；花冠辐状，直径约 7 mm；花瓣椭圆形，长约 3 mm，近先端具缘毛；雄蕊稍长于花瓣；退化子房圆锥状卵形，先端钝，长约 1.5 mm；雌花花梗长约 2 mm；花萼像雄花；花瓣卵形，长约 2.5 mm；退化雄蕊短于花瓣，败育花药卵形；子房卵球形，柱头盘状。果实球形或扁球形，直径 7 ~ 8 mm，成熟时红色，宿存花萼四角形，直径约 2.5 mm，具缘毛，宿存柱头厚盘状，4 裂；分核 4，倒卵形或长圆形，长 4.5 ~ 5.5 mm，背部宽约 3.5 mm，在较宽端背部微凹陷，且具掌状条纹和沟槽，侧面具网状条纹和沟，内果皮木质。花期 4 ~ 5 月，果期 10 ~ 11 月。

| **生境分布** | 生于林间及灌丛中。分布于湖北竹溪。

| **采收加工** | **根**：全年均可采挖，洗净切片，晒干。

| **功能主治** | 清热解毒，润肺止咳。用于肺热咳嗽，咯血，咽喉肿痛，角膜云翳。

| **附　　注** | 本种的树皮含小檗碱，可作黄连制剂的代用品。

冬青科 Aquifoliaceae 冬青属 Ilex

香冬青

Ilex suaveolens (H. Lév.) Loes.

| 药 材 名 | 香冬青。

| 形 态 特 征 | 常绿乔木。高达 15 m；当年生小枝褐色，具棱角，秃净，二年生枝近圆柱形，皮孔椭圆形，隆起。叶片革质，卵形或椭圆形，长 5 ~ 6.5 cm，宽 2 ~ 2.5 cm，先端渐尖，具三角状的尖头，基部宽楔形，下延，叶缘疏生小圆齿，略内卷，干后叶面榄绿色，叶背褐色，两面无毛，主脉在两面隆起，侧脉 8 ~ 10 对，在两面略隆起，网状脉在叶两面或多或少明显；叶柄长 1.5 ~ 2 cm，具翅。花未见。具 3 果的聚伞状果序单生于叶腋，果序梗长（1 ~ ）1.5 ~ 2 cm，具棱，无毛，果柄长 5 ~ 8 mm，无毛。成熟果实红色，长球形，长约 9 mm，直径约 6 mm，宿存花萼直径约 2 mm，5 裂，裂片阔三角形，无缘毛，宿存柱头乳头状；分核 4，长圆形，长约 8 mm，背部

宽 3 mm，内果皮石质。

| 生境分布 | 生于常绿阔叶林中。分布于湖北利川、鹤峰。

| 功能主治 | 清热解毒，消炎。用于劳伤身痛，烫火伤。

四川冬青 *Ilex szechwanensis* Loes.

| 药 材 名 | 四川冬青。

| 形态特征 | 灌木或小乔木。高 1 ~ 10 m。幼枝近四棱形，具纵棱及沟槽，被微
柔毛或仅沟槽内被微柔毛，较老的小枝具突起的新月形叶痕，皮孔
不明显；顶芽圆锥形，被短柔毛。叶生于一至二年生枝上，叶片革质，
卵状椭圆形、卵状长圆形或椭圆形，稀近披针形，长 3 ~ 8 cm，宽
2 ~ 4 cm，先端渐尖、短渐尖至急尖，基部楔形至钝，边缘具锯齿，
叶面深绿色，干时榄绿色，背面淡绿色，具不透明的黄褐色腺点，
无毛或疏被微柔毛，主脉在上面平坦或稍凹入，密被短柔毛，在背
面隆起，无毛或被微柔毛，侧脉 6 ~ 7 对，两面明显或不明显，网
状脉不明显；叶柄长 4 ~ 6 mm，上面具浅槽，被短柔毛；托叶卵状

三角形，急尖，宿存。花 4 ~ 7 基数；雄花 1 ~ 7 排成聚伞花序，单生于当年生枝基部鳞片或叶腋内，稀簇生；总花梗长 2 ~ 3 mm，单花花梗长 3 ~ 5 mm，基部或近中部具小苞片 2；花萼盘状，无毛或多少被微柔毛，直径 2 ~ 2.5 mm，4 ~ 7 裂，裂片卵状三角形，长约 1 mm，边缘啮蚀状或具牙齿，具疏缘毛；花冠辐状，花瓣 4 ~ 5，卵形，长约 2.5 mm，宽约 2 mm，基部合生；雄蕊短于花瓣，花药卵状长圆形；退化子房扁球形，具短喙；雌花单生于当年生枝的叶腋内，花梗长 8 ~ 10 mm，4 浅裂，裂片圆形，啮蚀状；花冠近直立，直径约 4 mm，花瓣卵形，长约 2.5 mm，基部稍合生；退化雄蕊长约为花瓣的 1/5，不育花药箭头形；子房近球形，直径约 1.5 mm，柱头厚盘状，凸起。果实球形或顶基扁的球形，长约 6 mm，直径 7 ~ 8 mm，成熟后黑色；果柄长 8 ~ 10 mm；宿存花萼平展，直径 3 ~ 4 mm，宿存柱头厚盘状，直径约 1 mm，明显 4 裂；分核 4，长圆形或近球形，长 4.5 ~ 5 mm，背部宽 3.5 ~ 4 mm，平滑，具不明显的细条纹，无沟槽，内果皮革质。花期 5 ~ 6 月，果期 8 ~ 10 月。

| **生境分布** | 生于丘陵、山地常绿阔叶林、杂木林、疏林、灌丛中及溪边、路旁。分布于湖北建始、长阳、恩施、宣恩、鹤峰、利川、大公山，以及宜昌。

| **采收加工** | 夏、秋季采收，晒干。

| **功能主治** | 清热解毒，活血止血。用于烫伤，溃疡，外伤出血。

冬青科 Aquifoliaceae 冬青属 Ilex

尾叶冬青

Ilex wilsonii Loes.

药 材 名

尾叶冬青。

形态特征

常绿灌木或乔木，高 2 ~ 10 m。树皮灰白色，光滑。小枝圆柱形，灰褐色，平滑，无皮孔，叶痕半圆形，稍凸起，当年生幼枝具纵棱沟，无毛；顶芽圆锥形，芽鳞无毛，具缘毛。叶生于一至三年生枝上，叶片厚革质，卵形或倒卵状长圆形，长 4 ~ 7 cm，宽 1.5 ~ 3.5 cm，先端骤然尾状渐尖，渐尖头长 6 ~ 13 mm，常偏向一侧，基部钝，稀圆形，全缘，叶面深绿色，具光泽，背面淡绿色，两面无毛，主脉在叶面平坦，在叶背稍隆起，侧脉 7 ~ 8 对，于近叶缘处网结，两面微凸起，明显或不明显，网状脉不见；叶柄长 5 ~ 9 mm，无毛，上面具纵槽，背面具皱纹；托叶三角形，微小，急尖。花序簇生于二年生枝的叶腋内，苞片三角形，常具 3 尖头；花 4 基数，白色；雄花序簇由具 3 ~ 5 花的聚伞花序或伞形花序的分枝组成，无毛，总花梗长 3 ~ 8 mm，第 1 次分枝长 1 ~ 2 mm 或极短，花梗长 2 ~ 4 mm，无毛，具基生小苞片 2 或无；花萼盘状，直径约 1.5 mm，4 深裂，裂片三角形，具缘毛；

花冠辐状，直径 4 ~ 5 mm，花瓣长圆形，长约 2 mm，宽约 1.5 mm，基部稍合生；雄蕊略短于花瓣，花药长圆形；退化子房近球形，直径约 1 mm，先端具不明显的分裂。雌花序簇由具单花的分枝组成，花梗长 4 ~ 7 mm，无毛，具近中部着生的小苞片 2；花萼及花冠同雄花；退化雄蕊长为花瓣的 1/2，败育花药箭头形；子房卵球形，直径约 1.5 mm，柱头厚盘形，疏被微柔毛。果实球形，直径约 4 mm，成熟后红色，平滑，果柄长 3 ~ 4 mm；宿存花萼平展，直径约 2.5 mm，4 裂，裂片具缘毛，宿存柱头厚盘状；分核 4，卵状三棱形，长约 2.5 mm，背部宽约 1.5 mm，背面具稍凸起的 3 纵棱，无沟，侧面平滑，内果皮革质。花期 5 ~ 6 月，果期 8 ~ 10 月。

| 生境分布 | 生于山地及沟谷阔叶林、杂木林中。分布于湖北巴东、五峰、长阳、当阳、利川、宣恩、鹤峰。

| 采收加工 | 夏、秋季采收，晒干。

| 功能主治 | 清热解毒，消肿止痛。用于烫火伤。

冬青科 Aquifoliaceae 冬青属 *Ilex*

云南冬青 *Ilex yunnanensis* Franch.

| 药 材 名 | 云南冬青。

| 形态特征 | 常绿灌木或乔木，高 1 ~ 12 m。幼枝圆柱形，具纵棱槽，密被金黄色柔毛，二至三年生枝密被锈色短柔毛，无皮孔，具近圆形凸起的叶痕。叶生于一至三年生枝上，叶片革质至薄革质，卵形、卵状披针形，稀椭圆形，长 2 ~ 4 cm，宽 1 ~ 2.5 cm，先端急尖，具短尖头，基部圆或钝，边缘具细圆齿状锯齿，齿尖常为芒状小尖头，叶面绿色，干后黑褐色至褐色，背面淡绿色，干后淡褐色，两面无毛，主脉在叶面凸起，密被短柔毛，背面平坦或凸起，无毛，侧脉两面不明显；叶柄长 2 ~ 6 mm，密被短柔毛。雄花序为 1 ~ 3 花的聚伞花序，生于当年生枝的叶腋内或基部的鳞片腋内，被短柔毛或近无毛，

总花梗长 8 ~ 14 mm，花梗长 2 ~ 4 mm；花 4 基数，白色，生于高海拔地区者粉红色或红色；花萼盘状，小，直径约 2 mm，4 深裂，裂片三角形，钝或急尖，具缘毛或无；花瓣卵形，长约 2 mm，宽约 1.5 mm，先端钝，基部稍合生；雄蕊短于花瓣，花药卵状球形；退化子房圆锥形，先端钝。雌花单花生于当年生枝的叶腋内，罕 2 或 3 花组成腋生聚伞花序，花梗长 3 ~ 14 mm，中部以上具 1 ~ 2 小苞片；花被同雄花；退化雄蕊长为花瓣的 1/2，败育花药箭头状；子房球形，直径约 1 mm，具 4 纵沟，花柱明显，长约 0.5 mm，柱头盘状，4 裂。果实球形，直径 5 ~ 6 mm，成熟后红色；果柄长 5 ~ 15 mm，无毛；宿存花萼平展，四角形，具缘毛或无；宿存柱头隆起，盘状；分核 4，长椭圆形，长约 5 mm，背部宽约 3 mm，横切面近三角形，平滑，无条纹及沟槽，内果皮革质。花期 5 ~ 6 月，果期 8 ~ 10 月。

| 生境分布 | 生于山地及河谷常绿阔叶林、杂木林、铁杉林中或林缘，以及灌丛中、杜鹃林中。分布于湖北巴东、神农架、兴山、鹤峰。

| 功能主治 | 散风热，清头目，除烦渴。用于头痛，齿痛，目赤，热病烦渴，痢疾。

卫矛科 Celastraceae 南蛇藤属 Celastrus

过山枫

Celastrus aculeatus Merr.

| 药 材 名 | 过山枫。

| 形态特征 | 小枝幼时被棕褐色短毛；冬芽圆锥状，长 2 ~ 3 mm，基部芽鳞宿存，有时坚硬成刺状。叶多椭圆形或长方形，长 5 ~ 10 cm，宽 3 ~ 6 cm，先端渐尖或窄急尖，基部阔楔形，稀近圆形，边缘上部具疏浅细锯齿，下部多为全缘，侧脉多为 5 对，干时叶背常呈淡棕色，两面光滑无毛，或脉上被有棕色短毛；叶柄长 10 ~ 18 mm。聚伞花序短，腋生或侧生，通常 3 花，花序梗长 2 ~ 5 mm，小花梗长 2 ~ 3 mm，均被棕色短毛，关节在上部；萼片三角状卵形，长达 2.5 mm；花瓣长方披针形，长约 4 mm；花盘稍肉质，全缘；雄蕊具细长花丝，长 3 ~ 4 mm，具乳突，在雌花中退化长仅 1.5 mm；

子房球状，在雄花中退化，长 2 mm 以下。蒴果近球状，直径 7 ～ 8 mm，宿萼明显增大；种子新月状或弯成半环状，长约 5 mm，表面密布小疣点。

| 生境分布 | 生于山地灌丛或路边疏林中。分布于湖北竹溪。

| 采收加工 | **根：**夏、秋季采收，晒干。

| 功能主治 | 清热解毒，杀虫止痒。用于跌打损伤，白血病，风湿痹痛，类风湿性关节炎等。

卫矛科 Celastraceae 南蛇藤属 Celastrus

苦皮藤

Celastrus angulatus Maxim.

| 药 材 名 |

苦皮藤。

| 形态特征 |

藤状灌木。小枝常具 4 ~ 6 纵棱，皮孔密生，圆形到椭圆形，白色，腋芽卵圆状，长 2 ~ 4 mm。叶大，近革质，长方阔椭圆形、阔卵形、圆形，长 7 ~ 17 cm，宽 5 ~ 13 cm，先端圆阔，中央具尖头，侧脉 5 ~ 7 对，在叶面明显突起，两面光滑或稀于叶背的主侧脉上具短柔毛；叶柄长 1.5 ~ 3 cm；托叶丝状，早落。聚伞圆锥花序顶生，下部分枝长于上部分枝，略呈塔锥形，长 10 ~ 20 cm，花序轴及小花轴光滑或被锈色短毛；小花梗较短，关节在顶部；花萼镊合状排列，三角形至卵形，长约 1.2 mm，近全缘；花瓣长方形，长约 2 mm，宽约 1.2 mm，边缘不整齐；花盘肉质，浅盘状或盘状，5 浅裂；雄蕊着生花盘之下，长约 3 mm，在雌花中退化雄蕊长约 1 mm；雌蕊长 3 ~ 4 mm，子房球状，柱头反曲，在雄花中退化雌蕊长约 1.2 mm。蒴果近球状，直径 8 ~ 10 mm；种子椭圆状，长 3.5 ~ 5.5 mm，直径 1.5 ~ 3 mm。花期 5 ~ 6 月。

| **生境分布** | 生于海拔 1 00 ～ 2 500 m 的山地丛林及山坡灌丛中。湖北有分布。 |

| **功能主治** | 清热解毒，祛风利湿，舒筋活络，消肿，止痒。用于风湿痹痛，跌打损伤，疮疡溃烂，瘙痒。 |

卫矛科 Celastraceae 南蛇藤属 Celastrus

大芽南蛇藤 *Celastrus gemmatus* Loes.

| 药 材 名 | 大芽南蛇藤。

| 形态特征 | 小枝具多数皮孔，皮孔呈阔椭圆形至近圆形，棕灰白色，凸起，冬芽大，长卵状至长圆锥状，长可达 12 mm，基部直径近 5 mm。叶长方形、卵状椭圆形或椭圆形，长 6 ~ 12 cm，宽 3.5 ~ 7 cm，先端渐尖，基部圆阔，近叶柄处变窄，边缘具浅锯齿，侧脉 5 ~ 7 对，小脉呈较密的网状，在两面均凸起，叶面光滑但手触有粗糙感，叶背光滑或稀于脉上具棕色短柔毛；叶柄长 10 ~ 23 mm。聚伞花序顶生及腋生，顶生花序长约 3 cm，侧生花序短而少花；花序梗长 5 ~ 10 mm；小花梗长 2.5 ~ 5 mm，关节在中部以下；萼片卵圆形，长约 1.5 mm，边缘啮蚀状；花瓣长方状倒卵形，长 3 ~ 4 mm，

宽 1.2 ～ 2 mm；雄蕊约与花冠等长，花药先端有时具小突尖，花丝有时具乳突状毛，在雌花中退化，长约 1.5 mm；花盘浅杯状，裂片近三角形，在雌花中裂片常较钝；雌蕊瓶状，子房球状，花柱长 1.5 mm，雄花中的退化雌蕊长 1 ～ 2 mm。蒴果球状，直径 10 ～ 13 mm，小果柄具明显凸起的皮孔；种子阔椭圆形至长方状椭圆形，长 4 ～ 5.5 mm，直径 3 ～ 4 mm，两端钝，红棕色，有光泽。花期 4 ～ 9 月，果期 8 ～ 10 月。

| 生境分布 | 生于密林中或灌丛中。分布于湖北西南部、西北部。

| 采收加工 | 夏、秋季采收，切片，晒干。

| 功能主治 | 舒筋活络，活血散瘀。用于风湿性关节炎，跌打损伤。

卫矛科 Celastraceae 南蛇藤属 Celastrus

灰叶南蛇藤
Celastrus glaucophyllus Rehd. et Wils.

| 药 材 名 | 灰叶南蛇藤。

| 形态特征 | 小枝具椭圆至长椭圆形疏散皮孔。叶在果期常半革质，长方椭圆形、近倒卵状椭圆形或椭圆形，稀窄椭圆形，长5～10 cm，宽2.5～6.5 cm，先端短渐尖，基部圆或阔楔形，边缘具稀疏细锯齿，齿端具内曲的腺状小凸头，侧脉4～5对，稀6对，叶面绿色，叶背灰白色或苍白色；叶柄长8～12 mm。花序顶生及腋生，顶生者成总状圆锥花序，长3～6 cm，腋生者多仅3～5花，花序梗通常很短，长仅1～2 mm，小花梗长2.5～3.5 mm，关节在中部或偏上；花萼裂片椭圆形或卵形，长1.5～2 mm，边缘具稀疏不整齐小齿；花瓣倒卵状长方形或窄倒卵形，长4～5 mm，宽2.2 mm，在雌花

中稍小；花盘浅杯状，稍肉质，裂片近半圆形；雄蕊稍短于花冠，花药阔椭圆形至近圆形；在雄花中退化雌蕊长 1.5 ~ 2 mm。果实近球状，长 8 ~ 10 mm，果柄长 5 ~ 9 mm，近黑色。花期 3 ~ 6 月，果期 9 ~ 10 月。

| **生境分布** | 生于海拔 600 ~ 1 900 m 的山坡灌丛、混交林中。湖北有分布。

| **功能主治** | 散瘀，止血。用于跌打损伤，刀伤出血，肠风。

青江藤 *Celastrus hindsii* Benth.

药材名

青江藤。

形态特征

常绿藤本。小枝紫色，皮孔较稀少。叶纸质或革质，干后常呈灰绿色，长方状窄椭圆形、卵状窄椭圆形至椭圆状倒披针形，长 7 ~ 14 cm，宽 3 ~ 6 cm，先端渐尖或急尖，基部楔形或圆形，边缘具疏锯齿，侧脉 5 ~ 7 对，侧脉间小脉密而平行成横格状，在两面均凸起；叶柄长 6 ~ 10 mm。顶生聚伞圆锥花序，长 5 ~ 14 cm，腋生花序具 1 ~ 3 花，稀呈短小聚伞圆锥状；花淡绿色，小花梗长 4 ~ 5 mm，关节在中部偏上；花萼裂片近半圆形，覆瓦状排列，长约 1 mm；花瓣长方形，长约 2.5 mm，边缘具细短缘毛；花盘杯状，厚膜质，浅裂，裂片三角形；雄蕊着生于花盘边缘，花丝锥状，花药卵圆状，在雌花中退化，花药箭状卵形；雌蕊瓶状，子房近球状，花柱长约 1 mm；柱头不明显 3 裂，在雄花中退化。果实近球状或稍窄，长 7 ~ 9 mm，直径 6.5 ~ 8.5 mm，幼果先端具明显的宿存花柱，长达 1.5 mm，裂瓣略皱缩；种子 1，阔椭圆状至近球状，长 5 ~ 8 mm，假种皮橙红色。花期 5 ~ 7 月，果期 7 ～ 10 月。

| **生境分布** | 生于灌丛或山地林中。湖北有分布。

| **功能主治** | 祛风除湿，通经止痛，活血解毒。用于小儿惊风，跌打损伤，蛇虫咬伤。

卫矛科 Celastraceae 南蛇藤属 Celastrus

粉背南蛇藤

Celastrus hypoleucus (Oliv.) Warb. ex Loes.

| 药 材 名 | 粉背南蛇藤。

| 形态特征 | 小枝具稀疏阔椭圆形或近圆形皮孔，当年小枝上无皮孔；腋芽小，圆状三角形，直径约 2 mm。叶椭圆形或长方椭圆形，长 6 ~ 9.5 cm，先端短渐尖，基部钝楔形，边缘具锯齿，侧脉 5 ~ 7 对，叶面绿色，光滑，叶背粉灰色，主脉及侧脉被短毛或光滑无毛；叶柄长 12 ~ 20 mm。顶生聚伞圆锥花序，长 7 ~ 10 cm，多花，腋生者短小，具 3 ~ 7 花，花序梗较短，小花梗长 3 ~ 8 mm，花后明显伸长，关节在中部以上；花萼近三角形，先端钝；花瓣长方形或椭圆形，长约 4.3 mm，花盘杯状，先端平截；雄蕊长约 4 mm，在雌花中退化雄蕊长约 1.5 mm；雌蕊长约 3 mm，子房椭圆状，柱头扁平，在雄

花中退化雌蕊长约 2 mm；果序顶生，长而下垂，腋生花多不结实。蒴果疏生，球状，有细长小果柄，长 10 ~ 25 mm，果瓣内侧有棕红色细点，种子平凸至稍新月状，长 4 ~ 5 mm，直径 1.4 ~ 2 mm，两端较尖，黑色至黑褐色。花期 6 ~ 8 月，果期 10 月。

| 生境分布 | 生于山地丛林中。湖北有分布。

| 采收加工 | **茎、根**：夏、秋季采收，晒干。

| 功能主治 | 化瘀消肿。用于跌打损伤。

卫矛科 Celastraceae 南蛇藤属 Celastrus

南蛇藤 *Celastrus orbiculatus* Thunb.

| 药 材 名 | 南蛇藤。

| 形态特征 | 小枝光滑无毛，灰棕色或棕褐色，具稀而不明显的皮孔；腋芽小，卵状到卵圆状，长 1 ~ 3 mm。叶通常阔倒卵形、近圆形或长方椭圆形，长 5 ~ 13 cm，宽 3 ~ 9 cm，先端圆阔，具有小尖头或短渐尖，基部阔楔形到近钝圆，边缘具锯齿，两面光滑无毛或叶背脉上具稀疏短柔毛，侧脉 3 ~ 5 对；叶柄细长，长 1 ~ 2 cm。聚伞花序腋生，间有顶生，花序长 1 ~ 3 cm，小花 1 ~ 3 朵，偶仅 1 ~ 2 朵，小花梗关节在中部以下或近基部；雄花萼片钝三角形；花瓣倒卵椭圆形或长方形，长 3 ~ 4 cm，宽 2 ~ 2.5 mm；花盘浅杯状，裂片浅，先端圆钝；雄蕊长 2 ~ 3 mm，退化雌蕊不发达；雌花花冠较雄花窄小，

花盘稍深厚，肉质，退化雄蕊极短小；子房近球状，花柱长约 1.5 mm，柱头 3 深裂，裂端再 2 浅裂。蒴果近球状，直径 8 ~ 10 mm；种子椭圆状稍扁，长 4 ~ 5 mm，直径 2.5 ~ 3 mm，赤褐色。花期 5 ~ 6 月，果期 7 ~ 10 月。

| 生境分布 | 生于山坡、沟边杂木林间，常攀缘于树上或岩坡上。分布于湖北宣恩、利川、巴东、兴山、房县、丹江口，以及武汉等。

| 功能主治 | 祛风除湿，活血消肿，止痛。用于风湿性关节炎，跌打损伤，腰腿痛，闭经。

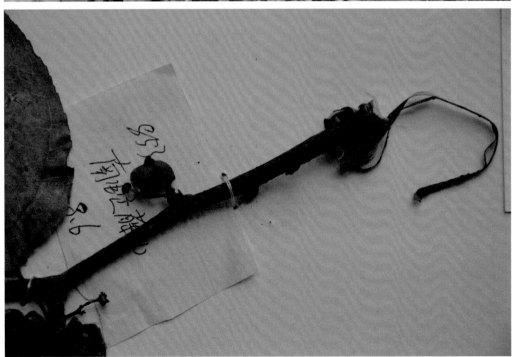

卫矛科 Celastraceae 南蛇藤属 Celastrus

短梗南蛇藤

Celastrus rosthornianus Loes.

| 药 材 名 | 短梗南蛇藤。

| 形态特征 | 小枝具较稀皮孔，腋芽圆锥状或卵状，长约 3 mm。叶纸质，果期常稍革质，叶片长方状椭圆形、长方状窄椭圆形，稀倒卵状椭圆形，长 3.5 ~ 9 cm，宽 1.5 ~ 4.5 cm，先端急尖或短渐尖，基部楔形或阔楔形，边缘具疏浅锯齿或基部近全缘，侧脉 4 ~ 6 对；叶柄长 5 ~ 8 mm，稀稍长。花序顶生及腋生，顶生者为总状聚伞花序，长 2 ~ 4 cm，腋生者短小，具 1 至数花，花序梗短；小花梗长 2 ~ 6 mm，关节在中部或稍下；萼片长圆形，长约 1 mm，边缘啮蚀状；花瓣近长方形，长 3 ~ 3.5 mm，宽 1 mm 或稍宽；花盘浅裂，裂片先端近平截；雄蕊较花冠稍短，在雌花中退化雄蕊长 1 ~ 1.5 mm；雌蕊长

3 ~ 3.5 mm，子房球状，柱头 3 裂，每裂再 2 深裂，近丝状。蒴果近球状，直径 5.5 ~ 8 mm，小果柄长 4 ~ 8 mm，近果处较粗；种子阔椭圆状，长 3 ~ 4 mm，直径 2 ~ 3 mm。花期 4 ~ 5 月，果期 8 ~ 10 月。

| 生境分布 | 生于山坡林缘和丛林下，常攀缘在其他树木或悬崖上。分布于湖北竹溪。

| 采收加工 | 夏、秋季采挖，晒干。

| 功能主治 | 祛风除湿。用于风湿性关节炎，腰肌劳损。

刺果卫矛

Euonymus acanthocarpus Franch.

| **药材名** | 刺果卫矛。

| **形态特征** | 灌木。直立或藤本。高 2 ~ 3 m。小枝密被黄色细疣突。叶革质，
长方椭圆形、长方卵形或窄卵形，少为阔披针形，长 7 ~ 12 cm，
宽 3 ~ 5.5 cm，先端急尖或短渐尖，基部楔形、阔楔形或稍近圆形，
边缘疏浅齿不明显，侧脉 5 ~ 8 对，在叶缘边缘处结网，小脉网通
常不显；叶柄长 1 ~ 2 cm。聚伞花序较疏大，多为 2 ~ 3 次分枝；
花序梗扁宽或四棱形，长（1.5 ~ ）2 ~ 6（ ~ 8）cm，第一次分枝
较长，通常 1 ~ 2 cm，第二次稍短；小花梗长 4 ~ 6 mm；花黄绿色，

直径 6 ~ 8 mm；萼片近圆形；花瓣近倒卵形，基部窄缩成短爪；花盘近圆形；雄蕊具明显花丝，花丝长 2 ~ 3 mm，基部稍宽；子房有柱状花柱，柱头不膨大。蒴果成熟时棕褐色带红色，近球状，直径连刺 1 ~ 1.2 cm，刺密集，针刺状，基部稍宽，长约 1.5 mm；种子外被橙黄色假种皮。

| 生境分布 | 生于山地林中。分布于湖北竹溪。

| 功能主治 | **根：**祛风除湿，散寒。用于风湿关节痛，跌打损伤。

茎皮：祛风除湿，通经活络，止痛，止血。用于风湿关节痛，跌打损伤，崩漏，外伤出血。

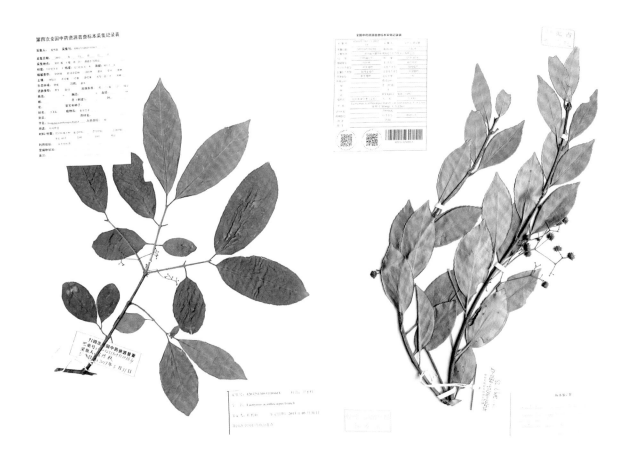

卫矛科 Celastraceae 卫矛属 Euonymus

卫矛

Euonymus alatus (Thunb.) Sieb.

| 药 材 名 |　卫矛。

| 形 态 特 征 |　灌木。高 1 ~ 3 m。小枝常具 2 ~ 4 列宽阔木栓翅；冬芽圆形，长 2 mm 左右，芽鳞边缘具不整齐细坚齿。叶卵状椭圆形、窄长椭圆形，

偶为倒卵形，长 2 ~ 8 cm，宽 1 ~ 3 cm，边缘具细锯齿，两面光滑无毛；叶柄长 1 ~ 3 mm。聚伞花序 1 ~ 3 花；花序梗长约 1 cm，小花梗长 5 mm；花白绿色，直径约 8 mm，4 数；萼片半圆形；花瓣近圆形；雄蕊着生花盘边缘处，花丝极短，开花后稍增长，花药宽阔长方形，2 室顶裂。蒴果 1 ~ 4 深裂，裂瓣椭圆状，长 7 ~ 8 mm；种子椭圆状或阔椭圆状，长 5 ~ 6 mm，种皮褐色或浅棕色，假种皮橙红色，全包种子。花期 5 ~ 6 月，果期 7 ~ 10 月。

| 生境分布 | 生于山地林中。分布于湖北竹溪。

| 采收加工 | **带栓翅的枝条：**夏、秋季采收，晒干。

| 功能主治 | 破血通经，截疟。用于漆疮，月经不调，产后瘀血腹痛。

卫矛科 Celastraceae 卫矛属 Euonymus

南川卫矛
Euonymus bockii Loes. ex Diels

| **药 材 名** | 南川卫矛。

| **形态特征** | 灌木高达3 m。幼时直立。长度高时或为藤本状。叶薄革质，椭圆形、窄椭圆形或长方卵形，长5～12 cm，宽2.5～6 cm；叶柄长2～6 mm，较粗壮。聚伞花序1～2次分枝，少为3次分枝；花序梗长1～2 cm，分枝较短，长5～10 mm，中央花小花梗长4～5 mm，无关节，两侧花小花梗长约3 mm，近基部有关节；苞片及小苞片均细小早落；花带紫色；花萼具半圆形片；花瓣近圆形，基部窄缩为短爪；雄蕊具锥状花丝，基部扩大，生长花盘边缘缺刻上；花盘肥厚扁平，因着生雄蕊处呈缺刻状，使整个花盘呈十字形；子房生于花盘中，无花柱，柱头头状。蒴果圆球状，直径7～8 mm，

果柄较短，长 1 ~ 2 cm，小果柄长 4 ~ 5 mm；种子每室多为 1，少为 2，假种皮包围种子全部。花期 5 ~ 6 月，果期 9 月以后。

| 生境分布 | 生于海拔 900 ~ 1 500 m 的阴坡、沟谷灌丛中、沟谷较阴湿处。分布于湖北西南部。

| 功能主治 | **茎叶**：补肝肾，强腰膝，活血止痛。用于肾虚腰痛，腰膝酸软，跌打损伤，骨折。

卫矛科 Celastraceae 卫矛属 Euonymus

肉花卫矛

Euonymus carnosus Hemsl.

| 药 材 名 | 肉花卫矛。

| 形态特征 | 灌木或乔木。半常绿，高达 8 m。叶近革质，窄长椭圆形或窄倒卵形，长 4 ~ 10 cm，宽 1 ~ 5 cm，先端圆形或急尖，基部常渐窄成楔形，边缘具细密极浅锯齿，侧脉细密；叶柄长 1 cm。疏松聚伞花序 3 ~ 9 花，花序梗长 3 ~ 6 cm；小花梗长约 1 cm；小苞片窄线形，长 5 ~ 8 mm；花黄白色，4 数，较大，直径达 1.5 cm；花萼大部合生，萼片极短；花瓣近圆形，中央有嚼蚀状皱纹；雄蕊着生在花盘四角的圆盘形突起上，花丝长达 2 mm，花药近顶裂；子房四棱锥状，花柱长 1 ~ 3 mm，每室有胚珠 6 ~ 12。蒴果近球状，常具窄翅棱，宿存花萼圆盘状，直径达 7 mm；种子长圆形，长约 5 mm，黑红色，

有光泽，假种皮红色，盔状，覆盖种子的上半部。花期 6 ~ 7 月，果期 9 ~ 10 月。

| **生境分布** | 生于山地林中。分布于湖北东部。

| **功能主治** | 散瘀，止痛，止血。用于跌打损伤，骨折，皮肤瘙痒等。

百齿卫矛

Euonymus centidens H. Lév.

| 药 材 名 | 百齿卫矛。

| 形 态 特 征 | 灌木。高达 6 m。小枝方棱状，常有窄翅棱。叶纸质或近革质，窄长椭圆形或近长倒卵形，长 3 ~ 10 cm，宽 1.5 ~ 4 cm，先端长渐尖，叶缘具密而深的尖锯齿，齿端常具黑色腺点，有时齿较浅而钝；近无柄或有短柄。聚伞花序 1 ~ 3 花，稀较多；花序梗四棱状，长达 1 cm；小花梗常稍短；花 4 基数，直径约 6 mm，淡黄色；萼片齿端常具黑色腺点；花瓣长圆形，长约 3 mm，宽约 2 mm；花盘近方形；雄蕊无花丝，花药顶裂；子房四棱方锥状，无花柱，柱头细小头状。蒴果 4 深裂，成熟裂瓣 1 ~ 4，每裂内常只有 1 种子；种子长圆状，长约 5 mm，直径约 4 mm，假种皮黄红色，覆盖于种子向轴面的一半，

末端窄缩成脊状。花期 6 月，果期 9 ~ 10 月。

| **生境分布** | 生于海拔 400 ~ 1 300 m 的山地灌丛、山坡或密林中。分布于湖北恩施、巴东，以及武汉。

| **采收加工** | **全株**：全年均可采收，洗净鲜用或切段晒干。

| **功能主治** | 补肾纳气，益肾止遗。用于肾虚作喘，肾气虚，遗精。

卫矛科 Celastraceae 卫矛属 Euonymus

角翅卫矛

Euonymus cornutus Hemsl.

| 药 材 名 | 角翅卫矛。

| 形态特征 | 灌木。高 1 ~ 2.5 m。叶厚纸质或薄草质，披针形、窄披针形，偶近线形，长 6 ~ 11 cm，宽 8 ~ 15 mm，先端窄长渐尖，基部楔形或阔楔形，边缘有细密浅锯齿，侧脉 7 ~ 11 对，在叶缘处常稍作波状折曲，与小脉形成明显特殊脉网；叶柄长 3 ~ 6 mm。聚伞花序常只 1 次分枝，3 花，少为 2 次分枝，具 5 ~ 7 花；花序梗细长，长 3 ~ 5 cm；小花梗长 1 ~ 1.2 cm，中央花小花梗稍细长；花紫红色或暗紫带绿，直径约 1 cm，花 4 基数与 5 基数并存；萼片肾圆形；花瓣倒卵形或近圆形；花盘近圆形；雄蕊着生花盘边缘，无花丝；子房无花柱，柱头小，盘状。蒴果具 4 或 5 翅，近球状，直径连翅

2.5 ～ 3.5 cm，翅长 5 ～ 10 mm，向尖端渐窄，常微呈钩状；果序梗长 3.5 ～ 8 cm；小果柄长 1 ～ 1.5 cm；种子阔椭圆状，长约 6 mm，包于橙色假种皮中。

| 生境分布 | 生于山坡灌丛中。分布于湖北巴东、房县。

| 采收加工 | **根、枝叶**：夏、秋季采收，晒干。

| 功能主治 | **根**：散寒止咳。用于关节痛，腰痛，外感风寒，咳嗽。
枝叶：祛风止痒，解毒消肿。用于痒疮，漆疮，红肿疼痛。

卫矛科 Celastraceae 卫矛属 Euonymus

裂果卫矛

Euonymus dielsianus Loes. ex Diels

| 药 材 名 | 裂果卫矛。

| 形态特征 | 灌木和小乔木。1 ~ 7 m。叶片革质，窄长椭圆形或长倒卵形，长 4 ~ 12 cm，宽 2 ~ 4.5 cm，先端渐尖或短长尖，近全缘，少有疏浅小锯齿，齿端常具小黑腺点；叶柄长达 1 cm。聚伞花序 1 ~ 7 花；花序梗长达 1.5 cm；小花梗长 3 ~ 5 mm；花 4 基数，直径约 5 mm，黄绿色；萼片较阔圆形，边缘具锯齿，齿端具黑色腺点；花瓣长圆形，边缘稍呈浅齿状；花盘近方形；雄蕊花丝极短，着生花盘角上，花药近顶裂；子房四棱形，无花柱，柱头细小头状。蒴果 4 深裂，裂瓣卵状，长约 8 mm，斜升，1 ~ 3 裂成熟，每裂有 1 成熟种子；种子长圆状，长约 5 mm，枣红色或黑褐色，假种皮橘红色，

盔状，包围种子上半部。花期 6 ~ 7 月，果期 10 月前后。

| **生境分布** | 生于山顶、山坡、溪边疏林中及山谷中。湖北有分布。

| **采收加工** | **茎皮、根：**全年均可采收，根切片，茎剥皮晒干。

| **功能主治** | 强筋壮骨，活血调经。用于肾虚腰膝酸痛，月经不调，跌打损伤。

卫矛科 Celastraceae 卫矛属 Euonymus

扶芳藤 *Euonymus fortunei* (Turcz.) Hand.-Mazz.

| **药材名** | 扶芳藤。

| **形态特征** | 常绿藤本灌木。高1至数米。小枝方棱不明显。叶薄革质，椭圆形、长方椭圆形或长倒卵形，宽窄变异较大，可窄至近披针形，长3.5 ~ 8 cm，宽1.5 ~ 4 cm，先端钝或急尖，基部楔形，边缘齿浅不明显，侧脉细微和小脉全不明显；叶柄长3 ~ 6 mm。聚伞花序3 ~ 4次分枝；花序梗长1.5 ~ 3 cm，第一次分枝长5 ~ 10 mm，第二次分枝长5 mm以下，最终小聚伞花密集，有花4 ~ 7，分枝中央有单花，小花梗长约5 mm；花白绿色，4数，直径约6 mm；花盘方形，直径约2.5 mm；花丝细长，长2 ~ 3 mm，花药圆心形；子房三角锥状，4棱，粗壮明显，花柱长约1 mm。蒴果粉红色，果

皮光滑，近球状，直径 6 ～ 12 mm；果序梗长 2 ～ 3.5 cm；小果柄长 5 ～ 8 mm；种子长方椭圆状，棕褐色，假种皮鲜红色，全包种子。花期 6 月，果期 10 月。

| **生境分布** | 生于林缘、村边的树上或墙壁上或匍匐于石上。湖北有分布。

| **采收加工** | **藤茎：** 全年均可采收，洗净鲜用或晒干。

| **功能主治** | 益气血，补肝肾，舒筋活络。用于气血虚弱，腰肌劳损，风湿痹痛，跌打骨折，创伤出血。

卫矛科 Celastraceae 卫矛属 Euonymus

大花卫矛
Euonymus grandiflorus Wall.

| 药 材 名 | 大花卫矛。

| 形态特征 | 灌木或乔木。半常绿，高达 8 m。叶近革质，窄长椭圆形或窄倒卵形，长 4 ~ 10 cm，宽 1 ~ 5 cm，先端圆形或急尖，基部常渐窄成楔形，边缘具细密极浅锯齿，侧脉细密；叶柄长达 1 cm。疏松聚伞花序 3 ~ 9 花，花序梗长 3 ~ 6 cm；小花梗长约 1 cm；小苞片窄线形，长 5 ~ 8 mm；花黄白色，4 数，较大，直径达 1.5 cm；花萼大部合生；萼片极短；花瓣近圆形，中央有嚼蚀状皱纹；雄蕊着生在花盘四角的圆盘形突起上，花丝长达 2 mm，花药近顶裂；子房四棱锥状，花柱长 1 ~ 3 mm，每室有胚珠 6 ~ 12。蒴果近球状，常具窄翅棱，宿存花萼圆盘状，直径达 7 mm；种子长圆形，长约

5 mm，黑红色，有光泽，假种皮红色，盔状，覆盖种子的上半部。花期 6 ~ 7 月，果期 9 ~ 10 月。

| **生境分布** | 生于山坡灌丛中、山地丛林、溪边、河谷、沟谷林缘等处，常见于石灰岩山地。湖北有分布。

| **功能主治** | 祛风湿，舒筋络，补肾。用于痢疾初起，腹痛，肾虚腰痛，风湿疼痛，瘀血闭经。

卫矛科 Celastraceae 卫矛属 Euonymus

西南卫矛

Euonymus hamiltonianus Wall. ex Roxb.

| 药 材 名 | 西南卫矛。

| 形态特征 | 小乔木。高 5 ~ 6 m。枝条无栓翅，但小枝的棱上有时有 4 极窄木栓棱，叶较大，卵状椭圆形、长方状椭圆形或椭圆状披针形，长 7 ~ 12 cm，宽 7 cm，叶柄也较粗长，长可达 5 cm。蒴果较大，直径 1 ~ 1.5 cm。花期 5 ~ 6 月，果期 9 ~ 10 月。

| 生境分布 | 生于山地林中。湖北有分布。

| **采收加工** | 茎皮、枝叶：夏、秋季采收，晒干。

| **功能主治** | 活血止血，祛风除湿，强筋骨。用于鼻出血，风湿腰痛，跌打损伤。

卫矛科 Celastraceae 卫矛属 Euonymus

常春卫矛

Euonymus hederaceus Champ. ex Benth.

| 药 材 名 | 常春卫矛。

| 形态特征 | 藤本灌木。高 1 ~ 2 m。小枝常有随生根。叶革质或薄革质，卵形、阔卵形或窄卵形，有时为椭圆形，长 3 ~ 7 cm，宽 2 ~ 4.5 cm，先端钝或极短渐尖，基部近圆形或阔楔形，侧脉 4 ~ 5 对，细而明显，小脉通常不显；叶柄多细长，长 6 ~ 12 mm。聚伞花序通常少花而较短，1 ~ 2 次分枝，花序梗长 1 ~ 2 cm，细圆；小花梗长约 5 mm；苞片及小苞片脱落；花淡白色带绿色，直径 8 ~ 10 mm；花盘近方形，雄蕊着生花盘边缘，花丝长约 2 mm；子房稍扁。蒴果熟时紫红色，圆球状，直径 8 ~ 10 mm；果序梗细，长 1 ~ 2 cm；小果柄长达 10 mm；种子具红色全包假种皮。

| **生境分布** | 生于山坡丛林及林边。湖北有分布。

| **功能主治** | 祛风除湿，补肾安胎。用于风湿痹痛，腰膝酸痛，肝肾虚损，冲任不固之胎漏，胎动不安。

卫矛科 Celastraceae 卫矛属 Euonymus

冬青卫矛

Euonymus japonicus Thunb.

| 药 材 名 | 大叶黄杨。

| 形态特征 | 灌木。高可达3 m。小枝四棱形，具细微皱突。叶革质，有光泽，倒卵形或椭圆形，长3～5 cm，宽2～3 cm，先端圆阔或急尖，基部楔形，边缘具有浅细钝齿；叶柄长约1 cm。聚伞花序5～12花，花序梗长2～5 cm，2～3次分枝，分枝及花序梗均扁壮，第三次分枝常与小花梗等长或较短；小花梗长3～5 mm；花白绿色，直径5～7 mm；花瓣近卵圆形，长与宽各约2 mm，雄蕊花药长圆状，内向；花丝长2～4 mm；子房每室2胚珠，着生中轴顶部。蒴果近球状，直径约8 mm，淡红色；种子每室1，顶生，椭圆状，长约6 mm，直径约4 mm，假种皮橘红色，全包种子。花期6～7月，

果熟期 9 ~ 10 月。

| 生境分布 | 生于土壤湿润的向阳地或栽培于庭园。湖北有分布。

| 采收加工 | 根：夏、秋季采收，切片，晒干。

| 功能主治 | 活血调经，祛风除湿。用于月经不调，痛经，风湿痹痛。

卫矛科 Celastraceae 卫矛属 Euonymus

长叶卫矛

Euonymus kwangtungensis C. Y. Cheng

| 药 材 名 | 长叶卫矛。

| 形态特征 | 小灌木。叶近革质，有光泽，长方披针形，长 8 ~ 14 cm，宽 1.5 ~ 3 cm，先端渐窄渐尖，近全缘或边缘有极浅疏锯齿或，侧脉 5 ~ 7，细弱不显，在边缘处常结成疏网，小脉不显；叶柄长 5 ~ 8 mm。聚伞花序 1 ~ 2 腋生，短小，3 至数花；花序梗长 2 ~ 12 mm；花淡绿色，直径约 7 mm；5 数；萼片重瓦排列，在内 2 萼片较大，边缘常有细浅深色齿缘；花瓣近圆形，长约 3 mm；花盘 5 浅裂；雄蕊无花丝；子房无花柱，柱头平贴，微 5 裂。蒴果熟时带红色，倒三角状心形，5 浅裂，裂片先端宽，稍外展，基部稍窄，最宽处约 1 cm（据

未熟果）。

| **生境分布** | 生于低海拔山坡、山谷丛林中阴湿处。湖北有分布。

| **功能主治** | 行血通经，散瘀止痛。用于月经不调，产后瘀血腹痛，心绞痛，跌打损伤肿痛等。

卫矛科 Celastraceae 卫矛属 Euonymus

白杜

Euonymus maackii Rupr.

| **药 材 名** | 白杜。

| **形态特征** | 小乔木。高达 6 m。叶卵状椭圆形、卵圆形或窄椭圆形，长 4 ~ 8 cm，宽 2 ~ 5 cm，先端长渐尖，基部阔楔形或近圆形，边缘具细锯齿，有时极深而锐利；叶柄通常细长，常为叶片的 1/4 ~ 1/3，但有时较短。聚伞花序 3 至多花，花序梗略扁，长 1 ~ 2 cm；花 4 基数，淡白绿色或黄绿色，直径约 8 mm；小花梗长 2.5 ~ 4 mm；雄蕊花药紫红色，花丝细长，长 1 ~ 2 mm。蒴果倒圆心状，4 浅裂，长 6 ~ 8 mm，直径 9 ~ 10 mm，成熟后果皮粉红色；种子长椭圆状，长 5 ~ 6 mm，直径约 4 mm，种皮棕黄色，假种皮橙红色，全包种子，成熟后先端常有小口。花期 5 ~ 6 月，果期 9 月。

| 生境分布 | 生于山地林中、山坡林缘、山麓、山溪路旁。湖北有分布。

| 采收加工 | 根、枝叶、果实：夏、秋季采收，晒干。

| 功能主治 | 根：祛风湿，活血止血。用于血栓闭塞性脉管炎，腰腿痛。

枝叶：解毒。外用于漆疮。

果实：安神，补肾。用于失眠，肾虚。

卫矛科 Celastraceae 卫矛属 Euonymus

小果卫矛
Euonymus microcarpus (Oliv.) Sprague

| 药 材 名 | 小果卫矛。

| 形态特征 | 灌木。高 2 ~ 6 m。叶薄革质，椭圆形、阔倒卵形或卵形，长 4 ~ 7 cm，宽 2.5 ~ 4 cm，先端急尖或短渐尖，基部楔形或阔楔形，近

全缘或边缘有微齿，侧脉 6 ~ 10 对，细而密集；叶柄长 8 ~ 20 mm。聚伞花序 1 ~ 4 次分枝，花序梗长 2 ~ 4 cm，分枝稍短；小花梗长 2 ~ 5 mm；花黄绿色，直径 6 ~ 9 mm；萼片扁圆，常有短缘毛；花瓣近圆形；花盘方圆；雄蕊着生花盘边缘处，花丝长约 1.5 mm；子房具极短花柱，柱头小，有时功能性退化不育。蒴果近长圆状，4 浅裂，裂片向外平展，长 5 ~ 10 mm；种子棕红色，长圆状，长约 5 mm，外被橘黄色假种皮。

| 生境分布 | 生于山地、山坡、河边的杂木林中。分布于湖北神农架、巴东、房县，以及宜昌等。

| 采收加工 | **根**：夏、秋季采收，切片，晒干。

| 功能主治 | 活血祛瘀，祛风除湿。用于跌打损伤，风湿腰痛。

卫矛科 Celastraceae 卫矛属 Euonymus

大果卫矛
Euonymus myrianthus Hemsl.

| 药 材 名 | 大果卫矛。

| 形态特征 | 常绿灌木。高 1 ~ 6 m。叶革质，倒卵形、窄倒卵形或窄椭圆形，有时窄至阔披针形，长 5 ~ 13 cm，宽 3 ~ 4.5 cm，先端渐尖，基部楔形，边缘常呈波状或具明显钝锯齿，侧脉 5 ~ 7 对，与三生脉成明显网状；叶柄长 5 ~ 10 mm。聚伞花序多聚生小枝上部，常数花序着生新枝先端，2 ~ 4 次分枝；花序梗长 2 ~ 4 cm，分枝渐短，小花梗长约 7 mm，均具 4 棱；苞片及小苞片卵状披针形，早落；花黄色，直径达 10 mm；萼片近圆形；花瓣近倒卵形；花盘四角有圆形裂片；雄蕊着生裂片中央小突起上，花丝极短或无；子房锥状，有短壮花柱。蒴果黄色，多呈倒卵状，长 1.5 cm，直径约 1 cm；果

序梗及小果柄等较花时稍增长；种子 2 ~ 4 成熟，假种皮橘黄色。

| 生境分布 | 生于海拔 1 000 m 左右的山坡溪边沟谷较湿润处。湖北有分布。

| 采收加工 | 夏、秋季采收根、茎，晒干。

| 功能主治 | 补肾，活血，健脾利湿。用于腰痛，腹痛，脾胃虚弱，产后恶露不尽。

卫矛科 Celastraceae 卫矛属 Euonymus

矩叶卫矛

Euonymus oblongifolius Loes. et Rehd

| 药 材 名 | 矩叶卫矛。

| 形态特征 | 灌木或小乔木，高 2 ~ 7 m，可达 10 m 以上。叶薄革质，坚实，稍有光亮，长方状椭圆形、窄椭圆形或长方状倒卵形，偶为长方状披针形，长 5 ~ 16 cm，宽 2 ~ 4.5 cm，先端渐尖，边缘有细浅锯齿，侧脉及小脉均明显，呈细网状；叶柄长 5 ~ 8 mm。聚伞花序多次分枝；花序梗较长，长多为 2 ~ 5 cm，分枝稍平展，2 分枝间的中央花小梗较两侧花小梗短；花淡绿色，4 基数，直径约 5 mm；雄蕊近无花丝；子房每室有 2 ~ 6 胚珠，花柱不明显。蒴果倒锥状，长约 1 cm，上部较宽，直径约 8 mm，基部窄缩至 2 ~ 3 mm，有明显4 棱或 4 浅裂，顶部平；果序梗长 3 ~ 7 cm，4 棱明显；种子每室

1 ~ 2，稀 3 发育成熟，近球状，直径约 3 mm。花期 5 ~ 6 月，果期 8 ~ 10 月。

| 生境分布 | 生于山谷及近水阴湿处。湖北有分布。

| 采收加工 | 夏、秋季采收，根切片，晒干，果实晒干。

| 功能主治 | 清热，止血。用于鼻衄，跌打损伤。

卫矛科 Celastraceae 卫矛属 Euonymus

垂丝卫矛

Euonymus oxyphyllus Miq.

| 药 材 名 | 垂丝卫矛。

| 形 态 特 征 | 灌木，高 1 ～ 8 m。叶卵圆形或椭圆形，长 4 ～ 8 cm，宽 2.5 ～ 5 cm，先端渐尖至长渐尖，基部近圆形或平截圆形，边缘有细密锯齿，锯齿明显或浅而不显；叶柄长 4 ～ 8 mm。聚伞花序宽疏，通常具 7 ～ 20 花；花序梗细长，长 4 ～ 5 cm，先端 3 ～ 5 分枝，每分枝具 1 三出小聚伞花序；小花梗长 3 ～ 7 mm；花淡绿色，直径 7 ～ 9 mm，5 基数；花瓣近圆形；花盘圆，5 浅裂；雄蕊花丝极短；子房圆锥状，先端渐窄成柱状花柱。蒴果近球状，直径 10 mm，无翅，仅果皮背缝处常有凸起的棱线；果序梗细长下垂，包括小果柄长 5 ～ 6 cm。

| 生境分布 | 生于低山坡杂木林内，以在背阴处生长最好。分布于湖北神农架。

| 功能主治 | 祛风除湿，活血通经，利水解毒。用于风湿痹痛，痢疾，泄泻，痛经，闭经，跌打损伤，骨折，脚气，水肿，阴囊湿痒，疮疡肿毒。

栓翅卫矛

Euonymus phellomanus Loes.

| 药 材 名 |

栓翅卫矛。

| 形态特征 |

灌木。高 3 ~ 4 m。枝条硬直，常具 4 纵列木栓厚翅，在老枝上宽可达 5 ~ 6 mm。叶长椭圆形或略呈椭圆状倒披针形，长 6 ~ 11 cm，宽 2 ~ 4 cm，先端窄长渐尖，边缘具细密锯齿；叶柄长 8 ~ 15 mm。聚伞花序 2 ~ 3 次分枝，有花 7 ~ 15；花序梗长 10 ~ 15 mm，第一次分枝长 2 ~ 3 mm，第二次分枝极短或近无；小花梗长 5 mm；花白绿色，直径约 8 mm，4 数；雄蕊花丝长 2 ~ 3 mm；花柱短，长 1 ~ 1.5 mm，柱头圆钝不膨大。蒴果 4 棱，倒圆心状，长 7 ~ 9 mm，直径约 1 cm，粉红色；种子椭圆状，长 5 ~ 6 mm，直径 3 ~ 4 mm，种脐、种皮棕色，假种皮橘红色，包被种子全部。花期 7 月，果期 9 ~ 10 月。

| 生境分布 |

生于海拔 2 000 m 以上的山谷林中。湖北有分布。

|**采收加工**| 枝皮：夏、秋季采收，晒干。

|**功能主治**| 活血调经，祛风除湿。用于月经不调，产后瘀阻腹痛，风湿疼痛。

紫花卫矛 *Euonymus porphyreus* Loes.

| 药 材 名 | 紫花卫矛。

| 形 态 特 征 | 灌木。高 1 ~ 5 m。叶纸质，卵形、长卵形或阔椭圆形，长 3 ~ 7 cm，宽 1.5 ~ 3.5 cm，先端渐尖至长渐尖，基部阔楔形或近圆形，边缘具细密小锯齿，齿尖常稍内曲；叶柄长 3 ~ 7 mm。聚伞花序具细长花序梗，梗端有 3 ~ 5 分枝，每枝有三出小聚伞；花 4 基数，深紫色，直径 6 ~ 8 mm；花瓣长方椭圆形或窄卵形；花盘扁方，微 4 裂；子房扁，花柱极短，柱头小。蒴果近球状，直径约 1 cm，4 翅窄长，长 5 ~ 10 mm，先端常稍窄并稍向上内曲。

| **生境分布** | 生于山地丛林及山溪旁侧的丛林中。湖北有分布。

| **功能主治** | 清热解毒，散瘀止痛。用于跌打损伤，淋巴结结核。

卫矛科 Celastraceae 卫矛属 *Euonymus*

石枣子
Euonymus sanguineus Loes.

| 药 材 名 | 石枣子。

| 形态特征 | 灌木。高达 8 m。叶厚纸质至近革质，卵形、卵状椭圆形或长方椭圆形，长 4 ~ 9 cm，宽 2.5 ~ 4.5 cm，先端短渐尖或渐尖，基部阔楔形或近圆形，常稍平截，叶缘具细密锯齿；叶柄长 5 ~ 10 mm。聚伞花序具长梗，梗长 4 ~ 6 cm，先端有 3 ~ 5 细长分枝，除中央枝单生花，其余常具一对 3 花小聚伞；小花梗长 8 ~ 10 mm；花白绿色，4 数，直径 6 ~ 7 mm。蒴果扁球状，直径约 1 cm，4 翅略呈三角形，长 4 ~ 6 mm，先端略窄而钝。

| 生境分布 | 生于海拔 800 ~ 2 000 m 的灌丛中或沟边、路旁、山坡、山地林缘等处。湖北有分布。

| **采收加工** | **茎皮**：夏、秋季采收，晒干。 |

| **功能主治** | 祛风活血，消肿止痛。用于风湿，跌打损伤。 |

陕西卫矛

Euonymus schensianus Maxim.

| **药 材 名** | 陕西卫矛。

| **形态特征** | 藤本灌木，高达数米。枝条稍带灰红色。叶花时薄纸质，果时纸质或稍厚，披针形或窄长卵形，长 4 ~ 7 cm，宽 1.5 ~ 2 cm，先端急尖或短渐尖，边缘有纤毛状细齿，基部阔楔形；叶柄细，长 3 ~ 6 mm。花序长大细柔，多数集生于小枝顶部，呈多花状，每个聚伞花序具 1 细柔长梗，长 4 ~ 6 cm，在花梗先端有 5 分枝，中央分枝具 1 花，长约 2 cm，内外 1 对分枝长达 4 cm，先端各有 1 三出小聚伞花序；小花梗长 1.5 ~ 2 cm，最外 1 对分枝一般长仅达内侧分枝之半，聚伞的小花梗也稍短；花 4 基数，黄绿色；花瓣常稍带红色，直径约 7 mm。蒴果方形或扁圆形，直径约 1 cm，4 翅长大，长

方形，基部与先端近等高或稍变窄，稀翅较短；每室只有 1 种子成熟，种子黑色或棕褐色，全部被橘黄色假种皮包围。

| **生境分布** | 生于山坡、沟边杂木林中。分布于湖北竹溪。

| **采收加工** | 春、夏季采收，晒干。

| **功能主治** | 祛风除湿。用于风湿痹痛。

卫矛科 Celastraceae 卫矛属 Euonymus

无柄卫矛

Euonymus subsessilis Sprague

| **药 材 名** | 无柄卫矛。

| **形态特征** | 灌木直立或藤本状。高 2 ~ 7.5 m；小枝常方形并有较明显的纵棱。叶在花期多为纸质，至果期稍增厚成半革质，椭圆形、窄椭圆形或长方状窄卵形，大小变异颇大，一般长为 4 ~ 7 cm，最长可达 10 cm，宽 2 ~ 4.5 cm，先端渐尖或急尖，基部楔形、阔楔形或近圆形，叶缘有明显锯齿，侧脉明显，老叶常在叶面呈凹入状，小脉有时也呈凹入状；叶无柄，稀有短柄，有柄时柄长 2 ~ 5 mm。聚伞花序 2 ~ 3 次分枝；花序梗和分枝一般全具 4 棱，小花梗则圆柱状，先端稍膨大，并常具细瘤点；花 4 基数，黄绿色，直径约 5 mm；花盘方形；雄蕊具细长花丝，长 2 ~ 3 mm；子房具细长花柱。蒴果近球状，密被棕红色三角状短尖刺，直径（连刺）1 ~ 1.2 cm；果序

柄具 4 棱，较粗壮；种子每室 1 ～ 2，假种皮红色。花期 5 ～ 6 月，果期 8 月以后。

| **生境分布** | 生于山中林内、路边、岩石坡地和河边。湖北有分布。

| **功能主治** | 祛风除湿，散瘀续骨。用于风湿痹痛，跌打损伤，骨折。

卫矛科 Celastraceae 卫矛属 Euonymus

曲脉卫矛
Euonymus venosus Hemsl.

药材名

曲脉卫矛。

形态特征

灌木或小乔木，高达 6 m。小枝黄绿色，被细密瘤突。叶革质，平滑光亮，椭圆状披针形或窄椭圆形，长 5 ~ 11 cm，宽 3 ~ 5 cm，先端圆钝或急尖，全缘或近全缘，侧脉明显，常折曲 1 ~ 3 次，小脉明显，并结成纵向的不规则菱形脉岛，叶背常呈灰绿色；叶柄短，长 3 ~ 5 mm。聚伞花序多 1 ~ 2 次分枝，小花 3 ~ 5（~ 7），稀达 9；花序梗长 1.5 ~ 2.5 cm，中央小花梗长约 5 mm，两侧小花梗长约 2 mm；花淡黄色，直径 6 ~ 8 mm，4 基数；雄蕊花丝长 1 mm 以上。蒴果球状，有 4 浅沟，直径达 15 mm，果皮极平滑，黄白色带粉红色；种子每室 1，稍肾状，假种皮橘红色。花期 5 ~ 7 月，果熟期 8 ~ 9 月。

生境分布

生于山间林下或岩石山坡丛林中。湖北有分布。

| **采收加工** | 夏、秋季采收，切片，晒干。

| **功能主治** | 祛风除湿，通络。

疣点卫矛

Euonymus verrucosoides Loes.

| 药 材 名 | 疣点卫矛。

| 形态特征 | 落叶灌木。高 2 ~ 3 m。冬芽较大，卵状或长卵状，长 4 ~ 5 mm，直径约 3 mm。叶倒卵形、长卵形或椭圆形，枝端叶往往呈阔披针形，长 3 ~ 7 cm，宽 2 ~ 3 cm，稀更宽，先端渐尖或急尖，基部钝圆或渐窄；叶柄长 2 ~ 5 mm。聚伞花序，2 ~ 5 花；花序梗细线状，长 1 ~ 3 cm；小花梗长 5 ~ 6 mm；花紫色，4 数，直径约 1 cm；萼片近半圆形；花瓣椭圆形；花盘近方形；雄蕊插生花盘内方，紧贴雌蕊；花药扁宽卵形，花丝长 2 ~ 2.5 mm；子房四棱锥状，花柱长 2 mm，柱头小。蒴果 1 ~ 4 全裂，裂瓣平展，窄长，长 8 ~ 12 mm，紫褐色，每室 1 ~ 2 种子；种子长椭圆状，近黑色，种脐一端紫红色，

假种皮长约为种子的一半或稍长，一侧开裂。花期 6 ~ 7 月，果期 8 ~ 9 月。

| 生境分布 | 生于海拔 1 400 ~ 2 400 m 的山地林中、林下。湖北有分布。

| 功能主治 | **根或根皮：**活血通络，祛风除湿，活血消肿。

卫矛科 Celastraceae 美登木属 Maytenus

刺茶美登木

Maytenus variabilis (Hemsl.) C. Y. Cheng

| 药 材 名 | 刺茶美登木。

| 形态特征 | 灌木。高达 5 m。小枝先端常粗壮刺状，腋生刺较细，生于较潮湿环境时小枝刺较少。叶纸质，椭圆形、窄椭圆形或椭圆状披针形，少为倒披针形，大小变化甚大，长 3 ～ 12 cm，宽 1 ～ 4 cm，先端急尖或钝，基部楔形，边缘有明显的密浅锯齿，侧脉较细弱，小脉也细弱不明显；叶柄长 3 ～ 6 mm。聚伞花序着生于刺状小枝上及非刺状长枝上，1 ～ 3 次二叉分枝；花序梗长 3 ～ 13 mm；小苞片长约 1 mm；花淡黄色，直径 5 ～ 6 mm；萼片卵形，有细微齿缘；花瓣长圆形；雄蕊较花瓣稍短，花盘较圆而肥厚；子房基部约 1/3 与花盘合生，花柱短，柱头 3 裂，裂片扁。蒴果三角状宽倒卵状，

长 1.2 ～ 1.5 cm，红紫色，3 室，每室常只有 1 成熟种子；种子倒卵柱状，长约 7 mm，直径 4 ～ 5 mm，深棕色，平滑有光泽，基部具浅杯状淡黄色假种皮。花期 6 ～ 10 月，果期 7 ～ 12 月。

| 生境分布 |　生于岩边、草地和多石斜坡。分布于湖北西部。

| 功能主治 |　解毒，燥湿，抗肿瘤。用于下肢溃疡，头癣，牛皮癣，肿瘤。

卫矛科 Celastraceae 核子木属 Perrottetia

核子木 Perrottetia racemosa (Olio.) Loes.

| **药 材 名** | 核子木。

| **形态特征** | 灌木，高 1 ~ 4 m。小枝圆，具微棱。叶互生，纸质，长椭圆形或窄卵形，长 5 ~ 15 cm，宽 2.5 ~ 5.5 cm，先端长渐尖，基部阔楔形或近圆形，边缘有细锯齿或极细齿而近全缘；叶柄细长，长 6 ~ 20 mm。花极小，白色，多数组成窄总状聚伞花序；花 5 基数，单性为主，雌雄异株；雄花直径约 3 mm，花萼、花瓣紧密排列，均具缘毛，花瓣稍大，花盘平薄，雄蕊着生于花盘边缘，花丝细长，子房细小不育；雌花直径仅约 1 mm，花萼、花瓣直立，花盘浅杯状，雄蕊退化，子房 2 室，每室有 2 胚珠，花柱先端 2 裂。果序长穗状，长 4 ~ 7 cm；浆果红色，近球状，直径约 3 mm；种子每室 1 ~ 2，细小。

生境分布	生于较阴湿的山中沟谷和溪边。湖北有分布。
采收加工	夏、秋季采收，晒干。
功能主治	祛风除湿。用于风湿关节痛。

卫矛科 Celastraceae 雷公藤属 Tripterygium

昆明山海棠

Tripterygium hypoglaucum (H. Lév.) Hutch

| 药 材 名 |

昆明山海棠。

| 形态特征 |

藤本灌木。高 1 ~ 4 m。小枝常具 4 ~ 5 棱，密被棕红色毡毛状毛，老枝无毛。叶薄革质，长方卵形、阔椭圆形或窄卵形，长 6 ~ 11 cm，宽 3 ~ 7 cm，大小变化较大，先端长渐尖、短渐尖，偶为急尖而钝，基部圆形、平截或微心形，边缘具极浅疏锯齿，稀具密齿，侧脉 5 ~ 7 对，疏离，在近叶缘处结网，三生脉常与侧脉近垂直，小脉网状，叶面绿色，偶被厚粉，叶背常被白粉，呈灰白色，偶为绿色；叶柄长 1 ~ 1.5 cm，常被棕红色密生短毛。圆锥聚伞花序生于小枝上部，呈蝎尾状多次分枝，顶生者最大，有花 50 朵以上，侧生者较小，花序梗、分枝及小花梗均密被锈色毛；苞片及小苞片细小，被锈色毛；花绿色，直径 4 ~ 5 mm；萼片近卵圆形；花瓣长圆形或窄卵形；花盘微 4 裂，雄蕊着生近边缘处，花丝细长，长 2 ~ 3 mm，花药侧裂；子房具 3 棱，花柱圆柱状，柱头膨大，椭圆状。翅果多为长方形或近圆形，果翅宽大，长 1.2 ~ 1.8 cm，宽 1 ~ 1.5 cm，先端平截，内凹或近圆形，基部心形，果体长仅为总长的 1/2，宽近占翅的 1/6 或 1/4，窄椭圆线状，直径 3 ~ 4 mm，中脉明显，侧脉稍短，与中脉密接。

| 生境分布 | 生于山野向阳的灌丛中、疏林下、山地林中。湖北有分布。

| 功能主治 | 祛风除湿，舒筋活络，清热解毒。用于类风湿性关节炎，红斑狼疮。

卫矛科 Celastraceae 雷公藤属 Tripterygium

雷公藤 Tripterygium wilfordii Hook. f.

| **药 材 名** | 雷公藤。

| **形态特征** | 藤本灌木。高 1 ~ 3 m。小枝棕红色，具 4 细棱，被密毛及细密皮孔。
叶椭圆形、倒卵状椭圆形、长方状椭圆形或卵形，长 4 ~ 7.5 cm，
宽 3 ~ 4 cm，先端急尖或短渐尖，基部阔楔形或圆形，边缘有细锯齿，
侧脉 4 ~ 7 对，达叶缘后稍上弯；叶柄长 5 ~ 8 mm，密被锈色毛。
圆锥聚伞花序较窄小，长 5 ~ 7 cm，宽 3 ~ 4 cm，通常有 3 ~ 5 分枝，
花序、分枝及小花梗均被锈色毛，花序梗长 1 ~ 2 cm，小花梗细长，
长达 4 mm；花白色，直径 4 ~ 5 mm；萼片先端急尖；花瓣长方卵形，
边缘微蚀；花盘略 5 裂；雄蕊插生于花盘外缘，花丝长达 3 mm；
子房具 3 棱，花柱柱状，柱头稍膨大，3 裂。翅果长圆状，长 1 ~

1.5 cm，直径 1 ～ 1.2 cm，中央果体较大，占全长的 1/2 ～ 2/3，中央脉及两侧脉共 5，分离，较疏，占翅宽的 2/3，小果柄细圆，长达 5 mm；种子细柱状，长达 10 mm。

| 生境分布 |　生于山地林中阴湿处。湖北有分布。

| 采收加工 |　**木部：**栽培者的根长到一定规格后可于秋季采挖全根，采挖后抖净附在根上的泥土等杂质，去除最外的根皮，切成段或厚片，晒干。

| 功能主治 |　杀虫，祛风除湿，解毒。用于类风湿性关节炎，风湿性关节炎，肾炎，肾病综合征，红斑狼疮，湿疹，白塞综合征，银屑病，麻风，疥疮，顽癣。

省沽油科 Staphyleaceae 野鸦椿属 Euscaphis

野鸦椿 Euscaphis japonica (Thunb.) Dippel

| 药 材 名 | 野鸦椿、野鸦椿子、野鸦椿叶、野鸦椿皮、野鸦椿花、野鸦椿根。

| 形态特征 | 落叶小乔木或灌木，高约 3 m。小枝及芽棕红色，枝叶揉碎后散发恶臭气味。奇数羽状复叶对生；小叶 7 ~ 11，对生，卵形至卵状披针形，长 4 ~ 8 cm，宽 2 ~ 4 cm，基部圆形至阔楔形，先端渐尖，边缘具细锯齿，厚纸质。圆锥花序顶生；花黄白色，直径约 5 mm；萼片 5，卵形；花瓣 5，长方状卵形或近圆形；雄蕊 5，花丝扁平，下部阔，花盘环状；雌蕊 3，子房卵形。蓇葖果果皮软革质，紫红色；种子近圆形，假种皮肉质，黑色。花期 5 ~ 6 月，果期 9 ~ 10 月。

| 生境分布 | 生于向阳山坡灌丛或阔叶林中。湖北有分布。

| 采收加工 | **野鸦椿**：春、夏、秋季采收，鲜用或晒干。
野鸦椿子：秋季采收成熟果实、种子，晒干。
野鸦椿叶：全年均可采收，鲜用或晒干。
野鸦椿皮：全年均可采收，晒干。
野鸦椿花：5 ~ 6 月采收，晾干。
野鸦椿根：9 ~ 10 月采收，洗净，切片，鲜用或晒干。

| 功能主治 | **野鸦椿**：理气止痛，消肿散结，祛风止痒。用于头痛，眩晕，胃痛，脱肛，子宫下垂，阴痒。

野鸦椿子：祛风散寒，行气止痛，消肿散结。用于胃痛，寒疝疼痛，泄泻，痢疾，脱肛，月经不调，子宫下垂，睾丸肿痛。

野鸦椿叶：祛风止痒。用于阴痒。

野鸦椿皮：行气，利湿，祛风，退翳。用于小儿疝气，风湿关节痛，水痘，目生翳障。

野鸦椿花：祛风止痛。用于头痛，眩晕。

野鸦椿根：祛风解表，清热利湿。用于外感头痛，风湿痹痛，痢疾，泄泻，跌打损伤。

省沽油科 Staphyleaceae 省沽油属 *Staphylea*

省沽油 *Staphylea bumalda* DC.

| **药 材 名** | 省沽油、省沽油根。

| **形态特征** | 落叶灌木，高达 3 m。复叶对生；叶柄长 3 ~ 8 cm，有早落托叶；
小叶 3，椭圆形或椭圆状卵形，长 13 ~ 7 cm，宽 1 ~ 3 cm，先端
渐尖，基部楔形，边缘细锯齿有小尖头，两面脉上疏生细毛；小叶
柄极短。圆锥花序顶生；花萼 5，黄白色；花瓣 5，约与萼片等长，
白色；雄蕊 5；心皮 2，子房被粗毛，花柱 2。蒴果扁平，倒三角形，
长约 2 cm，果皮膜质，有横纹；种子圆形而扁，黄色而有光泽。花
期 6 月，果期 7 ~ 9 月。

| **生境分布** | 生于山坡、路旁、溪谷两旁或丛林中。湖北有分布。

| 采收加工 | 省沽油：秋季果实成熟时采收，晒干。
省沽油根：全年均可采挖，洗净，切片，鲜用或晒干。

| 功能主治 | 省沽油：润肺止咳。用于咳嗽。
省沽油根：活血化瘀。用于产后恶露不净。

省沽油科 Staphyleaceae 省沽油属 Staphylea

膀胱果
Staphylea holocarpa Hemsl.

| 药 材 名 | 膀胱果。

| 形态特征 | 落叶灌木或小乔木，高3（～10）m。幼枝平滑。具3小叶；小叶近革质，无毛，长圆状披针形至狭卵形，长5～10 cm，基部钝，先端突渐尖，上面淡白色，边缘有较硬细锯齿，侧脉10，有网脉，侧生小叶近无柄，顶生小叶具长柄，叶柄长2～4 cm。伞房花序广展，长5 cm或更长；花白色或粉红色，叶后开放。果实为具3裂、呈梨形膨大的蒴果，长4～5 cm，宽2.5～3 cm，基部狭，顶平截；种子近椭圆形，灰色，有光泽。

| **生境分布** | 生于海拔 700 ~ 2400 m 的杂木林中。湖北有分布。

| **功能主治** | 润肺止咳，祛风除湿。

无患子科 Sapindaceae 槭属 Acer

三角槭
Acer buergerianum Miq.

| 药 材 名 | 三角槭根、三角槭皮。

| 形态特征 | 落叶乔木。高 5 ~ 10 m，稀达 20 m。树皮褐色或深褐色，粗糙。小枝细瘦；当年生枝紫色或紫绿色，近无毛；多年生枝淡灰色或灰褐色，稀被蜡粉。冬芽小，褐色，长卵圆形，鳞片内侧被长柔毛。叶纸质，基部近圆形或楔形，椭圆形或倒卵形，长 6 ~ 10 cm，通常 3 浅裂，裂片向前延伸，稀全缘，中央裂片三角状卵形，急尖、锐尖或短渐尖，侧裂片短钝尖或甚小，以至于不发育，裂片通常全缘，稀具少数锯齿，裂片间的凹缺钝尖；叶片上面深绿色，下面黄绿色或淡绿色，被白粉，略被毛，叶脉上的毛较密，初生脉 3，稀基部叶脉亦发育良好，成 5 脉，在上面不显著，在下面显著，侧脉通常

在两面都不显著；叶柄长 2.5 ~ 5 cm，淡紫绿色，细瘦，无毛。花多数常成顶生被短柔毛的伞房花序，直径约 3 cm；总花梗长 1.5 ~ 2 cm，开花在叶长大以后；萼片 5，黄绿色，卵形，无毛，长约 1.5 mm；花瓣 5，淡黄色，狭披针形或匙状披针形，先端钝圆，长约 2 mm；雄蕊 8，与萼片等长或微短于萼片；花盘无毛，微分裂，位于雄蕊外侧；子房密被淡黄色长柔毛，花柱无毛，很短，2 裂，柱头平展或略反卷；花梗长 5 ~ 10 mm，细瘦，嫩时被长柔毛，渐老近无毛。翅果黄褐色；小坚果特别凸起，直径 6 mm，翅与小坚果共长 2 ~ 2.5 cm，稀达 3 cm，宽 9 ~ 10 mm，中部最宽，基部狭窄，张开成锐角或近直立。花期 4 月，果期 8 月。

| 生境分布 | 生于海拔 300 ~ 1 000 m 的阔叶林中。栽培于公园、庭院、路旁等。湖北有分布。

| 功能主治 | **三角槭根：** 用于风湿关节痛。
三角槭皮： 清热解毒，消暑。

房县槭
Acer franchetii Pax

| 药 材 名 | 房县槭。

| 形态特征 | 落叶乔木，高 10 ~ 15 m。树皮深褐色；小枝粗壮，圆柱形，当年生枝紫褐色或紫绿色，嫩时被短柔毛，旋即脱落，多年生枝深褐色，无毛。叶纸质，近圆形，长 10 ~ 20 cm，宽 11 ~ 23 cm，通常 3 裂，少数基部另具 2 小裂片，裂片三角状卵形，先端急尖，基部心形或近心形，少数为圆形，边缘具不整齐的疏锯齿，上面深绿色，下面淡绿色，幼时两面均被短柔毛，后无毛，仅下面脉腋间被须状毛；叶柄长 8 ~ 13 cm，初被短柔毛，后近无毛。花黄绿色，单性，雌雄异株，成下垂被毛的总状或圆锥状总状花序，雌雄花序均自小枝旁边无叶处生出。翅果幼时黄绿色，成熟后深黄色，长 4 ~ 5 cm；

小坚果特别凸起，幼时被淡黄色柔毛，脊纹显著，两翅张开成锐角或近直立。花期 5 月，果期 9 月。

| 生境分布 | 生于海拔 1 500 ~ 2 500 m 的混交林中。湖北有分布。

| 采收加工 | **根、树皮：**夏、秋季采收，洗净，切片，晒干。
果实：夏季采收，晒干。

| 功能主治 | 祛风湿，活血，清热利咽。用于声音嘶哑，咽喉肿痛。

血皮槭 *Acer griseum* (Franch.) Pax

| 药 材 名 | 血皮槭。

| 形态特征 | 落叶乔木，高 10 ~ 20 m。树皮赭褐色，常脱落成卵形、纸状的薄片。小枝圆柱形，当年生枝淡紫色，密被淡黄色长柔毛，多年生枝深紫色或深褐色，二至三年生枝上尚有柔毛宿存。冬芽小，鳞片被疏柔毛，覆叠。复叶有 3 小叶；小叶纸质，卵形、椭圆形或长圆状椭圆形，长 5 ~ 8 cm，宽 3 ~ 5 cm，先端钝尖，边缘有 2 ~ 3 钝形大锯齿，顶生的小叶片基部楔形或阔楔形，有长 5 ~ 8 mm 的小叶柄，侧生小叶基部斜形，有长 2 ~ 3 mm 的小叶柄，上面绿色，嫩时有短柔毛，渐老则近无毛；下面淡绿色，略有白粉，有淡黄色疏柔毛，叶脉上更密，主脉在上面略凹下，在下面凸起，侧脉 9 ~ 11 对，在

上面微凹下，在下面显著；叶柄长 2 ~ 4 cm，有疏柔毛，嫩时更密。聚伞花序有长柔毛，常仅有 3 花；总花梗长 6 ~ 8 mm；花淡黄色，杂性，雄花与两性花异株；萼片 5，长圆状卵形，长 6 mm，宽 2 ~ 3 mm；花瓣 5，长圆状倒卵形，长 7 ~ 8 mm，宽 5 mm；雄蕊 10，长 1 ~ 1.2 cm，花丝无毛，花药黄色；花盘位于雄蕊的外侧；子房有绒毛；花梗长 10 mm。小坚果黄褐色，凸起，近卵圆形或球形，长 8 ~ 10 mm，宽 6 ~ 8 mm，密被黄色绒毛；翅宽 1.4 cm，连同小坚果长 3.2 ~ 3.8 cm，张开成锐角或直角。花期 4 月，果期 9 月。

| 生境分布 | 生于海拔 1 000 ~ 1 800 m 的半阳坡、半阴坡、阴坡及沟谷中。分布于湖北保康、南漳、兴山。

| 资源情况 | 野生资源一般，栽培资源较少。

| 功能主治 | 清热解毒，活血化瘀。用于痈疽疔毒，创伤，血痢，脘腹疼痛，月经不调，小儿惊风。

无患子科 Sapindaceae 槭属 Acer

建始槭 *Acer henryi* Pax

| 药 材 名 |

三叶槭。

| 形态特征 |

落叶乔木，高约 10 m。树皮灰褐色；小枝圆柱形，当年生枝紫绿色，被短柔毛，老枝浅褐色，无毛；冬芽细小，鳞片 2，卵形。复叶由 3 小叶组成，对生，总叶柄长 4 ~ 8 cm；小叶薄纸质，椭圆形或长圆状椭圆形，顶生小叶柄长约 1 cm，侧生小叶柄长 2 ~ 3 mm，均被短柔毛，小叶长 6 ~ 12 cm，宽 3 ~ 5 cm，先端渐尖，基部楔形或近圆形，全缘或近先端有 3 ~ 5 稀疏钝齿，中脉与侧脉在下面显著，两面老时无毛。穗状花序，下垂，长 7 ~ 9 cm，被短柔毛，生于二至三年生的老枝上；花杂性，雌雄异株；萼片 5，卵形，长约 1 mm；花瓣 5，短小或不发育；雄花雄蕊 4 ~ 6，长约 2 mm；花盘微发育；雌花子房无毛，花柱短，柱头反卷。翅果嫩时淡绿色，成熟时黄褐色；小坚果长圆形，长约 1 cm，凸起，脊纹显著，翅宽约 5 mm，连同小坚果长 2 ~ 2.5 cm，张开成锐角或近直立；果柄长约 2 mm。花期 4 ~ 5 月，果期 9 ~ 10 月。

| 生境分布 | 生于海拔 500 ～ 1 500 m 的疏林中。分布于湖北神农架、竹溪。

| 资源情况 | 野生资源一般，栽培资源较少。药材主要来源于野生。

| 采收加工 | 夏、秋季间采挖，洗净，切片，晒干。

| 功能主治 | 活络止痛。用于关节酸痛，跌打骨折。

无患子科 Sapindaceae 槭属 Acer

五尖槭
Acer maximowiczii Pax

| 药 材 名 |　五尖槭。

| 形态特征 |　落叶乔木，高 5 m，稀达 12 m。树皮黑褐色，平滑。小枝细瘦，无毛；当年生枝紫色或红紫色；多年生枝深褐色或灰褐色。冬芽无毛，长圆状椭圆形；鳞片的边缘被白色的纤毛。叶纸质，卵形或三角状卵形，长 8 ~ 11 cm，宽 6 ~ 9 cm，边缘微裂并有紧贴的双重锯齿，锯齿粗壮，齿端有小尖头，基部近心形，稀截形，叶片 5 裂；中央裂片三角形、卵形，先端尾状锐尖；侧裂片卵形，先端锐尖；基部 2 小裂片卵形，先端钝尖，裂片之间的凹缺锐尖，上面深绿色，无毛，下面淡绿色或黄绿色，在侧脉的脉腋和主脉的基部被红褐色的短柔毛；叶柄长 5 ~ 7 cm，稀达 10 cm，紫绿色，细瘦，无毛。花黄绿色，

单性，雌雄异株，常呈长 4 ~ 5 cm 无毛而下垂的总状花序，总花梗长 1 ~ 1.5 cm，顶生于着叶的小枝，先发叶，后开花。雄花有萼片 5，长圆状卵形，先端钝形，长 3 mm，宽 1 mm；花瓣 5，倒卵形，与萼片等长；雄蕊 8，微短于花瓣；花盘位于雄蕊的内侧，微裂；子房不发育；花梗长 3 ~ 4 mm，细瘦，无毛。雌花萼片 5，椭圆形或长椭圆形，先端钝圆，长 3 mm；花瓣 5，卵状长圆形，先端钝圆，长于萼片；雄蕊 8，不发育或极短；花盘无毛，位于雄蕊的内侧；子房紫色，无毛，花柱很短，柱头反卷；花梗长 5 mm，细瘦。翅果紫色，成熟后黄褐色；小坚果稍扁平，直径约 6 mm，翅连同小坚果长 2.3 ~ 2.5 cm，张开成钝角；果柄长 6 mm，细瘦，无毛。花期 5 月，果期 9 月。

| 生境分布 | 生于海拔 1 600 ~ 2 500 m 的疏林中。湖北有分布。

| 采收加工 | **根：** 夏、秋季采挖根，洗净，切片，晒干。
茎皮： 夏季剥取茎皮，切段，晒干。

| 功能主治 | 祛风除湿，消炎止血。

无患子科 Sapindaceae 槭属 Acer

色木槭 *Acer mono* Maxim.

| 药 材 名 | 地锦槭。

| 形态特征 | 落叶乔木。高 15 ~ 20 m。树皮粗糙，常纵裂，灰褐色。冬芽近球形，鳞片卵形。叶对生；叶片纸质，近椭圆形，5 裂；裂片卵形或宽三角形，长渐尖，全缘，主脉 5；叶柄细瘦，无毛。花多数，杂性，多数常成圆锥状，伞房花序顶生，无毛；花带绿黄色；萼片 5，长圆形，黄绿色；花瓣 5，椭圆形，淡白色；雄蕊 8，无毛，比花瓣短，花药黄色；子房无毛，在雄花中不发育，花柱无毛，柱头 2 裂，反卷。翅果嫩时紫绿色，成熟时淡黄色；小坚果压扁状；翅长圆形，张开成锐角或近钝角。花期 5 月，果期 9 月。

| 生境分布 |　生于海拔 150 ～ 1 300 m 的山坡或山谷疏林中。湖北有分布。

| 采收加工 |　枝、叶：夏季采收，鲜用或晒干。

| 功能主治 |　祛风除湿，活血止痛。用于偏头痛，风寒湿痹，跌打瘀痛，湿疹，疥癣。

茶条枫 *Acer tataricum* L. subsp. *ginnala* (Maximowicz) Wesmael

| 药 材 名 | 茶条槭。

| 形态特征 | 落叶灌木或小乔木，高 5 ~ 6 m。树皮粗糙，微纵裂，灰色，稀深灰色或灰褐色。小枝细瘦，近圆柱形，无毛，当年生枝绿色或紫绿色，多年生枝淡黄色或黄褐色，皮孔椭圆形或近圆形，淡白色。冬芽细小，淡褐色，鳞片 8，近边缘具长柔毛，覆叠。叶纸质，基部圆形、截形或略近心形，叶片长圆状卵形或长圆状椭圆形，长 6 ~ 10 cm，宽 4 ~ 6 cm，常具较深的 3 ~ 5 裂；中央裂片锐尖或狭长锐尖，侧裂片通常钝尖，向前伸展，各裂片的边缘均具不整齐的钝尖锯齿，裂片间的凹缺钝尖；上面深绿色，无毛，下面淡绿色，近无毛，主脉和侧脉均在下面较在上面显著；叶柄长 4 ~ 5 cm，细瘦，绿色或

紫绿色，无毛。伞房花序长 6 cm，无毛，具多数花；花梗细瘦，长 3 ~ 5 cm；花杂性，雄花与两性花同株；萼片 5，卵形，黄绿色，外侧近边缘被长柔毛，长 1.5 ~ 2 mm；花瓣 5，长圆状卵形，白色，长于萼片；雄蕊 8，与花瓣近等长，花丝无毛，花药黄色；花盘无毛，位于雄蕊外侧；子房密被长柔毛，花柱无毛，长 3 ~ 4 mm，先端 2 裂，柱头平展或反卷。果实黄绿色或黄褐色；小坚果嫩时被长柔毛，脉纹显著，长 8 mm，宽 5 mm；翅连同小坚果长 2.5 ~ 3 cm，宽 8 ~ 10 mm，中段较宽或两侧近平行，张开近直立或成锐角。花期 5 月，果期 10 月。

| **生境分布** | 生于海拔 800 m 以下的河岸、向阳山坡、湿草地，以及半阳坡或半阴坡杂木林缘。分布于湖北丹江口、当阳、远安、枣阳、南漳、英山、麻城。

| **资源情况** | 野生资源丰富，栽培资源较少。药材主要来源于野生。

| **功能主治** | 清热明目。用于肝热目赤，双目昏花。

无患子科 Sapindaceae 槭属 *Acer*

四蕊槭 *Acer tetramerum* Pax

| 药 材 名 | 四蕊槭。

| 形态特征 | 落叶乔木，高 7 ~ 12 m。树皮平滑，灰褐色或深褐色。小枝细瘦，无毛及皮孔，紫色或紫绿色。冬芽卵圆形；鳞片淡紫色，卵形，外侧无毛，边缘微被纤毛。叶纸质，卵形或长圆状卵形，长 6 ~ 8 cm，宽 4 ~ 5 cm，基部圆形或近截形，先端锐尖至渐尖，具尖尾，边缘有大小不等的尖锐锯齿；上面深绿色，嫩时被稀疏的短柔毛，渐老毛脱落，下面淡绿色，嫩时微被灰色短柔毛，叶脉上毛较密，渐老时毛脱落，除脉腋被白色丛毛外，其余部分无毛；脉在上面显著，在下面略凸起，侧脉 4 ~ 6 对，在上面微现，在下面显著；叶柄细瘦，长 2.5 ~ 5 cm，嫩时微被柔毛，老时无毛。花黄绿色，单性，

雌雄异株，排成无毛而细瘦的总状花序；雄花的总状花序很短，几无总花梗，由无叶的小枝旁边的侧芽生出，具 3 ~ 5 花，花梗长 1 ~ 1.5 cm；雌花的总状花序长 4 ~ 5 cm，总花梗长 8 ~ 15 mm，生于仅具 2 叶的短枝的先端，有 5 ~ 8 花，花梗长 8 ~ 20 mm；萼片 4，长圆状卵形，先端钝，长 3 mm；花瓣 4，长圆状椭圆形，与萼片等长或微长于萼片；雄花中有雄蕊 4，稀 5 ~ 6，较花瓣长 1/3 ~ 1/2，常伸出于花外，花药阔椭圆形，黄色，花丝瘦弱；花盘位于雄蕊的内侧，无毛，现裂痕；子房紫色，无毛，花柱无毛，长 1.5 mm，柱头反卷。翅果嫩时紫色，成熟时黄褐色，常 5 ~ 10 翅果组成细瘦而下垂的总状果序；小坚果长卵圆形，有显著的脉纹，长 8 mm，宽 6 mm；翅长圆形，基部微狭窄，宽 1 ~ 1.2 cm，连同小坚果长 3 ~ 3.5 cm，张开成直角至近直立。花期 4 月下旬至 5 月上旬，果期 9 月。

| **生境分布** | 生于海拔 1 400 ~ 3 100 m 的疏林中。分布于湖北神农架。

| **资源情况** | 野生资源一般，栽培资源较少。

| **功能主治** | 散风热，清头目。用于头风热胀。

无患子科 Sapindaceae 槭属 Acer

元宝槭
Acer truncatum Bunge

| 药 材 名 | 元宝槭。

| 形态特征 | 落叶乔木，高 8 ~ 10 m。树皮灰褐色或深褐色，深纵裂；小枝无毛，当年生枝绿色，多年生枝灰褐色；冬芽小，卵圆形，鳞片尖锐。叶对生；叶柄长 3 ~ 5 cm，无毛；叶纸质，长 5 ~ 10 cm，宽 8 ~ 12 cm，常 5 裂，稀 7 裂，基部截形，稀近心形；裂片三角状，裂片间缺刻呈锐角，全缘，长 3 ~ 5 cm，宽 1.5 ~ 2 cm，有时中央裂片的上段再 3 裂；上面深绿色，无毛，下面淡绿色，嫩时脉腋被丛毛；主脉 5，掌状。花黄绿色，杂性，雄花与两性花同株；萼片 5，黄绿色；花瓣 5，黄色或白色，长圆状倒卵形；雄蕊 8，着生于花盘内缘，花药黄色，花丝无毛；花盘微裂；子房扁，无毛，花柱短，2 裂，柱

头反卷，微弯曲。小坚果扁平，翅长圆形，常与小坚果等长，张开成锐角或钝角。花期 4 月，果期 8 月。

| **生境分布** | 生于海拔 400 ~ 2 000 m 的疏林中。分布于湖北麻城。

| **资源情况** | 野生资源一般，栽培资源稀少。药材来源于野生。

| **采收加工** | 夏季采挖，洗净，切片，晒干。

| **功能主治** | 祛风除湿，舒筋活络。用于腰背疼痛。

青榨槭 *Acer davidii* Franch.

| 药 材 名 | 青榨槭。

| 形态特征 | 落叶乔木，高 10 ~ 15 m。叶纸质，长圆状卵形或近长圆形，长 6 ~ 14 mm，宽 4 ~ 9 mm，先端锐尖或渐尖，常有尖尾，基部近 心形或圆形，边缘具不整齐钝圆齿，侧脉 11 ~ 12 对，呈羽状；叶 柄长 2 ~ 8 cm。花黄绿色，雄花与两性花同株，组成下垂的总状花 序，顶生于着叶的嫩枝，开花与嫩叶的生长大约同时；雄花的花梗 长 3 ~ 5 mm，通常 9 ~ 12 花常成长 4 ~ 7 cm 的总状花序，两性 花的花梗长 1 ~ 1.5 cm，通常 15 ~ 30 花常成长 7 ~ 12 cm 的总状 花序；萼片 5；花瓣 5，倒卵形；雄蕊 8，花药黄色；花柱无毛， 柱头反卷。翅果成熟后呈黄褐色；翅宽 1 ~ 1.5 cm，连同小坚果长

2.5 ～ 3 cm，展开成钝角或几水平。花期 4 月，果期 9 月。

| 生境分布 | 生于海拔 500 ～ 1 200 m 的山谷疏林中。湖北有分布。

| 采收加工 | **根或根皮：**夏、秋季采收，洗净，切片，晒干。

| 功能主治 | 祛风除湿，散瘀止痛，消食健脾。用于风湿痹痛，肢体麻木，关节不利，跌打肿痛，泄泻，痢疾，小儿消化不良。

光叶槭

Acer laevigatum Wall.

| 药 材 名 | 光叶槭、光叶槭果。

| 形态特征 | 常绿乔木, 高 10 m。叶革质, 全缘或近先端有稀疏细锯齿, 披针形或长圆状披针形, 长 10 ~ 15 cm, 宽 4 ~ 5 cm, 基部楔形或阔楔形, 先端渐尖或短渐尖, 侧脉 7 ~ 8 对, 在下面显著; 叶柄长 1 ~ 1.5 cm。雄花与两性花同株, 组成伞房花序, 无毛, 顶生于着叶的小枝上, 嫩叶长出后始开花; 萼片 5; 花瓣 5, 白色, 倒卵形, 先端凹缺, 比萼片长; 雄蕊 6 ~ 8, 长 6 mm, 花药长圆形; 花盘紫色, 位于雄蕊外侧; 子房紫色, 花柱无毛; 花梗长约 6 cm, 细瘦, 无毛。翅果嫩时呈紫色, 成熟时呈淡黄褐色; 小坚果明显凸起, 椭圆形或长椭圆形, 长 6 mm, 宽 4 mm; 翅连同小坚果长 3 ~ 3.7 cm, 宽 1 cm, 直伸或

内弯，张开成锐角至钝角。花期4月，果期8～9月。

| 生境分布 | 生于海拔1000～2000 m的溪边或山谷林中。湖北有分布。

| 采收加工 | 光叶械：夏季采收，晒干。

光叶械果：8～9月采收成熟的果实，晒干。

| 功能主治 | 光叶械：祛风除湿，活血。用于劳伤。

光叶械果：清热利咽，补益脾胃。用于咽喉肿痛，病后体弱。

飞蛾槭 *Acer oblongum* Wall. ex DC.

| **药 材 名** | 飞蛾槭。

| **形态特征** | 常绿乔木，高 10 m。叶革质，长圆状卵形，长 5 ~ 7 cm，宽 3 ~ 4 cm，全缘，基部钝形或近圆形，先端渐尖或钝尖，下面有白粉，侧脉 6 ~ 7 对，基部 1 对侧脉较长，其长度约为叶片的 1/3 ~ 1/2，小叶脉显著，呈网状；叶柄长 2 ~ 3 cm。花绿色或黄绿色，雄花与两性花同株，常组成被短毛的伞房花序，顶生于具叶的小枝；萼片 5；花瓣 5，倒卵形，长 3 mm；雄蕊 8，花药圆形；花盘微裂，位于雄蕊外侧；子房被短柔毛，在雄花中不发育，花柱短，2 裂，柱头反卷；花梗长 1 ~ 2 cm。翅果成熟时呈淡黄褐色；小坚果凸起，呈四棱形，长 7 mm，宽 5 mm；翅与小坚果共长 1.8 ~ 2.5 cm，宽 8 mm，张开时

几成直角；果柄长 1～2 cm。花期 4 月，果期 9 月。

| **生境分布** | 生于海拔 1 000～1 800 m 的阔叶林中。湖北有分布。

| **功能主治** | 祛风除湿。

鸡爪槭
Acer palmatum Thunb.

| **药 材 名** | 鸡爪槭。

| **形态特征** | 落叶小乔木。叶纸质，圆形，直径 7 ~ 10 cm，基部呈心形或近心形，稀呈截形，5 ~ 9 掌状分裂，通常 7 裂，裂片长圆卵形或披针形，先端锐尖或长锐尖，边缘具紧贴的尖锐锯齿，裂片间的凹缺钝尖或锐尖，深达叶片直径的 1/3 或 1/2；叶柄长 4 ~ 6 cm。花紫色，雄花与两性花同株，组成伞房花序，总花梗长 2 ~ 3 cm，叶发出以后才开花；萼片 5；花瓣 5，椭圆形或倒卵形，先端钝圆，长约 2 mm；雄蕊 8，较花瓣略短而藏于其内；花盘位于雄蕊外侧，微裂；子房无毛，花柱长，2 裂，柱头扁平；花梗长约 1 cm。翅果嫩时呈紫红色，成熟时呈淡棕黄色；小坚果球形，脉纹显著；翅与小坚果共长

2 ～ 2.5 cm，宽 1 cm，张开时成钝角。花期 5 月，果期 9 月。

| **生境分布** | 生于海拔 200 ～ 1 200 m 的林边或疏林中。湖北有分布。

| **采收加工** | 枝、叶：夏季采收，切段，晒干。

| **功能主治** | 行气止痛，解毒消痈。用于气滞腹痛，痈疮。

无患子科 Sapindaceae 槭属 Acer

中华槭
Acer sinense Pax

| 药 材 名 | 五角枫根。

| 形态特征 | 落叶乔木，高 3 ~ 5 m。叶近革质，基部心形，长 10 ~ 14 cm，宽 12 ~ 15 cm，常 5 裂，裂片长圆状卵形或三角状卵形，先端锐尖，

除近基部外其余部位的边缘有紧贴的圆齿状细锯齿，裂片间的凹缺锐尖，深达叶片的 1/2，被白粉；叶柄长 3 ~ 5 cm。雄花与两性花同株，多花组成下垂的顶生圆锥花序，花序长 5 ~ 9 cm，总花梗长 3 ~ 5 cm；萼片 5；花瓣 5，白色，长圆形或阔椭圆形；雄蕊 5 ~ 8，长于萼片，在两性花中很短，花药黄色；子房有白色疏柔毛，花柱 2 裂，柱头平展或反卷；花梗细瘦。翅果淡黄色，圆锥果序下垂；小坚果椭圆形，特别凸起；翅宽 1 cm，连同小坚果长 3 ~ 3.5 cm，张开成直角，稀成锐角或钝角。花期 5 月，果期 9 月。

| 生境分布 | 生于海拔 1 200 ~ 2 000 m 的混交林中。湖北有分布。

| 采收加工 | **根或根皮：** 夏、秋季采收，洗净，鲜用或晒干。

| 功能主治 | 祛风除湿，利关节，接骨，止痛。用于风湿关节痛，骨折，扭伤。

無患子科 Sapindaceae 金钱槭属 Dipteronia

金钱槭
Dipteronia sinensis Oliv.

| 药 材 名 | 金钱槭。

| 形态特征 | 落叶小乔木，高 5 ~ 10 m，稀达 15 m。小枝纤细，圆柱形，幼嫩部
分紫绿色，较老的部分褐色或暗褐色，皮孔卵形。冬芽细小，微被
短柔毛。叶为对生的奇数羽状复叶，长 20 ~ 40 cm；小叶纸质，通
常 7 ~ 13，长圆状卵形或长圆状披针形，长 7 ~ 10 cm，宽 2 ~ 4 cm，
先端锐尖或长锐尖，基部圆形，边缘具稀疏的钝形锯齿，上面绿色，
无毛，下面淡绿色，除沿叶脉及脉腋被短的白色丛毛外，其余部分
无毛；中肋在上面显著，在下面凸起，侧脉 10 ~ 12 对，在上面微
现，在下面显著；叶柄长 5 ~ 7 cm，圆柱形，无毛；顶生小叶片的
小叶柄长 1 ~ 2 cm，近叶轴上段侧生的小叶片无小叶柄或很短，基

部者则稍长，通常长 5 ～ 8 mm。花序为顶生或腋生圆锥花序，直立，无毛，长 15 ～ 30 cm，花梗长 3 ～ 5 mm；花白色，杂性，雄花与两性花同株；萼片 5，卵形或椭圆形；花瓣 5，阔卵形，长 1 mm，宽 1.5 mm，与萼片互生；雄蕊 8，长于花瓣，花丝无毛，在两性花中则较短；子房扁形，被长硬毛，2 室，在雄花中则不发育，花柱很短，柱头 2，向外反卷。果实为翅果，常有 2 扁形的果实生于 1 果柄上，果实的周围围着圆形或卵形的翅，长 2 ～ 2.8 cm，宽 1.7 ～ 2.3 cm，嫩时紫红色，被长硬毛，成熟时淡黄色，无毛；种子圆盘形，直径 5 ～ 7 mm；果柄长 5 mm；总果柄长 1 ～ 2 cm。花期 4 月，果期 9 月。

| 生境分布 | 生于海拔 1 000 ～ 2 400 m 的山地、疏林或林缘。湖北有分布。

| 采收加工 | **根：**夏、秋季采挖，洗净，晒干。

| 功能主治 | 舒筋活络，祛风除湿。用于扭伤，骨折，风湿痹痛。

无患子科 Sapindaceae 七叶树属 *Aesculus*

七叶树
Aesculus chinensis Bunge

| 药 材 名 | 娑罗子。

| 形态特征 | 落叶乔木，高达 20 m，树冠宽广。掌状复叶对生；叶柄长 5 ~ 16 cm；小叶片 5 ~ 7，长椭圆形或卵状披针形，长 8 ~ 18 cm，宽 2 ~ 6.5 cm，先端窄尖，基部楔形，边缘有细锯齿；小叶柄疏生细柔毛。圆锥花序顶生，尖塔形，长 18 ~ 28 cm，总花梗长 6 ~ 10 cm；花梗疏生细柔毛；雄花和两性花同株而密生，花小，白色，长 1.2 cm；花萼筒形，具不整齐 5 浅裂，外被短柔毛；花瓣 4，椭圆形，上面 2 花瓣较下面 2 花瓣窄而长；雄蕊 6 ~ 8；两性花的子房上位，有细柔毛。蒴果近圆球形，先端扁平或微尖突，密生黄褐色斑点，3 瓣裂；种子 1，圆球形，直径 2.5 ~ 4 cm，种脐阔大，占底部的 1/2

左右。花期 5 ～ 7 月，果期 8 ～ 9 月。

| 生境分布 | 生于谷地或路旁，亦常栽培于村旁或庭园。湖北有分布。

| 采收加工 | **种子：**秋季果实成熟时采收，除去果皮，晒干或低温干燥。

| 功能主治 | 理气宽中，和胃止痛。用于肝胃气痛，脘腹胀痛，经前腹痛，乳胀，疳积虫痛，痢疾。

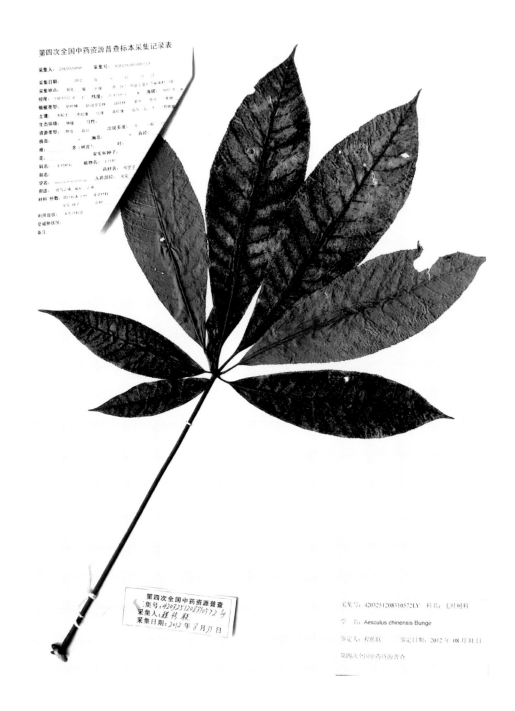

无患子科 Sapindaceae 七叶树属 Aesculus

天师栗

Aesculus chinensis Bunge var. *wilsonii* (Rehder) Turland & N. H. Xia

| 药 材 名 | 天师栗。

| 形态特征 | 落叶乔木，高达 25 m。掌状复叶对生；叶柄长 6 ~ 15 cm，被短柔毛；小叶片 5 ~ 7，倒卵状长椭圆形或卵状披针形，长 10 ~ 20 cm，宽 3 ~ 8.5 cm，先端窄尖，基部宽楔形或近圆形，边缘有细锯齿，上面主脉疏生细柔毛，下面主脉密生细柔毛；小叶柄有短柔毛。圆锥花序顶生，长达 35 cm，总花梗长 10 cm；雄花和两性花同株而疏生；花白色，长 1 ~ 1.5 cm；花萼筒形，不整齐 5 浅裂，裂片近圆形，外面密生细柔毛；花瓣 4，椭圆形，上面 2 花瓣较窄且长，外面和边缘密生细柔毛；雄蕊 6 ~ 8；两性花子房上位，卵形。蒴果卵形或倒卵形，先端凸起而尖，外表面密生黄褐色斑点；种子 1 ~ 2，

圆球状，种脐面积约为底部面积的 1/3。花期 5 ~ 7 月，果期 7 ~ 9 月。

| **生境分布** | 生于海拔 400 ~ 1 800 m 的阔叶林中。湖北有分布。

| **采收加工** | **种子**：秋季果实成熟时采收果实，取出种子，晒干或低温干燥。

| **功能主治** | 疏肝理气，和胃止痛。用于肝胃气滞，胸腹胀闷，胃脘疼痛。

无患子科 Sapindaceae 栾属 *Koelreuteria*

复羽叶栾树 *Koelreuteria bipinnata* Franch.

| 药 材 名 | 摇钱树根、摇钱树。

| 形态特征 | 乔木，高可达 20 m。叶平展，二回羽状复叶，长 45 ~ 70 cm；小叶 9 ~ 17，互生，纸质或近革质，斜卵形，长 3.5 ~ 7 cm，宽 2 ~ 3.5 cm，先端短尖至短渐尖，基部阔楔形或圆形，边缘有内弯小锯齿，近无柄。圆锥花序长 35 ~ 70 cm，分枝广展；萼 5 裂，裂片阔卵状三角形或长圆形，有短而硬的缘毛及流苏状腺体；花瓣 4，长圆状披针形，瓣片先端钝或短尖，瓣爪被长柔毛，鳞片 2 深裂；雄蕊 8，花丝被白色长柔毛，花药被稀疏短毛；子房三棱状长圆形，被柔毛。蒴果椭圆形或近球形，具 3 棱，幼时呈淡紫红色，老时呈褐色，先端钝或圆，有小凸尖，果瓣椭圆形至近圆形，外面具网状脉纹；种子近

球形。花期 7 ～ 9 月，果期 8 ～ 10 月。

| 生境分布 | 生于山地疏林中。湖北有分布。

| 采收加工 | **摇钱树根**：全年均可采收，洗净，晒干。

| 功能主治 | **摇钱树根**：祛风清热，散瘀止痛。用于风湿热痹，跌打肿痛。

摇钱树：清热，泻肝，明目，行气，消肿，止痛。用于目痛泪出，疝气疼痛，腰痛。

无患子科 Sapindaceae 栾属 *Koelreuteria*

栾树 *Koelreuteria paniculata* Laxm.

| 药 材 名 | 栾华。

| 形 态 特 征 | 落叶灌木或乔木，高可达 10 m。小枝暗黑色，被柔毛。奇数羽状复叶互生，有时为二回或不完全的二回羽状复叶；小叶 7 ~ 15，纸质，卵形或卵状披针形，长 3.5 ~ 7.5 cm，宽 2.5 ~ 3.5 cm，基部钝形或截头形，先端短尖或短渐尖，边缘锯齿状或分裂，有时羽状深裂达基部而成二回羽状复叶。圆锥花序顶生，大，长 25 ~ 40 cm；花淡黄色，中心紫色；萼片 5，有小睫毛；花瓣 4，被稀疏长毛；雄蕊 8，花丝被稀疏长毛；雌蕊 1，花盘有波状齿。蒴果长椭圆状卵形，边缘有膜质薄翅 3；种子圆形，黑色。花期 7 ~ 8 月，果期 10 月。

| **生境分布** | 生于杂木林或灌木林中。湖北有分布。

| **采收加工** | 花：6 ~ 7 月采摘，阴干或晒干。

| **功能主治** | 清肝明目。用于目赤肿痛，多泪。

無患子科 Sapindaceae 无患子属 Sapindus

无患子

Sapindus mukorossi Gaertn.

| 药 材 名 |

无患子、无患子皮、无患子中仁、无患树皮、无患树叶、无患子蒳。

| 形 态 特 征 |

落叶大乔木，高可达 20 m。叶连柄长 25 ~ 45 cm，叶轴稍扁，上面两侧有直槽；小叶 5 ~ 8 对，通常近对生，叶片薄纸质，长椭圆状披针形或稍呈镰形，长 7 ~ 15 cm，宽 2 ~ 5 cm，先端短尖或短渐尖，基部楔形，侧脉纤细而密，15 ~ 17 对，近平行；小叶柄长约 5 mm。花序顶生，圆锥形；花小，辐射对称；花梗常很短；萼片卵形或长圆状卵形，外面基部被稀疏柔毛；花瓣 5，披针形，有长爪，长约 2.5 mm，外面基部被长柔毛或近无毛，鳞片 2，小耳状；花盘碟状；雄蕊 8，伸出，花丝长约 3.5 mm，中部以下密被长柔毛；子房无毛。分果爿近球形，直径 2 ~ 2.5 cm，橙黄色，干时呈变黑。花期春季，果期夏、秋季。

| 生 境 分 布 |

生于山坡疏林或较肥沃的向阳地区。湖北有分布。

| 采收加工 | 无患子：秋季采摘成熟果实，除去果肉和果皮，取出种子，晒干。

无患子皮：秋季果实成熟时采收果实，剥取果肉，晒干。

无患子中仁：秋季果实成熟时采收果实，剥取种子，除去种皮，留取种仁，晒干。

无患树皮：全年均可采收，晒干。

无患树叶：夏、秋季采收，鲜用或晒干。

无患子蒩：全年均可采挖，洗净，鲜用，或切片，晒干。

| 功能主治 | 无患子：利咽，清热，化痰，消积，杀虫止痒。用于咽喉肿痛，咳嗽气喘，食滞，带下，疳积，疮癣，肿毒。

无患子皮：清热化痰，止痛，消积。用于喉痹，心胃气痛，疝气疼痛，风湿病，虫积，食滞，肿毒。

无患子中仁：消积，辟秽，杀虫。用于疳积，腹胀，口臭，蛔虫病。

无患树皮：解毒，利咽，祛风杀虫。用于白喉，疥癞，疳疮。

无患树叶：解毒，镇咳。用于毒蛇咬伤，百日咳。

无患子蒩：宣肺止咳，解毒化湿。用于外感发热，咳喘，白浊，带下，咽喉肿痛，毒蛇咬伤。

垂枝泡花树 *Meliosma flexuosa* Pamp.

| 药 材 名 | 垂枝泡花树。

| 形态特征 | 小乔木，高达5 m。芽、嫩枝、嫩叶中脉、花序轴均被淡褐色长柔毛，腋芽常2并生。单叶，叶膜质，倒卵形或倒卵状椭圆形，长6～20 cm，宽3～10 cm，先端渐尖或骤狭渐尖，中部以下渐狭并下延，边缘具疏离、侧脉伸出成凸尖的粗锯齿，中脉伸出成凸尖，侧脉每边12～18；叶柄长0.5～2 cm，上面具宽沟，基部稍膨大并包裹腋芽。圆锥花序顶生，向下弯垂，主轴及侧枝在果序时呈"之"形弯曲；花白色，直径3～4 mm；萼片5，外面1萼片极小；外面3花瓣近圆形，宽2.5～3 cm，内面2花瓣长0.5 mm，2裂或3裂。果实近卵形，长5 mm，核极扁斜，具凸起的细网纹，中肋锐凸起。

花期 5 ~ 6 月，果期 7 ~ 9 月。

| **生境分布** | 生于路边、林缘及灌丛中。湖北有分布。

| **采收加工** | 叶：夏、秋季采收，洗净，鲜用或晒干。

| **功能主治** | 清热解毒，镇痛，利水。用于水肿，腹水；外用于痈疮肿毒，毒蛇咬伤。

清风藤科 Sabiaceae 清风藤属 Sabia

鄂西清风藤
Sabia campanulata Wall. subsp. *ritchieae* (Rehd. et Wils.) Y. F. Wu

| 药 材 名 | 鄂西清风藤。

| 形态特征 | 攀缘木质藤本。小枝淡绿色，有褐色斑点、斑纹及纵条纹。芽鳞卵形或阔卵形，先端尖，有缘毛。叶膜质，嫩时披针形或狭卵状披针形，成长叶长圆形或长圆状卵形，长 3.5 ~ 8 cm，宽 3 ~ 4 cm，先端尾状渐尖或渐尖，基部楔形或圆形，叶面深绿色，有微柔毛，老叶近无毛，叶背灰绿色，无毛或脉上有细毛；侧脉每边 4 ~ 5，在离叶缘 4 ~ 5 mm 处开叉网结，网脉稀疏，侧脉和网脉在叶面不明显；叶柄长 4 ~ 10 mm，被长柔毛。花深紫色，花梗长 1 ~ 1.5 cm，花单生于叶腋，很少 2 花并生；萼片 5，半圆形，长约 0.5 mm，宽约 2 mm；花瓣 5，宽倒卵形或近圆形，长 6 ~ 9 mm，宽 4 ~ 7 mm，

果时不增大、不宿存而早落，先端圆，有 7 脉纹；雄蕊 5，长 4 ～ 5 mm，花丝扁平，花药向外开裂；花盘肿胀，高大于宽，基部最宽，边缘环状；子房无毛。分果爿阔倒卵形，长约 7 mm，宽约 8 mm，幼嫩时为宿存花瓣所包围；果核有中肋，中肋两边有蜂窝状凹穴，两侧面具块状或长块状凹穴，腹部稍凸出。花期 5 月，果期 7 月。

| 生境分布 | 生于海拔 500 ～ 1 200 m 的山坡及湿润山谷林中。分布于湖北利川、长阳。

| 资源情况 | 野生资源一般，栽培资源较少。

| 功能主治 | 祛风利湿，活血解毒。用于风湿痹痛，水肿，脚气，跌打肿痛，骨折，深部脓肿，骨髓炎，皮肤瘙痒等。

清风藤科 Sabiaceae 清风藤属 Sabia

凹萼清风藤
Sabia emarginata Lec.

| 药 材 名 | 凹萼清风藤。

| 形态特征 | 落叶木质攀缘藤本。小枝黄绿色，老枝褐色，有纵条纹，无毛。叶纸质，长圆状狭卵形、长圆状狭椭圆形或卵形，长 5 ~ 11 cm，宽 1.5 ~ 4 cm，先端渐尖或急尖，基部楔形或圆形，叶面绿色，叶背苍白色，两面均无毛，侧脉每边 4 ~ 5；叶柄长 0.5 ~ 1 cm。聚伞花序有 2 花，稀有 3 花，长 1.5 ~ 1.8 cm，总花梗长 1 ~ 1.2 cm；萼片 5，稍不等大，近倒卵形或长圆形，长 2 ~ 3 mm，宽 1 ~ 1.2 mm，最大 1 萼片通常先端有明显微缺，其他萼片先端圆形；花瓣 5，近圆形或倒卵形；雄蕊 5，花丝细，长约 2 mm，花药卵圆形，长约 0.8 mm，内向开裂；花盘肿胀，高大于宽，基部最宽，有不明显的

肋状凸起 2 ~ 3，其上有不明显小腺点；雌蕊长约 4 mm，子房卵形，无毛。分果片近圆形，直径 7 ~ 9 mm，基部有宿存萼片；核中肋明显，两边各有 2 行蜂窝状凹穴。花期 4 月，果期 6 ~ 7 月。

| **生境分布** | 生于海拔 400 ~ 1 500 m 的灌木林中。湖北有分布。

| **采收加工** | 全年均可采收，除去杂质，切段，晒干。

| **功能主治** | 祛风，除湿，止痛。用于风湿关节痛。

清风藤科 Sabiaceae 清风藤属 Sabia

清风藤 *Sabia japonica* Maxim.

| 药 材 名 | 清风藤。

| 形态特征 | 落叶攀缘木质藤本。嫩枝绿色，被细柔毛，老枝紫褐色，具白蜡层，常留有木质化、呈单刺状或双刺状的叶柄基部。芽鳞阔卵形，具缘毛。叶近纸质，卵状椭圆形、卵形或阔卵形，长 3.5 ～ 9 cm，宽 2 ～ 4.5 cm，叶面深绿色，中脉有疏毛，叶背带白色，脉上被稀疏柔毛，侧脉每边 3 ～ 5；叶柄长 2 ～ 5 mm，被柔毛。花先于叶开放，单生于叶腋，基部有苞片 4；苞片倒卵形，长 2 ～ 4 mm；花梗长 2 ～ 4 mm，果时增长至 2 ～ 2.5 cm；萼片 5，近圆形或阔卵形，长约 0.5 mm，具缘毛；花瓣 5，淡黄绿色，倒卵形或长圆状倒卵形，长 3 ～ 4 mm，具脉纹；雄蕊 5，花药狭椭圆形，外向开裂；花盘杯状，

有 5 裂齿；子房卵形，被细毛。分果爿近圆形或肾形，直径约 5 mm；核有明显中肋，两侧面具蜂窝状凹穴，腹部平。花期 2 ~ 3 月，果期 4 ~ 7 月。

| **生境分布** | 生于海拔 800 m 以下的山谷、林缘或灌木林中。湖北有分布。

| **采收加工** | **藤茎：** 春、夏季割取藤茎，切段，晒干。

| **功能主治** | 活血解毒，祛风利湿。用于风湿痹痛，鹤膝风，水肿，跌打肿痛，化脓性关节炎。

清风藤科 Sabiaceae 清风藤属 *Sabia*

多花清风藤

Sabia schumanniana Diels subsp. *pluriflora* (Rehd. et Wils.) Y. F. Wu

| 药 材 名 |

多花清风藤。

| 形态特征 |

攀缘木质藤本，长可达 3 m。一年生枝黄绿色，有纵条纹，二年生枝褐色，无毛。芽鳞卵形，无毛，边有缘毛。叶狭椭圆形或线状披针形，长 3 ~ 8 cm，宽 0.8 ~ 1.5（~ 2）cm，先端急尖或渐尖，基部圆或阔楔形，两面均无毛，叶面深绿色，叶背淡绿色；侧脉每边 3 ~ 5，向上弯拱，在近叶缘处分叉网结，网脉稀疏，在叶面不明显；叶柄长 2 ~ 10 mm。聚伞花序有 6 ~ 20 花；总花梗长 2 ~ 3 cm，小花梗长 8 ~ 15 mm；花淡绿色，萼片、花瓣、花丝及花盘中部均有红色腺点；花瓣 5，长圆形或阔倒卵形，长 4 ~ 5 mm，有 7 ~ 9 脉纹；雄蕊 5，长 3 ~ 5 mm，花丝扁平，花药卵形，向内开裂；花盘肿胀，圆柱状，边缘波状；子房无毛，花柱长约 4 mm。分果爿倒卵形或近圆形，长约 6 mm，宽约 7 mm，无毛，核的中肋呈狭翅状，中肋两边各有 2 行蜂窝状凹穴，两侧面有块状凹穴，腹部平。花期 3 ~ 4 月，果期 6 ~ 8 月。

| **生境分布** | 生于海拔 600 ～ 1 300 m 的林中。分布于湖北西部。

| **资源情况** | 野生资源一般，栽培资源较少。

| **功能主治** | 祛风利湿，活血解毒。用于风湿痹痛，水肿，脚气，跌打肿痛，骨折，深部脓肿，骨髓炎，皮肤瘙痒等。

清风藤科 Sabiaceae 清风藤属 Sabia

尖叶清风藤
Sabia swinhoei Hemsl. ex Forb. et Hemsl.

| 药 材 名 | 尖叶清风藤。

| 形态特征 | 常绿攀缘木质藤本。小枝纤细，被长而垂直的柔毛。叶纸质，椭圆形、卵状椭圆形、卵形或宽卵形，长 5 ~ 12 cm，宽 2 ~ 5 cm，先端渐尖或尾状尖，基部楔形或圆形，叶面除嫩时中脉被毛外，其余部位无毛，叶背被短柔毛或仅脉上有柔毛，每边侧脉具 4 ~ 6，网脉稀疏；叶柄长 3 ~ 5 mm，被柔毛。聚伞花序有花 2 ~ 7，被稀疏长柔毛，长 1.5 ~ 2.5 cm，总花梗长 0.7 ~ 1.5 cm；花梗长 2 ~ 4 mm；萼片 5，卵形，长 1 ~ 1.5 mm，外面有不明显的红色腺点，有缘毛；花瓣 5，浅绿色，卵状披针形或披针形，长 3.5 ~ 4.5 mm；雄蕊 5，花丝稍扁，花药内向开裂；花盘浅杯状；子房无毛。分果爿深蓝色，

近圆形或倒卵形，基部偏斜，长 8 ~ 9 mm，宽 6 ~ 7 mm；核的中肋不明显，2 侧面有不规则条块状凹穴，腹部凸出。花期 3 ~ 4 月，果期 7 ~ 9 月。

| **生境分布** | 生于海拔 400 ~ 2 300 m 的山谷林间。湖北有分布。

| **采收加工** | **根**：秋、冬季采挖，洗净，切片，晒干。
藤茎、叶：夏、秋季采收，洗净，鲜用或晒干。

| **功能主治** | 除风湿，止痹痛，活血化瘀，舒筋活络。用于风湿关节痛，筋骨不利。

凤仙花科 Balsaminaceae 凤仙花属 Impatiens

锐齿凤仙花 *Impatiens arguta* Hook. f. et Thoms.

| 药 材 名 | 凤仙花。

| 形态特征 | 多年生草本，高达 70 cm。茎坚硬，直立，无毛，有分枝。叶互生，
卵形或卵状披针形，长 4 ～ 15 cm，宽 2 ～ 4.5 cm，先端急尖或渐
尖，基部楔形，边缘有锐锯齿，侧脉 7 ～ 8 对，两面无毛；叶柄长
1 ～ 4 cm，基部有 2 具柄腺体。总花梗极短，腋生，具 1 ～ 2 花；
花梗细长，基部常具 2 刚毛状苞片；花大或较大，粉红色或紫红色；
萼片 4，外面 2 半卵形，先端长突尖，内面 2 狭披针形；旗瓣圆形，
背面中肋有窄龙骨状突起，先端具小突尖，翼瓣无柄，2 裂，基部
裂片宽长圆形，上部裂片大，斧形，先端 2 浅裂，背面有明显的小耳，
唇瓣囊状，基部延长成内弯的短距；花药钝。蒴果纺锤形，先端喙

尖；种子少数，圆球形，稍有光泽。花期 7 ~ 9 月。

| 生境分布 | 生于海拔 1 850 ~ 3 100 m 的河谷灌丛草地、林下潮湿处或水沟边。分布于湖北西部。

| 资源情况 | 野生资源较少。

| 采收加工 | 夏、秋季开花时采收，鲜用或阴干、烘干。

| 功能主治 | 通经，活血，利尿。用于经闭腹痛，产后瘀血，胎死不下，小便不利，肿毒痈疽等。

凤仙花 *Impatiens balsamina* L.

| 药 材 名 | 凤仙透骨草、急性子。

| 形态特征 | 一年生草本。高 60 ~ 100 cm。茎粗壮，肉质，直立，不分枝或有分枝，无毛或幼时被疏柔毛，基部直径可达 8 mm，具多数纤维状根，下部节常膨大。叶互生，最下部叶有时对生；叶片披针形、狭椭圆形或倒披针形，长 4 ~ 12 cm、宽 1.5 ~ 3 cm，先端尖或渐尖，基部楔形，边缘有锐锯齿，向基部常有数对无柄的黑色腺体，两面无毛或被疏柔毛，侧脉 4 ~ 7 对；叶柄长 1 ~ 3 cm，上面有浅沟，两侧具数对具柄的腺体。花单生或 2 ~ 3 簇生于叶腋，无总花梗，白色、粉红色或紫色，单瓣或重瓣；花梗长 2 ~ 2.5 cm，密被柔毛；苞片线形，位于花梗的基部；侧生萼片 2，卵形或卵状披针形，长 2 ~ 3 mm，

唇瓣深舟状，长 13 ~ 19 mm，宽 4 ~ 8 mm，被柔毛，基部急尖成长 1 ~ 2.5 cm 内弯的距；旗瓣圆形，兜状，先端微凹，背面中肋具狭龙骨状突起，先端具小尖，翼瓣具短梗，长 23 ~ 35 mm，2 裂，下部裂片小，倒卵状长圆形，上部裂片近圆形，先端 2 浅裂，外缘近基部具小耳；雄蕊 5，花丝线形，花药卵球形，先端钝；子房纺锤形，密被柔毛。蒴果宽纺锤形，长 10 ~ 20 mm，两端尖，密被柔毛；种子多数，圆球形，直径 1.5 ~ 3 mm，黑褐色。花期 7 ~ 10 月。

| **生境分布** | 生于土壤疏松肥沃的向阳处。湖北有分布。湖北有栽培。

| **采收加工** | **凤仙透骨草：**夏秋间植株生长茂盛时割取地上部分，除去叶及花果，洗净，晒干。

急性子：8 ~ 9 月当蒴果由绿转黄时，要及时分批采摘，否则果实过熟就会将种子弹射出去，造成损失。将蒴果脱粒，筛去果皮杂质，即得药材急性子。

| **功能主治** | **凤仙透骨草：**祛风湿，活血，解毒。用于风湿痹痛，跌打肿痛，闭经，痛经，痈肿，丹毒，鹅掌风，蛇虫咬伤。

急性子：破血消积，软坚散结。用于闭经，积块，噎膈，外疡坚肿，骨鲠在喉等。

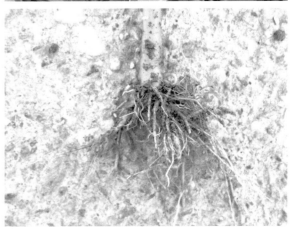

凤仙花科 Balsaminaceae 凤仙花属 *Impatiens*

睫毛萼凤仙花 *Impatiens blepharosepala* Pritz. ex Diels

| 药 材 名 | 睫毛萼凤仙花。

| 形态特征 | 一年生草本，高 30 ~ 60 cm。茎直立，不分枝或基部有分枝。叶互生，常密生于茎或分枝上部，矩圆形或矩圆状披针形，长 7 ~ 12 cm，宽 3 ~ 4 cm，先端渐尖或尾状渐尖，基部楔形，有 2 球状腺体，边缘有圆齿，齿端具小尖，侧脉 7 ~ 9 对。总花梗腋生，花 1 ~ 2；花梗中上部有 1 条形苞片；花紫色；侧生萼片 2，卵形，先端突尖，边缘有睫毛，有时具疏小齿，脱落；旗瓣近肾形，先端凹，背面中肋有狭翅，翅端具喙，翼瓣无柄，2 裂，基部裂片矩圆形，上部裂片大，斧形，唇瓣宽漏斗状，基部突然延长成内弯的长可达 3.5 cm 的距；花药钝。蒴果条形。

| 生境分布 | 生于海拔 500 ~ 1 600 m 的山谷水旁、沟边林缘或山坡阴湿处。分布于湖北宣恩、鹤峰、秭归、五峰、长阳、兴山、神农架、房县、巴东，以及咸宁等。

| 功能主治 | 用于贫血，外伤出血。

凤仙花科 Balsaminaceae 凤仙花属 Impatiens

牯岭凤仙花 Impatiens davidi Franch.

| 药 材 名 | 牯岭凤仙花。

| 形态特征 | 一年生草本。高可达 90 cm。茎粗壮，肉质，直立或下部斜升，有分枝，无毛，下部节膨大，有多数纤维状根。叶互生；叶片膜质，卵状长圆形或卵状披针形，稀椭圆形，长 5 ~ 10 cm，宽 3 ~ 4 cm，先端尾状渐尖，基部楔形或尖，边缘有粗圆齿状齿，齿端具小尖，两面无毛，侧脉 5 ~ 7 对，弧状弯曲；叶柄长 4 ~ 8 cm。总花梗连同花梗长约 1 cm，果时长可达 2 cm，仅具 1 花，中上部有 2 苞片；苞片草质，卵状披针形，长约 3 mm，宿存；花淡黄色；侧生 2 萼片膜质，宽卵形，长约 10 mm，宽 5 ~ 6 mm，先端具小尖，全缘，有 9 细脉；旗瓣近圆形，直径约 10 mm，先端微凹，背面中肋具绿

色鸡冠状突起，先端具短喙尖；翼瓣具梗，长 15 ~ 20 mm，2 裂，下部裂片小，长圆形，先端渐尖成长尾状，上部裂片大，斧形，先端钝，外缘近基部具钝角状的小耳；唇瓣囊状，具黄色条纹，基部急狭成长约 8 mm 钩状的距，距端 2 浅裂；雄蕊 5，花丝线形，上部略扩大，花药卵球形，先端钝；子房纺锤形，直立，具短喙尖。蒴果线状圆柱形，长 3 ~ 3.5 cm。种子多数，近圆球形，褐色，光滑。花期 7 ~ 9 月。

| 生境分布 | 生于海拔 300 ~ 700 m 的山谷林下或草丛中潮湿处。分布于湖北通山、黄梅、英山、罗田、红安。

| 资源情况 | 野生资源较少。药材主要来源于野生。

| 采收加工 | **全草**：夏、秋季采收，除去杂质，鲜用或晒干。

| 功能主治 | 消积，止痛。用于疳积，腹痛，牙龈溃烂。

耳叶凤仙花 *Impatiens delavayi* Franch.

| **药 材 名** | 耳叶凤仙花。

| **形态特征** | 一年生草本，高 40 ~ 90 cm。茎细瘦，直立，分枝。叶互生；叶片卵状长圆形或卵状披针形，长 5 ~ 10 cm，宽 3 ~ 4 cm，先端尾状

渐尖，基部楔形，边缘有粗圆齿，齿端有小尖，侧脉 5 ~ 7 对。花梗腋生，长约 2 cm，中上部有 2 近对生的披针形苞片；花单生，黄色或橙黄色；萼片 2，宽卵形，长约 4 mm，先端有小尖，全缘；旗瓣近圆形，背面中肋有宽翅，先端具短喙，翼瓣具柄，2 裂，基部裂片长圆形，先端有长丝，上部裂片大，斧形，唇瓣囊状，基部延成钩状的短距，距端 2 裂；雄蕊 5，花药钝。蒴果长椭圆形。花果期夏、秋季。

| 生境分布 | 生于沟边草丛中或山谷阴湿处。湖北有分布。

| 采收加工 | 夏、秋季采收，鲜用或晒干。

| 功能主治 | 消积，止痛。用于疳积，腹痛，牙龈溃烂。

凤仙花科 Balsaminaceae 凤仙花属 Impatiens

齿萼凤仙花 *Impatiens dicentra* Franch. ex Hook. f.

| 药 材 名 | 齿萼凤仙花。

| 形态特征 | 一年生草本，高 60 ～ 90 cm。茎直立，有分枝。叶互生，卵形或卵状披针形，长 8 ～ 15 cm，宽 3 ～ 7 cm，先端尾状渐尖，基部楔形，边缘有圆锯齿，齿端有小尖，基部边缘有数个具柄腺体，侧脉 6 ～ 8 对；叶柄长 2 ～ 5 cm。花梗较短，腋生，中上部有卵形苞片，仅具 1 花；花大，长达 4 cm，黄色；侧生萼片 2，宽卵状圆形，渐尖，边缘有粗齿，少有全缘，背面中肋有狭龙骨突；旗瓣圆形，背面中肋龙骨突呈喙状，翼瓣无柄，2 裂，裂片披针形，先端有细丝，背面有小耳，唇瓣囊状，基部延长成内弯的短距，距 2 裂；花药钝。蒴果条形，先端有长喙。

| 生境分布 | 生于海拔 1 000 ～ 2 700 m 的山沟溪边、林下草丛中。分布于湖北咸丰、鹤峰、利川、巴东、兴山、神农架、竹溪、保康，以及咸宁等。

| 功能主治 | 活血散瘀，利尿解毒。

凤仙花科 Balsaminaceae 凤仙花属 Impatiens

细柄凤仙花 *Impatiens leptocaulon* Hook. f.

| 药 材 名 | 冷水七。

| 形态特征 | 一年生草本。高 30 ～ 50 cm。茎纤弱，直立，不分枝或分枝，节和上部生褐色柔毛。叶互生，卵形或卵状披针形，长 5 ～ 10 cm，宽 2 ～ 3 cm，先端尖或渐尖，基部狭楔形，有几个腺体，边缘有小圆齿或小锯齿，无毛，叶脉 5 ～ 8 对；叶柄长 0.5 ～ 1.5 cm。总花梗细，有 1 或 2 花；花梗短，中上部有披针形苞片；花红紫色；侧生萼片 2，半卵形，长突尖，不等侧，一边透明，有细齿；旗瓣圆形，中肋龙骨状，先端有小喙；翼瓣无梗，基部裂片小，圆形，上部裂片倒卵状矩圆形，背面有钝小耳；唇瓣舟形，下延长成内弯的长矩；花药钝。蒴果条形。

| 生境分布 | 生于海拔 1 200 ~ 2 000 m 的山坡草丛中、阴湿处或林下沟边。分布于湖北兴山、合丰、宣恩、恩施、建始、神农架。 |

| 资源情况 | 野生资源较少。药材主要来源于野生。 |

| 采收加工 | **全草**：夏、秋季采收，洗净，鲜用或晒干。 |

| 功能主治 | 用于痨伤，妇女气血不和。 |

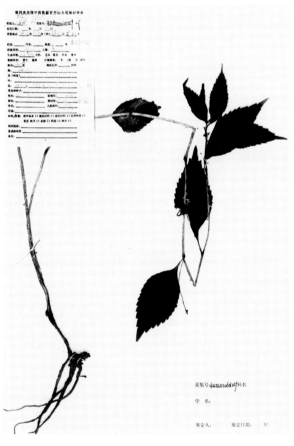

凤仙花科 Balsaminaceae 凤仙花属 Impatiens

长翼凤仙花 *Impatiens longialata* Pritz. ex Diels

| **药材名** |

长翼凤仙花。

| **形态特征** |

一年生草本。高 30 ~ 70 cm，全株无毛。茎直立，有分枝，叶互生，具短柄，叶片薄膜质，椭圆形或卵状长圆形，长 5.5 ~ 10 cm，宽 3.5 ~ 5 cm，先端钝或稍尖，基部圆形或心形，边缘具粗大圆齿，齿端凹入，具腺状小尖头，齿间无刚毛，上面绿色，下面灰绿色，侧脉 6 ~ 7 对；下部的叶柄长 6 ~ 7 cm，上部的叶柄长 3 ~ 5 mm。总花梗生于上部叶腋，长于叶柄或等于上部叶之半，长 2.5 ~ 3 cm，具 2 ~ 3 花，稀 4 花；花梗细，长 10 ~ 15 mm，结果时伸长，中上部具苞片；苞片卵形，长 2 ~ 3 mm，渐尖，宿存；花较大，淡黄色，长 1.5 ~ 2 cm，侧生萼片 2，透明，宽卵形或近心形，长 5 ~ 6 mm，宽 4 ~ 5 mm，具绿色的脉和绿色小尖头；旗瓣宽近肾形，长 8 ~ 10 mm，背面稍增厚。具狭龙骨状突起，先端具极短弯曲的梗；翼瓣具长梗，长约 2 cm，2 裂，基部裂片圆形，先端钝或凹，上部裂片较大，长椭圆形，边缘波状，凹入，先端钝；唇瓣檐部漏斗形，长 1.5 ~ 2 cm，内

面具紫色斑点，口部平，宽 6 ~ 7 mm，先端具小尖，基部渐狭成长 10 ~ 15 mm 内弯的细距。花丝线形，花药卵状三角形，急尖，子房纺锤状，喙尖。蒴果线形，长 2 ~ 2.5 cm，先端喙尖；种子少数，长圆形，长 3 ~ 4 mm，平滑，褐色。花期 7 ~ 8 月，果期 9 ~ 10 月。

| 生境分布 | 生于海拔 500 ~ 2 000 m 的山谷沟边、路旁潮湿草丛中。分布于湖北鹤峰、秭归、长阳、兴山、神农架、房县等。

| 功能主治 | 祛风除湿，舒筋活络。

凤仙花科 Balsaminaceae 凤仙花属 Impatiens

路南凤仙花 *Impatiens loulanensis* Hook. f.

| 药 材 名 | 凤仙花。

| 形态特征 | 一年生草本，高 50 ~ 80 cm。茎粗壮，直立，有分枝，上部生疏腺毛或无毛。叶互生，卵状矩圆形或卵状披针形，长 7 ~ 18 cm，宽 2.5 ~ 5 cm，先端渐尖，基部楔形，边缘有粗圆齿或小圆齿，侧脉 6 ~ 8 对；叶柄长 2 ~ 5 cm。总花梗腋生，长 6 ~ 10 cm，5 ~ 13 花排成总状花序；花梗细，基部有 1 苞片，苞片卵形，先端有一具腺体的芒；花黄色，侧生萼片 2，宽卵形，先端有一具腺体的芒；旗瓣圆形，背面中肋有龙骨突，先端具小尖，翼瓣近无柄，2 裂，基部裂片近圆形，上部裂片狭披针形，唇瓣漏斗状，基部延成内弯的长距；花药钝。蒴果线形。

| **生境分布** | 生于海拔 700 ～ 2 500 m 的山谷湿地、林下草丛、水沟边。分布于湖北西部。

| **资源情况** | 野生资源较少。

| **采收加工** | 夏、秋季采收，洗净，鲜用或晒干。

| **功能主治** | 舒筋活络。用于跌打肿痛，蛇咬伤。

凤仙花科 Balsaminaceae 凤仙花属 Impatiens

水金凤 *Impatiens noli-tangere* L.

| 药 材 名 | 水金凤。

| 形态特征 | 一年生草本。高 40 ~ 70 cm。茎较粗壮，肉质，直立，上部多分枝，无毛，下部节常膨大，有多数纤维状根。叶互生，卵形或卵状椭圆形，长 3 ~ 8 cm，宽 1.5 ~ 4 cm，先端钝，稀急尖，基部圆钝或宽楔形，边缘有粗圆齿状齿，齿端具小尖，两面无毛，上面深绿色，下面灰绿色；叶柄纤细，长 2 ~ 5 cm，最上部的叶柄更短或近无柄。总花梗长 1 ~ 1.5 cm，具 2 ~ 4 花，排列成总状花序；花梗长 1.5 ~ 2 mm，中上部有 1 苞片；苞片草质，披针形，长 3 ~ 5 mm，宿存；花黄色；侧生 2 萼片卵形或宽卵形，长 5 ~ 6 mm，先端急尖；旗瓣圆形或近圆形，直径约 10 mm，先端微凹，背面中肋具绿色鸡冠状突起，先

端具短喙尖；翼瓣无柄，长 20 ～ 25 mm，2 裂，下部裂片小，长圆形，上部裂片宽斧形，近基部散生橙红色斑点，外缘近基部具钝角状的小耳；唇瓣宽漏斗状，喉部散生橙红色斑点，基部渐狭成长 10 ～ 15 mm 内弯的距；雄蕊 5，花丝线形，上部稍膨大，花药卵球形，先端尖；子房纺锤形，直立，具短喙尖。蒴果线状圆柱形，长 1.5 ～ 2.5 cm。种子多数，长圆球形，长 3 ～ 4 mm，褐色，光滑。花期 7 ～ 9 月。

| 生境分布 | 生于海拔 900 ～ 2 400 m 的山坡林下、林缘草地或沟边。分布于湖北巴东、房县、神农架等。

| 资源情况 | 野生资源较少。药材主要来源于野生。

| 采收加工 | **全草**：夏、秋季采收，洗净，鲜用或晒干。

| 功能主治 | 理气活血，舒筋活络。

红雉凤仙花 *Impatiens oxyanthera* Hook. f.

| 药 材 名 | 红雉凤仙花。

| 形态特征 | 一年生草本。高 20 ~ 40 cm，全株无毛。茎直立，细，不分枝。叶互生，具短柄，或上部的叶近无柄；叶片膜质，卵形或卵状披针形，长 6 ~ 8 cm，宽 3.5 ~ 4 cm，先端急尖或渐尖，基部楔形，狭成长 1.5 ~ 3 cm 的叶柄，边缘具粗锯齿，齿端具小尖，侧脉 4 ~ 5 对；上面深绿色，下面浅绿色，基部无腺体或具少数缘毛状腺体。总花梗生于上部叶腋，长于叶柄，而短于叶，纤细，具 2 花；花梗长 10 ~ 15 mm，下面的在基部、上面的在中部具苞片；苞片卵形，长 2 ~ 5 mm，先端突尖；花大，红色或淡紫红色，长 2 ~ 2.5 cm；侧生萼片 2，圆形或椭圆形长 5 ~ 6 mm，宽 3 ~ 4 mm，先端具长

尖头，具 5 脉；旗瓣圆形，直径 15 mm，中肋背面增厚，具龙骨状突起，先端具弯曲突尖；翼瓣无柄，长 20 ～ 25 mm，2 裂，基部裂片圆形，较上部边缘突尖，上部裂片较长，狭斧形或马刀形，弯曲，先端钝，背部具圆小耳；唇瓣檐部近囊状漏斗形，长 2.5 cm，口部斜升，宽 15 mm，先端尖，基部狭成短于檐部内弯的钝距，具红色条纹；花丝短，钻形；花药卵圆形，先端尖；子房纺锤状，直立，具 5 肋，急尖。蒴果线形，长 1.5 cm。花期 9 月。

| 生境分布 |　生于海拔 1 900 ～ 2 200 m 的山坡林缘或路旁阴湿处。分布于湖北西部。

| 功能主治 |　活血通经，祛风止痛。用于闭经，跌打损伤，瘀血肿痛，风湿性关节炎等。

凤仙花科 Balsaminaceae 凤仙花属 Impatiens

块节凤仙花 *Impatiens pinfanensis* Hook. f.

| 药 材 名 | 串铃。

| 形态特征 | 一年生草本。高 20 ~ 40 cm。茎细弱，直立，茎上疏被白色微绒毛，基部匍匐，匍匐茎节膨大，形成球状块茎，上着生不定根。单叶互生，卵形、长卵形或披针形，长 3 ~ 6 cm，宽 1.5 ~ 2.5 cm，先端渐尖。基部楔形，边缘具粗锯齿，齿尖有小刚毛，侧脉 4 ~ 5 对，叶面沿叶脉疏被极小肉刺，下部叶柄长，上部叶柄极短，长 0.3 ~ 2 cm。总花梗腋长，长 4 ~ 5 cm，仅 1 花，中上部具 1 狭长披针形小苞片；花红色，中等大，长约 3 cm；侧生萼片 2，椭圆形，长约 0.5 cm，先端具喙；旗瓣圆形或倒卵形，背面中肋有龙骨突，先端具小尖头；翼瓣 2 裂，上裂片斧形，先端圆，下裂片圆形，先端钝；唇瓣漏斗状，

基部下延为弯曲的细距；花药尖。蒴果线形，具条纹；种子近球形，直径约 0.3 cm，褐色，光滑。花期 6 ~ 8 月，果期 7 ~ 10 月。

| 生境分布 | 生于海拔 900 ~ 2 000 m 的林下、沟边等潮湿环境。分布于湖北西部。

| 功能主治 | 祛风除湿，活血止痛。用于风寒感冒，乳蛾，风湿骨痛，闭经，骨折。

凤仙花科 Balsaminaceae 凤仙花属 Impatiens

湖北凤仙花 *Impatiens pritzelii* Hook. f.

| 药 材 名 | 霸王七。

| 形态特征 | 多年生草本。高 20 ~ 70 cm，全株无毛，具串珠状横走的地下茎。茎肉质，不分枝，中、下部节膨大，常裸露。叶互生，常密集于茎端，无柄或具短柄，长圆状披针形或宽卵状椭圆形，长 5 ~ 18 cm，宽 2 ~ 5 cm，先端渐尖或急尖，基部楔状下延于叶柄，边缘具圆齿状齿，齿间具小刚毛，侧脉 7 ~ 9 对，中脉及侧脉两面明显。总花梗生于上部叶腋，长于叶或与叶等长，劲直，具 3 ~ 8（~ 13）花。花总状排列，花梗细，长 2 ~ 3 cm，基部有苞片，苞片卵形或舟形，长 5 ~ 8 mm，革质，先端渐尖，早落；花黄色或黄白色，宽 1.6 ~ 2.2 cm。侧生萼片 4，外面 2 宽卵形，长 8 ~ 10 mm，宽 4 ~ 5 mm，

渐尖，不等侧，具脉，内面 2 线状披针形，长 10 ～ 14 mm，透明，先端弧状弯，具 1 侧脉；旗瓣宽椭圆形或倒卵形，长 14 ～ 16 mm，膜质，中肋背面中上部稍增厚，具突尖；翼瓣具宽梗，长 2 cm，2 裂，基部裂片倒卵形，上部裂片较长，长圆形或近斧形，先端圆形或微凹，背部有反折三角形小耳；唇瓣囊状，内弯，长 2.5 ～ 3.5 cm，具淡棕红色斑纹，口部平展，宽 15 ～ 18 mm，先端尖，基部渐狭成长 14 ～ 17 mm 内弯或卷曲的距；花丝线形；花药先端钝；子房纺锤形，具长喙尖。蒴果未成熟。花期 10 月。

| 生境分布 | 生于海拔 400 ～ 1 800 m 的山谷林下、沟边及湿润草丛中。分布于湖北恩施、兴山、建始、利川、巴东、鹤峰、长阳、五峰、宜都、秭归，以及宜昌。

| 资源情况 | 野生资源较少。有少量栽培。药材主要来源于野生。

| 采收加工 | **根**：夏、秋季采收，洗净，鲜用或晒干。

| 功能主治 | 祛风除湿，散瘀消肿，止痛止血，清热解毒。用于风湿疼痛，四肢麻木，跌打损伤，腹泻，痢疾等。

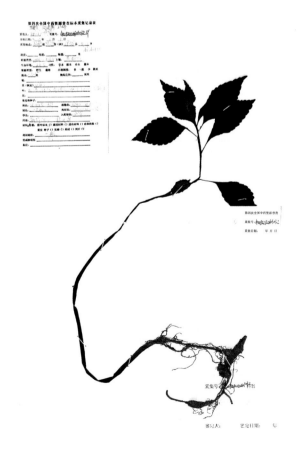

凤仙花科 Balsaminaceae 凤仙花属 Impatiens

翼萼凤仙花

Impatiens pterosepala Hook. f.

| 药 材 名 | 翼萼凤仙花。

| 形态特征 | 一年生草本。高 30 ~ 60 cm。茎纤细，直立，有分枝。叶互生，卵形或矩圆状卵形，长 3 ~ 10 cm，宽 2.5 ~ 4 cm，先端渐尖，基部楔形，具 2 球形腺体，边缘有圆齿，侧脉 5 ~ 7 对；叶柄长 1.5 ~ 2 cm。总花梗腋生，长约 4 cm，中上部有 1 披针形苞片，仅 1 花；花淡紫色或紫红色；侧生萼片 2，长卵形，先端渐尖，有时一侧有细齿，背面中肋有狭翅；旗瓣圆形，先端微凹，基部心形，背面中肋全缘或有波状狭翅，翅的先端有短喙；翼瓣近无梗，2 裂，基部裂片矩圆形，上部裂片较大，宽斧形，背面有小耳；唇瓣狭漏斗状，基部延成细长内弯的距；花药尖。蒴果条形。

| 生境分布 | 生于海拔 1 500 ~ 1 700 m 的山坡灌丛中或林下阴湿处、沟边。分布于湖北恩施、巴东、建始、兴山、鹤峰、秭归、神农架、南漳、保康等。

| 功能主治 | 清热解毒，消肿镇痛。用于小儿食积，肝炎，胃炎，食物中毒。

凤仙花科 Balsaminaceae 凤仙花属 Impatiens

黄金凤 *Impatiens siculifer* Hook. f.

药材名

黄金凤。

形态特征

一年生草本。高 30 ~ 60 cm。茎细弱，不分枝或有少数分枝。叶互生，通常密集于茎或分枝的上部，卵状披针形或椭圆状披针形，长 5 ~ 13 cm，宽 2.5 ~ 5 cm，先端急尖或渐尖，基部楔形，边缘有粗圆齿，齿间有小刚毛，侧脉 5 ~ 11 对；下部叶的叶柄长 1.5 ~ 3 cm，上部叶近无柄。总花梗生于上部叶腋，花 5 ~ 8 排成总状花序；花梗纤细，基部有 1 披针形苞片宿存；花黄色；侧生萼片 2，窄矩圆形，先端突尖；旗瓣近圆形，背面中肋增厚成狭翅；翼瓣无梗，2 裂，基部裂片近三角形，上部裂片条形；唇瓣狭漏斗状，先端有喙状短尖，基部延长成内弯或下弯的长距；花药钝。蒴果棒状。花期 6 ~ 9 月。

生境分布

生于海拔 800 ~ 2 500 m 的山坡草地、草丛、水沟边、山谷潮湿地或密林中。分布于湖北宣恩、建始、来凤等。

| **资源情况** | 野生资源较少。药材主要来源于野生。

| **采收加工** | **全草：**夏、秋季采收，洗净，鲜用或晒干。

| **功能主治** | 祛风除湿，活血消肿，清热解毒。用于风湿，跌打损伤，烧伤，烫伤。

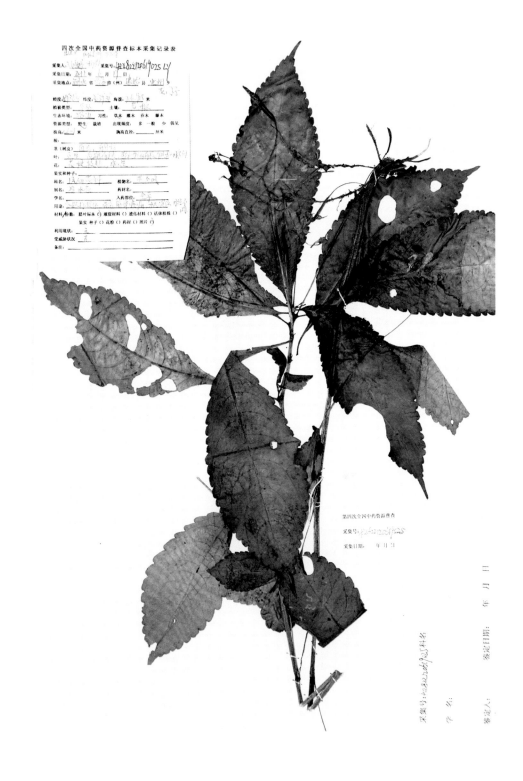

凤仙花科 Balsaminaceae 凤仙花属 Impatiens

窄萼凤仙花
Impatiens stenosepala Pritz. ex Diels var. *stenosepala*

| 药 材 名 | 窄萼凤仙花。

| 形态特征 | 一年生草本，高 20 ~ 70 cm，直立。茎和枝上有紫色或红褐色斑点。叶互生，常密集于茎上部，矩圆形或矩圆状披针形，长 6 ~ 15 cm，

宽 2.5 ～ 5.5 cm，先端尾状渐尖，基部楔形，边缘有圆锯齿，基部有少数缘毛状腺体；侧脉 7 ～ 9 对；叶柄长 2.5 ～ 4.5 cm。总花梗腋生，有 1 ～ 2 花；花梗纤细，基部有 1 条形苞片；花大，紫红色；侧生萼片 4，外面 2 条状披针形，内面 2 条形；旗瓣宽肾形，先端微凹，背面中肋有龙骨突，中上部有小喙，翼瓣无柄，2 裂，基部裂片椭圆形，上部裂片矩圆状斧形，背面有近圆形的耳，唇瓣囊状，基部圆形，有内弯的短距；花药钝。蒴果条形。花期 7 ～ 9 月。

| 生境分布 | 生于海拔 800 ～ 1 800 m 的山坡林下、山沟水旁或草丛中。分布于湖北兴山、咸丰、秭归、五峰、长阳、神农架、房县、宜都，以及咸宁等。

| 功能主治 | 清热解毒，去腐生肌。用于恶疮溃疡。

凤仙花科 Balsaminaceae 凤仙花属 Impatiens

野凤仙花 *Impatiens textori* Miq.

| **药材名** | 野凤仙花。

| **形态特征** | 一年生草本，高 40 ～ 90 cm。茎直立，多分枝，通常带淡红色，上部小枝和总花梗被红紫色腺毛。叶互生或在茎顶部近轮生，叶片菱状卵形或卵状披针形，稀宽披针形，长 3 ～ 13 cm，宽 3 ～ 7 cm，先端渐尖，基部楔形，稀钝圆，边缘具锐锯齿，齿端具小尖，侧脉 7 ～ 8 对，上面绿色，下面淡绿色，沿脉被多细胞毛；叶柄长 4 ～ 4.5 cm，上部叶渐小，近无柄，基部稍钝。总花梗生于上部叶腋，斜上，长 4 ～ 10 cm，具 4 ～ 10 花；花梗细，长 1 ～ 2 cm，基部具苞片；苞片卵状披针形至三角状卵形，长 3 ～ 5 mm；花大，淡紫色或紫红色，具紫色斑点，长 3 ～ 4 cm；侧生萼片 2，宽卵形，暗紫

红色，长 7 ~ 10 mm，宽 5 ~ 6 mm，先端尖；旗瓣卵状方形，直径约 12 mm，先端具小尖，背面中肋具龙骨状突起，翼瓣具柄，长约 2 cm，2 裂，基部裂片卵状长圆形，上部裂片长圆状斧形，背部具明显的小耳，唇瓣钟状漏斗形，长 2.5 ~ 3 cm，口部斜上，宽 15 ~ 18 mm，先端渐尖，基部渐狭成长 1.5 cm、向内卷曲的距，内面具暗紫色斑点；花丝线形，长 3 ~ 4 mm，花药卵形，先端钝；子房纺锤形，直立。蒴果纺锤状，长 1 ~ 1.8 cm，喙尖；种子少数，椭圆形，长 4 mm，褐色，具小瘤状突起。花期 8 ~ 9 月。

| 生境分布 | 生于海拔 1 050 m 的山沟溪流旁。分布于湖北西部。

| 资源情况 | 野生资源较少。

| 采收加工 | **全草**：夏、秋季采收，除去杂质，干燥。

| 功能主治 | 清热解毒，去腐生肌。用于恶疮溃疡。